# A lista de coisas suspeitas

Jennie Godfrey

# A lista de coisas suspeitas

Tradução
ALEXANDRE BOIDE

parela

Copyright © 2023 by Jennie Godfrey
Publicado mediante acordo com Rachel Mills Literary Ltd.

A Editora Paralela é uma divisão da Editora Schwarcz S.A.

*Grafia atualizada segundo o Acordo Ortográfico da Língua Portuguesa de 1990, que entrou em vigor no Brasil em 2009.*

TÍTULO ORIGINAL The List of Suspicious Things
CAPA Ceara Elliot
IMAGENS DE CAPA Eugenia Petrovskaya/ Shutterstock; Kamieshkova/ Shutterstock
PREPARAÇÃO Fernanda Belo
REVISÃO Érika Nogueira Vieira e Paula Queiroz

Dados Internacionais de Catalogação na Publicação (CIP)
(Câmara Brasileira do Livro, SP, Brasil)

Godfrey, Jennie
  A lista de coisas suspeitas / Jennie Godfrey ; tradução Alexandre Boide. — 1ª ed. — São Paulo : Paralela, 2024.

  Título original: The List of Suspicious Things.
  ISBN 978-85-8439-362-6

  1. Ficção policial e de mistério (Literatura inglesa) I. Título.

23-184347                                CDD-823.0872

Índice para catálogo sistemático:
1. Ficção policial e de mistério (Literatura inglesa)  823.0872

Tábata Alves da Silva – Bibliotecária – CRB-8/9253

Todos os direitos desta edição reservados à
EDITORA SCHWARCZ S.A.
Rua Bandeira Paulista, 702, cj. 32
04532-002 — São Paulo — SP
Telefone: (11) 3707-3500
editoraparalela.com.br
atendimentoaoleitor@editoraparalela.com.br
facebook.com/editoraparalela
instagram.com/editoraparalela
twitter.com/editoraparalela

*À memória de Rocco Godfrey, com amor*

# Nota da autora

Há uma geração inteira de moradores do norte da Inglaterra cuja infância foi assombrada pelo assassino conhecido como o Estripador de Yorkshire. Uma das minhas primeiras lembranças mais vívidas é do dia em que Peter Sutcliffe foi capturado, e quando ficou claro que meu pai o conhecia. Ainda consigo sentir o choque de ele ter chegado tão perto da minha família.

Escrevi este livro em tributo às vítimas, aos sobreviventes e a essas crianças, hoje adultas, entre as quais eu me incluo. *A lista de coisas suspeitas* é minha carta de amor ao condado de Yorkshire.

# O DESEJO

# 1

## MIV

Seria fácil dizer que o estopim de tudo foram os assassinatos, mas na verdade tudo começou quando Margaret Thatcher se tornou primeira-ministra.

"Uma mulher no comando do país, isso não tá certo. Mulher não foi feita para esse tipo de coisa", minha tia Jean comentou no dia em que o resultado da eleição foi anunciado. "Como se o governo anterior já não tivesse sido ruim o suficiente. Ela é o começo do fim para Yorkshire, e eu sei bem por quê."

Ela estava toda inquieta na nossa pequena cozinha, passando vigorosamente o pano em superfícies que eu já tinha limpado. Eu estava sentada à mesa, com meu uniforme escolar marrom e laranja, debulhando vagens em um escorredor sobre a superfície lascada de fórmica, enfiando ervilhas frescas na boca sempre que ela não estava olhando. Eu queria pontuar que, assim como Margaret Thatcher, tia Jean também era uma mulher, mas ela detestava ser interrompida enquanto falava, e só estávamos nós duas ali, o que significava que não havia escapatória de suas opiniões, que eram muitas. Tantas que ela começou a listar uma por uma.

"Primeiro", começou, com seus cachos grisalhos e cheios de frizz balançando enquanto sacudia a cabeça, "basta uma olhada na cara dela para ver o que o poder faz com uma mulher: elas ficam rígidas. Dá para ver que ela não tem coração, né?" Tia Jean pegou uma colher de pau do escorredor e a balançou no alto na minha direção para enfatizar suas palavras.

"Hum-hum", murmurei.

Por um instante, pensei em só assentir de tempos em tempos enquanto lia escondida o livro que tinha aberto, com o escorredor apoiado sobre um dos cantos para mantê-lo aberto. Mas, apesar de a audição da tia Jean não ser mais a mesma, seus outros sentidos eram afiadíssimos, e ela teria farejado minha desatenção como um cão de caça.

"Segundo, ela já tirou o leite da boca das crianças pobres e o emprego das mãos dos trabalhadores."

Eu sabia que pelo menos uma parte disso era verdade. Os versos "Thatcher, Thatcher, ladrona de leite" ainda eram cantados na nossa escola anos depois de ela ter abolido as garrafinhas de leite morno e nojento que a gente era obrigado a beber todos os dias.

"Terceiro, esses malditos assassinatos a cada cinco minutos. Yorkshire é conhecida por isso ultimamente. Garotas mortas."

Ela guardou a colher de pau e abriu a porta da nossa velha geladeira, com seus cantos enferrujados, que rangeu em protesto. Passou a resmungar de imediato sobre a falta de conteúdo lá dentro, então pegou o caderno em espiral surrado que levava consigo para todo lugar, apanhou o igualmente gasto lápis que ficava preso à capa e lambeu a ponta.

"Manteiga, leite, queijo."

Dava para ver sua boca articulando as palavras à medida que as escrevia, enquanto as registrava na caligrafia de que tanto se orgulhava. A tia Jean gostava de pôr ordem na confusão da vida. Às vezes eu me perguntava se era isso que estava tentando fazer com a nossa família. Ela terminou a lista, fechou a geladeira e se virou para mim.

"Ah, e não são só garotas mortas. São bem *aquele* tipo de mulher."

Eu tinha um monte de perguntas sobre que tipo de mulher era esse, e se era do mesmo tipo que Margaret Thatcher. Sempre ficava intrigada com os tipos de mulher que a tia Jean reprovava — eram muitos —, mas sabia por experiência própria que meus comentários não eram bem-vindos nem desejados, então decidi não falar nada e simplesmente me recostei na cadeira, enquanto tia Jean continuava com suas opiniões. Só não era preciso perguntar de quais assassinatos ela se referia. Todo mundo em Yorkshire sabia que nós tínhamos nosso próprio bicho-papão, armado de um martelo e do ódio pelas mulheres.

Eu tinha ouvido falar do Estripador de Yorkshire pela primeira vez dois anos antes, quando estava perto de completar dez anos. Estava com minha mãe, meu pai e a tia Jean na sala de estar. Isso foi não muito tempo depois que a tia Jean veio morar em casa, e eu ainda me ajustava a essa nova presença, me moldando ao novo formato que passou a ser exigido de mim. Estava constantemente tentando ser mais discreta e silenciosa, mas, apesar dos meus esforços, a minha personalidade continuava dando as caras do mesmo jeito, como aqueles palhaços de brinquedo que pulam para fora da caixa.

A pequena televisão em preto e branco apoiada sobre uma prateleira exibia o noticiário das nove da noite. Minha mãe, meu pai e a tia Jean estavam empoleirados no sofá, olhando para a tela como se ouvissem um sermão na igreja. Meus cabelos estavam úmidos depois da lavagem semanal, então pude sentar na poltrona que normalmente era ocupada pela minha mãe sempre que ela vinha do andar de cima. Eu estava perto do aquecedor a gás, com suas grades que brilhavam forte e que esquentavam meu rosto quando me virava em sua direção. O resto da sala estava tão frio que saía fumacinha pela boca quando você respirava. Fitava os contornos em curva marrom, laranja e mostarda do carpete — parecidos com os padrões que desenhávamos com o espirógrafo que eu tinha ganhado no Natal anterior —, quando percebi que alguma coisa no ar havia mudado, como se o oxigênio tivesse sido extraído do cômodo. Parecia que todo mundo tinha prendido a respiração junto, como a gente fazia às vezes na escola até ficar com a cara vermelha e ter que desistir, ofegando e dando risada.

Ergui o rosto e vi que um policial com uma expressão bem séria, com várias condecorações no uniforme, tinha aparecido na tela. O meu pai olhava para a minha mãe com intensidade, como se estivesse tentando ler seus sinais vitais. Como não conseguiu deduzir nada, ele se virou para a tia Jean, suas sobrancelhas subindo e descendo de um jeito que geralmente me fazia rir. Mas não havia nenhuma graça naquele momento. Eu não conseguia entender o que havia mudado.

*"Confirmamos hoje que Jean Jordan, de vinte anos, é a sexta vítima do Estripador de Yorkshire. Foi uma morte brutal. Ela foi golpeada na cabeça com um objeto contundente e esfaqueada diversas vezes. Essa vítima também era prostituta..."*

Eu me ajeitei melhor na poltrona — aquela era uma palavra que eu nunca tinha ouvido antes. Ao mesmo tempo, meu pai tossiu, encobrindo o som da televisão, e a tia Jean levantou para trocar de canal, só que a essa altura eu já estava perguntando: "O que é prostituta?".

Meu pai e a tia Jean se entreolharam de novo. Ele se remexeu no assento; ela congelou no lugar. Minha mãe continuou a olhar para a tela com os olhos vazios, e um breve instante de reconhecimento foi o único sinal de que estava realmente assistindo, uma espécie de foco no olhar dela que desapareceu na mesma velocidade em que surgiu. Ninguém olhou para mim.

Enfim, meu pai conseguiu falar: "Hã, é, hã, alguém que colabora com a polícia".

"Quer chocolate com leite antes de ir para a cama?", a tia Jean ofereceu com uma voz dura como granito enquanto saía da sala e gesticulava para que eu a seguisse. Quando voltei, estava passando outra coisa completamente diferente na televisão, e foi como se aquela conversa nunca tivesse acontecido.

Desde aquele dia, o Estripador continuou a habitar um canto escuro nos meus pensamentos. Na escola, a "fuga do beijo" virou a "fuga do Estripador", uma brincadeira bem mais assustadora, com os meninos da turma usando o casaco abotoado só na gola para quando corressem o tecido esvoaçasse ao redor deles como asas de uma ave de rapina. Eles circulavam pelo pátio atrás das meninas mais bonitas — minha amiga Sharon entre elas —, que fugiam aos berros. Mas eu não prestei muita atenção em quem eram as vítimas dele até algumas semanas antes das eleições gerais, quando uma funcionária de dezenove anos do serviço de crédito habitacional de Halifax chamada Josephine Whitaker foi morta.

O meu pai tinha deixado o jornal sobre a mesa da cozinha quando foi ao pub, e eu o peguei para guardar. Tia Jean detestava bagunça. Foram as fotos na primeira página que mais ficaram na minha lembrança: o rosto sorridente e de olhos grandes de Josephine, emoldurado por cabelos escuros e grossos, junto com imagens de seu corpo parcialmente coberto no parque local, onde ela foi perfurada vinte e uma vezes com uma chave de fenda.

Senti sua morte como a de uma pessoa conhecida. Talvez tenha sido por causa de sua idade — ela ainda era jovem o bastante para ser chamada de "menina" pelos homens da televisão, e não muito mais velha que eu. Talvez tenha sido por causa da maneira como ela foi descrita, com palavras como "inocente" e "respeitável". Não era *aquele* tipo de mulher, como a tia Jean as chamava. Eu encarava as fotos sem parar, alternando entre uma e outra, com o coração tão acelerado que dava para ouvir o eco da pulsação nos ouvidos.

Quando meu pai chegou em casa no dia da eleição, já tinha passado muito da hora do jantar, e eu estava sentada à mesa da cozinha, morrendo de fome, esperando que ele lavasse as mãos para se juntar a nós. O já familiar cheiro almiscarado de suor e sabonete Swarfega invadiu a cozinha quando ele sentou ao meu lado e bagunçou meus cabelos, um dos seus raros gestos de afeto.

"Está quase pronto, Austin", tia Jean avisou, apontando com a cabeça para a caneca fumegante de chá que pôs diante dele, e eu me remexi toda no lugar em expectativa. "Pare com isso, Miv", ela me repreendeu ao se virar para mim. "Parece que está com formigas no traseiro."

Parei imediatamente e abaixei a cabeça, mordendo o lábio com força. Minha mãe usava essa mesma expressão o tempo todo. A diferença era que ela me dizia isso com um sorriso no rosto.

"Se você quer fazer alguma coisa, pode levar isto lá para cima", a tia Jean falou, me entregando uma bandeja com uma tigela de sopa, e o cheiro do caldo espesso de tomate fez crescer ainda mais o buraco no meu estômago. Eu me voltei para a sala e vi que a velha poltrona gasta estava vazia. Aquele provavelmente não era um bom dia.

Subi a escada estreita sem tirar os olhos da bandeja e da tigela, pisando em cada degrau com um cuidado exagerado, tentando não derramar nem uma gota. Lá em cima, deixei a bandeja diante da porta fechada e dei uma batidinha de leve, tentando detectar algum movimento lá dentro, mas só havia o silêncio. Desci na ponta dos pés e, assim que alcancei o último degrau, ouvi o rangido quase sussurrado da porta se abrindo e soltei um suspiro de alívio. Pelo menos ela ia comer. Não era um dia tão ruim.

Na cozinha, tia Jean havia tirado o avental e estava com o cardigã de sempre, remendado nos cotovelos e abotoado até o pescoço. Diferentemente de quando dava suas opiniões, ela preferia a discrição, desde os apertados cachos dos cabelos sob uma touca enrolados no salão uma vez por semana até as meias-calças marrons grossas que cobriam cada centímetro de pele. Ela estava cortando uma torta grande e a servindo nos pratos. Meu pai lia distraído as notícias sobre críquete no *Yorkshire Chronicle*, e o fechou quando a comida foi colocada diante dele. Então nós três sentamos com os cotovelos quase colados ao redor da mesa redonda enquanto comíamos.

Antes de a tia Jean vir morar em casa de vez, nós comíamos em bandejas no sofá com a tevê ligada, onde havia espaço para o barulho e risadinhas ocasionais. Mesmo alguns anos antes, durante as greves que nos deixaram sem energia elétrica nem aquecimento, minha mãe transformou tudo em uma grande brincadeira. Ela fingia que estávamos acampando, e comíamos à luz de velas usando gorros enquanto cantávamos músicas de acampamento. Apesar de ter que comer no escuro, nossa vida era cheia de luz naquela época, e não essa nuvem cinzenta que se assentou sobre nós quando a mamãe caiu no silêncio e a tia Jean veio assumir seu lugar.

Ela pigarreou e tornou o espaço entre nós ainda mais apertado colocando o caderno aberto ao lado do prato. Havia feito algumas anotações minuciosamente numeradas sobre os motivos por que Margaret Thatcher era *uma desgraça para o país, e principalmente para Yorkshire*. As palavras foram registradas na página com a mesma precisão com que seriam enunciadas em voz alta.

Meu pai comia sua torta de carne e rim em silêncio, os olhos voltados apenas para a comida. Não dava nenhum sinal de que ouvia os mesmos argumentos que ela apresentou para mim mais cedo, e acrescentou alguns, como "mulheres tendo ideias perniciosas sobre qual é seu lugar" e uma coisa chamada "imigração" que era a culpada por Yorkshire estar "indo para o ralo".

Ela soltou um suspiro, balançando os cachos em um movimento rígido. "Não sei, não, Austin. Às vezes acho melhor desistirmos de uma vez e mudarmos para o sul."

Eu interrompi na hora o movimento de levar o garfo à boca. Ela estava falando sério? Na nossa família, o sul era considerado um destino pior que a morte. "Somos Yorkshire até o fim", tia Jean sempre dizia. "Nós respiramos o ar dos pântanos e das tecelagens desde que nos entendemos por gente."

Pus o bocado de torta, equilibrada na ponta do garfo, de volta no prato, perdendo a fome na hora. Meu pai levantou os olhos. Antes mesmo que eu pudesse pensar no que estava fazendo, as palavras saíram da minha boca:

"Nós não podemos ir embora daqui."

Até eu me surpreendi com o volume da minha voz. Os dois se viraram na minha direção.

"Ah, não?", meu pai perguntou, com um olhar de divertimento. Mas a cara que a tia Jean fez não tinha nada de divertido.

"Seu papel é obedecer", ela falou, apontando para meu prato como quem diz *e isso inclui fazer suas refeições direito*.

"Mas TUDO está aqui", eu insisti, me referindo à minha melhor e única amiga, Sharon. Senti um nó se formar na garganta, e tentei sem sucesso engoli-lo de volta. Chorar era uma das muitas coisas que a tia Jean não admitia.

Meu pai baixou o garfo e a faca e realmente olhou para tia Jean, em vez da torta de carne e rim. Pegou um pedaço de pão com bastante manteiga deixada no centro da mesa e o usou para limpar o molho do prato. "É, talvez você tenha razão", ele disse, depois de uma pausa. "Um recomeço pode ser bom para todo mundo. Podemos pensar nisso, sim." Ele ergueu os olhos para o teto ao ouvir o som de passos caminhando lentamente de um lado para o outro pelo assoalho. Eu olhei para cima também. Quando voltei a abaixar a cabeça, a tia Jean observava nós dois. Vi um sentimento, que não sabia bem dizer qual, nos olhos dela, que ela logo retirou junto com os pratos da mesa.

Foi quando percebi que aquilo era sério mesmo.

Naquela noite fiquei acordada na cama, em meio às sombras silenciosas da escrivaninha, das prateleiras de livros e do velho e pesado guarda-roupa de nogueira iluminados pelo luar que entrava por uma fresta nas cortinas. Os olhos dos desbotados, e agora já um tanto infantis, Wombles no papel de parede pareciam me vigiar. A familiaridade daquelas silhuetas fez minha garganta doer de novo.

Agarrei as laterais da cama, correndo as mãos pela coberta grossa e áspera enquanto meu estômago se revirava com a ideia de ir embora de Yorkshire. Lembrei da última vez que estive no Festival da Fogueira da nossa cidade. Minha mãe tinha decidido que eu já tinha idade suficiente para andar na xícara maluca, e parecia que eu poderia ser catapultada do mundo enquanto girávamos em alta velocidade. A única coisa que me impedia de berrar de pavor era a mão dela segurando firme na minha. Eu ainda conseguia sentir o cheio do bolo de gengibre com aveia quentinho que tínhamos comido, que ficou impregnado na pele dela. Eu sabia que aquilo não voltaria a acontecer. Os dois anos anteriores tinham me ensinado sobre o quanto alguém podia mudar. Se eu não podia contar com as pessoas, então pelo menos precisava que os lugares e as coisas permanecessem estáveis. Eu não podia me mudar para longe.

Eu me voltei para aquilo com que *sempre* podia contar. Nunca encontrei conforto em bonecas ou bichos de pelúcia, então peguei um livro gasto da Enid Blyton que a minha mãe tinha me comprado em um bazar beneficente. Estava bem no alto de uma pilha que ficava ao lado da cama, com dobras nos cantos da capa pelo tempo e as páginas quase se desprendendo da lombada. Era uma história com Os Cinco. Eu já não tinha idade para ler esses livros em público, mas, na privacidade do meu quarto, eles eram como velhos amigos. Eu adorava o fato de as aventuras sempre terminarem com a tia Fanny carinhosamente cuidando de todos, fazendo sanduíches para cada um.

Reler aquelas palavras familiares me manteve ocupada enquanto eu esperava por outro dos meus confortos diários. Toda noite desde que a minha mãe parou de falar, o meu pai vinha até o meu quarto me dar boa-noite. Era um consolo bem mais ou menos, porque ela costumava vir cantar para mim até eu dormir enquanto acariciava meu cabelo. Nunca eram cançõezinhas infantis bobas, só as músicas mais melódicas e sentimentais dos Beatles ou dos Carpenters, que ficavam lindas em sua bela voz. Mas esse era o único tempo que eu passava sozinha com meu pai, então virou um ritual precioso, depois do qual ele descia e ficava vendo televisão com a tia Jean, ou "dava uma saída rápida para uma cervejinha", o que vinha acontecendo com cada vez mais frequência nos últimos tempos. Larguei o livro quando ele apareceu na minha porta, preparada para emboscá-lo.

"Nós vamos mesmo mudar daqui?", perguntei.

Ele entrou e sentou na ponta da minha cama, brincando com um fio solto da colcha de tricô.

"Isso seria tão ruim assim?", ele questionou, com um sorriso no rosto, e em seguida apontou com o queixo para o livro no meu colo. "Pensei que você gostasse de aventuras."

Levantei os olhos, surpresa. Foi um golpe baixo, usar meus livros contra mim.

"Mas e o críquete?", perguntei. "Você não pode assistir o Yorkshire Cricket Club se não estiver mais em Yorkshire."

O críquete era o único assunto em comum que eu tinha com meu pai. As regras complicadas e os termos usados no jogo estavam gravados na minha mente como as letrinhas nas minhas balas favoritas, tamanha sua obsessão pelo esporte. Segundo o folclore da família, meus pais não queriam nem ter filhos porque isso poderia impedi-los de viajar por toda a parte para ir ver o Yorkshire jogar. Mas, no fim, não foi por minha causa que a tradição acabou. Eu sabia que estava distorcendo a regra de que era preciso ser nascido em Yorkshire para torcer pelo time, mas mesmo assim não colou. Meu pai olhou no relógio, como se a cerveja exigisse pontualidade. "Yorkshire não é mais o que era antes", ele murmurou, levantando para sair.

Senti o mesmo frio na barriga de quando estava na xícara maluca.

"Por causa dos assassinatos?"

"Bom, em parte", ele respondeu ao chegar à porta. "Mas não precisa se preocupar com isso." Ele abriu um sorriso fraco, apagou a luz do teto e fechou a porta devagar.

Enfiei a mão debaixo da cama para pegar a lanterna, a liguei e voltei ao livro. Bastaram algumas páginas para minha mente e meu corpo se tranquilizarem e as palavras exercerem seu efeito hipnótico. Eu sabia que a minha personagem favorita, Georgina — chamada de George por causa de seu visual de moleca e às vezes de "valentona" —, não teria medo de se mudar e nem mesmo do Estripador de Yorkshire. Na verdade, ela provavelmente juntaria o resto da turma para tentar pegá-lo.

*E se alguém fizesse isso?*, me perguntei, pouco antes de cair no sono. *E se os assassinatos parassem? E se pudéssemos ficar? Assim eu nunca teria que deixar Sharon e nós seríamos melhores amigas para sempre.*

# 2

## AUSTIN

Austin fechou a porta da frente, parou por um instante e soltou um suspiro. Lentamente endireitou os ombros caídos e o corpo curvado, como um mineiro que acaba de sair de baixo da terra. Sua casa tinha se tornado um lugar cheio de carências: havia a necessidade constante de responder coisas, prover coisas, resolver coisas. Mas a única coisa que ele gostaria de resolver não tinha solução. Do lado de fora, sentia como se pudesse respirar de novo. Foi andando até o fim da rua, marcando o ritmo de suas passadas nas pedras cinzentas e rachadas da calçada com uni, duni, tê enquanto pensava aonde iria naquela noite. Decidiu ao chegar à esquina que o Red Lion era o lugar mais próximo e provavelmente mais tranquilo assim ainda tão cedo, mesmo para uma sexta-feira à noite. A maioria do pessoal ia para os pubs do centro logo depois de sair do trabalho e só iam se espalhando pelos arredores mais tarde. O mais importante era não ter nenhuma expectativa em mente a não ser tomar uma cerveja.

Abriu a porta preta e pesada quando chegou ao pub. Ainda era dia do lado de fora e o sol estava apenas começando a se pôr, mas do lado de dentro o carpete vermelho-escuro e o papel de parede aveludado cor de vinho faziam parecer que a noite já havia caído. Ele estava certo em seu palpite de que estaria tranquilo. Os frequentadores regulares estavam lá, claro, em seus banquinhos marrons junto ao balcão de madeira, os corpos amarronzados debruçados sobre a cerveja marrom, com uma nuvem de fumaça pairando acima deles.

Austin pediu sua cerveja e apontou para uma pilha de jornais perto de um deles. "Claro, pega aí", o homem disse, sem levantar os olhos nem tirar o cigarro da boca para falar. Austin remexeu na pilha em busca de um jornal local com notícias de críquete. Os de circulação nacional estavam cheio de bobagens, e estariam ainda mais naquele dia. Pelo menos as primeiras páginas não eram apenas sobre o Estripador, para variar. Havia um tom diferente nas manchetes, ostentando um triunfo e otimismo de que Austin não compartilhava. Ele foi passando de um jornal a outro, vendo as diferentes cartas de amor à nova primeira-ministra: *Maggie chega lá*; *Maggie sai vencedora*; *Você pode ajudar a primeira-ministra a tornar a Grã-Bretanha realmente grande de novo*.

"Afogando as mágoas, Austin?"

Ele foi interrompido por Patrick, o barman baixinho e parrudo, que pôs o copo de cerveja à sua frente. "Agora estamos encrencados com uma mulher no comando, hein?", ele acrescentou, como se fosse uma notícia divertida e não trágica. Como a irmã, Austin não tinha o menor apreço por Thatcher e, com base no histórico político da agora primeira-ministra, só conseguia ver uma decadência ainda maior no horizonte do povo de Yorkshire com ela no governo. Ele deu um gole na cerveja para não precisar responder, mas Pat resolveu tocar em um assunto ainda mais incômodo.

"Como vão as coisas em casa?", ele perguntou, baixando o tom de voz pelo menos o bastante para não ser ouvido pelos regulares.

"Ah, sabe como é", Austin respondeu com o tom igualmente vago que se esperava dele. Antes que Pat tentasse estender a conversa, ele levou sua cerveja e o jornal local para a menor mesa do pub, uma mesinha bamba de jogo de cartas com uma única cadeira. Tentou se distrair naquelas páginas, mas se pegou pensando no que Marian — a Marian de *antes* — pensaria de Thatcher como primeira-ministra. Até conseguia vê-la dando um discurso veemente sobre os direitos dos trabalhadores, com o rosto corado de fervor, até que ele não aguentasse mais e a abraçasse para beijá-la, fazendo-a rir e se debater. "*Austin, estou falando sério.*" Ele suspirou, soltando o ar devagar como se fosse um pneu furado.

Era inútil imaginar aquelas coisas, mas o questionamento velado de Patrick tornou impossível não pensar de novo no seu lar. Como ele deveria se sentir em relação à esposa silenciosa, à irmã impositiva e, o mais doloroso de tudo, à filha assustada e negligenciada? Ele engoliu a culpa que subia pela garganta com um gole de cerveja.

Em seguida, olhou ao redor do pub, determinado a encontrar uma distração, e se pegou observando a única pessoa no salão além daqueles encurvados no balcão, que àquela altura pareciam mais peças de mobília do que fregueses de verdade. O homem estava debruçado sobre o copo de cerveja, sentado no canto oposto ao de Austin, como se fossem dois anteparos de livros opostos. O sujeito ergueu a cabeça, talvez sentindo os olhos de Austin sobre si, que imediatamente desviou o olhar ao reconhecer no grandalhão com olhar gélido Kevin Carlton. E não era recomendável ficar encarando alguém como ele. Austin tentava ficar na sua e não se meter na vida dos outros, mas morar com a irmã significava que os boatos que circulavam numa cidade daquele tamanho eram inevitáveis. De acordo com Jean, Kevin andava com "tipos desagradáveis" e tinha um "bando de moleques" que iam acabar "dando trabalho" e, embora soubesse que muita gente era considerada desagradável por sua irmã, ele também tinha visto Kevin espancar alguém com um taco de bilhar por tê-lo encarado por tempo demais; Austin entendia que a quantidade de cerveja consumida era o que determinava se um contato visual era um ato agressivo ou não. Por sorte, parecia que ainda era cedo o bastante para se safar das consequências da sua falta de bom senso.

"Como vai, Austin?"

Ele se virou e viu Gary Andrews, que tinha acabado de entrar. Austin começou a dobrar o jornal e terminou sua cerveja.

"Como vai, Gary?", Austin resmungou, lançando um olhar para Pat, e eles reviraram os olhos ao mesmo tempo.

O barulho começou a aumentar enquanto Gary passava a cumprimentar todo mundo no pub pelo nome, dando tapinhas nas costas de cada um dos regulares. Sua pequena tropa vinha atrás, assentindo e rindo de tudo o que ele dizia. Austin nunca entendeu a razão de Gary andar com tantos jovenzinhos em seu encalço. Dava para saber por que provocava risadinhas nas moças — era um rapaz boa-pinta —, mas para Austin esse ar ostensivamente amigável de "homem do povo" era puro teatro. E desconfiava que Pat pensava o mesmo.

"Vai querer mais uma?", Pat perguntou, apontando com o queixo para o copo agora vazio de Austin, obviamente adiando o momento em que precisaria ir servir Gary e seus companheiros. Austin olhou no relógio. Sua mulher estaria na cama, a filha provavelmente com o nariz enfiado em um livro, e Jean vagando pela sala da frente que virou seu quarto provisório. A barra estava limpa por lá. Mas ele não estava pronto para ir para casa ainda.

# 3

## MIV

Na segunda-feira seguinte, fui buscar Sharon antes da aula.

    O caminho até a casa dela era tão familiar para mim quanto as páginas dos meus livros com Os Cinco, e fechei o meu casaco impermeável para encarar a chuva fria e fui andando o mais depressa que podia até lá. Tínhamos aprendido no semestre anterior sobre a Primeira Guerra Mundial, quando fiquei obcecada pela ideia de homens vivendo em trincheiras. As casas geminadas da minha rua me faziam pensar nas fileiras de soldados exauridos pela batalha que eu via nas fotos cinzentas dos livros da escola, feridos e enfaixados depois de anos de luta e negligência. Passei pelas ruas idênticas uma após a outra até chegar a uma parte mais arejada e arborizada da cidade, onde Sharon vivia.

    Não havia um motivo prático para ir buscá-la. Para irmos à escola, precisávamos percorrer o mesmo caminho que fiz até lá, mas eu gostava de ir à casa de Sharon. Gostava daquela rua tranquila e limpa, e da expectativa de algo que minha casa não era capaz de oferecer. A diferença não estava só no tamanho das residências e no espaço entre elas. Estava nas pequenas coisas, como as cortinas pesadas com forro de veludo, e não transparentes e ásperas. No nome da casa em uma plaquinha, em vez de números na porta. Nas janelas recém-pintadas com vidro duplo, em vez daquelas de moldura de madeira descascando. Estava na tranquilidade sem pressa da rua de Sharon, interrompida apenas pelos sons da chuva, dos pássaros e da buzina de um ou outro carro no lugar da barulheira incessante de crianças brincando a qualquer hora do dia, além dos cachorros latindo e do impacto repetitivo de bolas de futebol contra paredes úmidas.

Sharon me esperava no fim da rua, com o capuz cobrindo seus cachos loiros, então começamos a caminhar tranquilamente lado a lado. Se eu era como George, a moleca d'Os Cinco, então Sharon era a doce e meiga Anne. Eu era feita de linhas retas — como os bonecos de palitinho que eu desenhava na aula: cabelos curtos e lisos de um castanho amarronzado, um nariz reto e um corpo magro e espigado. Sharon era toda curvas e ondas: cabelos loiros enrolados; um nariz arrebitado e arredondado e vestidos cor-de-rosa de bolinhas. Até sua caligrafia parecia bolhas flutuando no papel. Eu tinha certeza de que formávamos uma dupla curiosa para um observador casual. Continuamos nossa conversa do dia anterior quase do mesmo ponto onde paramos, como se nunca tivesse sido interrompida.

As pessoas que víamos a caminho da escola eram como as construções pelas quais passávamos: previsíveis e inalteradas. Às oito e quinze dissemos um "Bom-dia!" em perfeito uníssono para a sra. Pearson, que passeava com seu irritadiço jack russell. Depois dela, a gente sabia que cumprimentaria e faria uma parada para conversar com o homem do mercadinho da esquina, que estaria do lado de fora a essa altura, arrumando o mostruário dos jornais. Ele nos chamaria de "Duplinha Danada" e nós daríamos risada como se fosse a primeira vez que ouvíamos aquilo.

Um pouco antes de chegarmos lá, Sharon me deu um cutucão nas costelas e murmurou um "Cuidado!" baixinho. Seguindo seu olhar, vi outra pessoa conhecida, a única que não cumprimentávamos no percurso, e que sabíamos que se chamava Brian, apesar de não o chamarmos assim. Para nós, ele era só "o homem do macacão".

Ele era jovem, tinha vinte e poucos anos, e nunca havia feito contato visual conosco. Usava sempre o mesmo macacão azul manchado de graxa, que ia dos pés ao pescoço, e um gorro amarelo de lã na cabeça — um toque inesperado de cor que não combinava com o restante — e andava com uma sacola plástica com um jornal aparecendo para fora.

Nós nunca sabíamos se o veríamos ou não, mas, quando ele aparecia, imediatamente atravessávamos a rua para evitá-lo. No começo, era porque Sharon achava que ele devia cheirar mal, apesar de nunca termos conseguido chegar perto o bastante para constatar se isso era verdade. Antes, ele parecia inofensivo, mas de uns tempos para cá nosso desgosto por sua aparência desmazelada e nada amigável se transformou em algo mais inquietante. Apertamos o passo e cruzamos com ele do outro lado da rua, com Sharon segurando e puxando meu braço, ansiosa para chegar ao mercadinho da esquina em segurança.

Ainda demoraria um pouco para que os adultos da nossa vida sentissem a ameaça do Estripador. Naquele momento, havia um assassino em série à solta matando garotas, e nós íamos à escola a pé sozinhas. Esses dois fatos conviviam esplendidamente desassociados um do outro. Mas, embora os adultos não se mostrassem preocupados conosco, a sombra constante do Estripador pairava de forma ameaçadora sobre nós desde o assassinato de Josephine Whitaker. Começamos a observar com mais atenção os homens com quem cruzávamos na rua. Examinávamos os rostos, em vez de falar um "Olá" bem informal, como era costume em Yorkshire. Os sorrisos, que antes pareciam simpáticos, passaram a ter segundas intenções que entendíamos de forma vaga, embora soubéssemos não serem boas.

Depois do mercadinho, pegávamos uma série de atalhos em meio a árvores e arbustos e campos abertos, onde era possível esquecer que éramos crianças em uma cidade industrial desolada e imaginar que podíamos ser aventureiras explorando uma zona rural distante. O sinal de que estávamos perto da civilização de novo era uma fábrica enorme com cercas de alambrado e janelas que ficavam bem no alto, para ninguém poder ver o que acontecia lá dentro. Eu sempre morria de vergonha ao passar por lá, lembrando do local de uma das primeiras "aventuras" em que eu tinha nos metido.

No ano anterior, a combinação do meu presente do Natal retrasado, um kit de espionagem, e do primeiro filme do James Bond que vi — *007 contra Goldfinger* — me ajudaram a perceber que aquela fábrica na verdade era uma instalação de fachada de espiões russos. Eu tinha discutido essa possibilidade com Sharon, que logo concordou comigo, assim como fazia com todas as minhas ideias na época, e um dia sugeri pular o alambrado e tentar entrar.

Sharon revirou os olhos para mim e simplesmente bateu na porta, dizendo ao homem que atendeu que precisava muito ir ao toalete. Foi a primeira vez que notei sua engenhosidade sob pressão, e fiquei impressionada. O homem nos indicou onde ficavam os banheiros, dizendo para seguirmos reto até os fundos, mas, claro, nos desviamos do caminho, para ver se encontrávamos alguma coisa que comprovasse a minha teoria sobre espionagem. Acabamos diante da porta de um pequeno escritório, onde um homem de terno marrom atrás de uma escrivaninha surrada de madeira fumava; os anos de fumaça de tabaco tinham amarronzado inclusive as paredes também.

"O que vocês estão fazendo aqui?", ele falou com um tom tranquilo, como se fosse a coisa mais normal do mundo duas meninas de onze anos aparecerem na porta da sua sala.

"Hã. Nós estávamos indo ao banheiro e acho que acabamos...", Sharon começou a explicar.

"O que vocês fazem aqui?", questionei. Ainda não tinha aprendido a disfarçar minha curiosidade. O homem sorriu para mim de trás da mesa, apagou o cigarro no enorme cinzeiro marrom, lotado de guimbas laranja e brancas.

"Nós fabricamos coisas. De metal. Chapas de metal." Ele apontou para a placa acima da própria cabeça, que dizia METALÚRGICA SCHOFIELDS. Fizemos uma retirada às pressas. Não tinha russo nenhum por lá, só Kenneth Pearson, que morava na minha rua e me disse um "Olá" quando cruzamos com ele a caminho da saída. A aventura não teve exatamente o resultado esperado, e eu sempre apertava o passo diante da fábrica desde esse dia, porque não queria lembrar do vexame.

Viramos a esquina da escola, avistamos uma tecelagem abandonada cujas janelas cobertas com tábuas em geral eram marcadas com uma pichação racista, que, naquele dia, estava escondida sob um cartaz branco gigantesco. Eu parei para olhar. No alto, tinha as palavras DEPARTAMENTO DE POLÍCIA DE WEST YORKSHIRE, e cobria quase toda a parte de cima do prédio. Sob o cabeçalho, as letras pretas garrafais diziam: PRECISAMOS DA SUA AJUDA PARA IMPEDIR QUE O ESTRIPADOR VOLTE A MATAR.

Era como se estivesse falando diretamente comigo.

Sharon continuou andando, ainda falando, antes de perceber que eu não estava ao seu lado, e então deteve o passo também.

"O que foi?", ela perguntou.

"Será que pode ser alguém que nós conhecemos?", perguntei, pensando em voz alta. "Será que passamos todo dia por ele sem fazer a menor ideia de quem é ele?"

Sharon me encarou, franzindo o nariz para mostrar que não gostava da ideia. "Não quero nem pensar nisso", ela falou.

Mas eu não conseguia parar de pensar nisso, e o canto da sereia entoado por aquele cartaz me fez começar a procurar por ele por toda parte, em todo homem que cruzava meu caminho.

Nossa excursão da escola logo em seguida foi para a cidade de Knaresborough, em North Yorkshire, perto de Harrogate, que a tia Jean chamava de "Yorkshire grã-fina". Cuspia aquele nome com um desdém que normalmente reservava para o sul, mas, quando acordei naquela manhã, ela tinha preparado meu almoço e me passou instruções detalhadas sobre tudo o que precisaria levar comigo no passeio. Mais uma lista. Sua caligrafia bonita e cheia de volteios e um *Não esquecer* com grifo duplo no alto da folha amarelada de seu caderno me fizeram sorrir.

Ao embarcar no ônibus de pintura alaranjada malfeita com marcas de ferrugem, esperamos que Neil Callaghan e Reece Carlton entrassem primeiro. Foram eles que inventaram a brincadeira da "fuga do Estripador" e viviam arrumando brigas e confusões. Já tinham até sido vistos fumando. Todo mundo sabia que os assentos do fundão seriam deles. Reece, um menino alto e magro com olhos azuis e frios, mandou um beijo na direção de Sharon quando passou por nós. Ela fez uma careta e revirou os olhos, mas consegui ver um discreto rubor aparecer sob suas sardas. E mesmo assim ela continuava bonita.

Eu não lembrava exatamente quando tinha começado — quando os meninos passaram a se comportar de um jeito diferente com Sharon —, mas dava para perceber que ela atraía um tipo de atenção que não era dispensada a mim. Como reação, eu fingia esnobar os meninos, e às vezes até os homens, que ficavam encarando Sharon ou se pavoneavam diante dela. Só que às vezes a sensação de ser invisível me provocava um nó na garganta.

"Sai da frente", Reece disse para um menino tímido chamado Ishtiaq, que estava começando a subir os degraus do ônibus. Ishtiaq se moveu para o lado, sem dizer nada. Sharon e eu entramos a seguir, estremecendo ao sentir o cheiro de cigarro e água sanitária impregnado no ar. Nós sabíamos qual era o nosso lugar e pegamos dois assentos no meio do ônibus, enquanto lá na frente, os alunos mais quietinhos, entre eles Ishtiaq, sentavam sob a proteção dos professores, o sr. Ware e a srta. Stacey.

Fiquei em silêncio durante todo o caminho, olhando pela janela, concentrada em evitar passar mal. Stephen Crowther, que estava lá na frente, já tinha vomitado em um balde, deixando todo mundo ao redor morrendo de nojo e, apesar de secretamente detestar que eu fosse invisível para os meninos da minha turma, também não queria para mim *esse* tipo de atenção.

Sharon tagarelava animada com as meninas sentadas atrás de nós, e o volume do barulho no ônibus foi subindo quando Neil e Reece começaram a brincar de lutinha e os outros, a cantar a musiquinha que tinha virado moda desde a época da eleição. Depois de desenhar um boneco de palitinho na mão, nós a levantávamos no ar e esfregávamos as mãos uma na outra enquanto cantávamos:

*Here's Margaret Thatcher*
*Throw'er in the air and catch'er*
*Squishy Squashy Squishy Squashy*
*There's Margaret Thatcher*\*

A música acabava quando levantávamos triunfalmente a outra mão, revelando as manchas borradas de tinta. Margaret Thatcher tinha sido esmagada até não sobrar mais nada.

Quando a barulheira alcançou a parte da frente do ônibus, a cabeça do sr. Ware se elevou de trás do assento, e todos silenciaram. O professor nos encarou, e seus olhos escuros pareceram se fixar em cada um de nós enquanto ele esperava mais alguns momentos para o caso de alguém resolver desafiar seu poder absoluto. Depois, ele olhou para uma folha que segurava à sua frente e falou: "Muito bem, pessoal. A Velha Mãe Shipton

---

\* "Aqui está Margaret Thatcher/ Jogue-a para o alto e a pegue de volta/ Amassa Esmaga Amassa Esmaga/ Aí está Margaret Thatcher". (N. T.)

nasceu em 1488, e era conhecida como a profetisa de Knaresborough. Alguém sabe o que significa essa palavra?"

"Não, sr. Ware", nós respondemos em coro, a não ser Stephen Crowther, que ainda estava com a cabeça enfiada no balde.

"Significa que era capaz de enxergar o futuro. Ela morava na caverna que vamos visitar, e a cidade toda a considerava uma pessoa excêntrica — um pouco como você, Crowther", ele acrescentou, olhando para o pobre Stephen. "O 'Poço Petrificador' dela é supostamente mágico, e algumas pessoas dizem que, se jogar uma moeda lá dentro, seus desejos se tornam realidade." Ele revirou os olhos e balançou a cabeça, deixando claro o que pensava sobre o folclore.

Eu gostei da história da Velha Mãe Shipton e seu poço.

Quando chegamos a Knaresborough, estava quente e ensolarado, em um contraste agudo com o poço escuro e frio e a caverna, que tinha um cheiro de umidade e mofo. O pingar lento e ritmado de água do teto ecoava pelo espaço cavernoso, e os brinquedos, sapatos, chapéus e chaleiras que pareciam feitos de pedra pendurados na entrada da caverna pareciam vindos de contos de fada. Achei que *petrificador* era um bom termo para descrever os objetos pendurados a nossa frente.

"Muito bem. Silêncio, pessoal. Escutem", disse a srta. Stacey. "Preparem as moedas e pensem no que querem pedir. Mas tomem cuidado com o que vão escolher. Precisa ser uma coisa que não vai causar problemas para vocês se virar realidade. E, mais importante, lembrem que não podem contar para ninguém o que pediram, ou não vai acontecer."

Diante do poço, eu considerei várias possibilidades. Olhei para Sharon, que torcia o nariz por causa do cheiro de umidade. Desejar um cabelo comprido e loiro como o dela era uma possibilidade: o meu, curto e castanho com corte de menino era motivo de vergonha para mim. Também pensei em desejar voltar no tempo, para antes do dia em que a minha mãe deixou de ser quem era. Mas sabia que o poço dos desejos não devia ser assim *tão* mágico. Também considerei pedir para não ter que me mudar para o sul, para continuar sempre ao lado de Sharon.

Mas, no fim, acabei desejando algo que iria chacoalhar a vida de todas as pessoas que eu conhecia, um pedido de que eu viria a me arrepender amargamente.

Quando joguei minha moedinha no poço, o que desejei foi ser a pessoa que pegaria o Estripador de Yorkshire.

Sharon e eu não seríamos amigas se não fosse pela mãe dela, Ruby. Em um domingo, na igreja, ela foi até onde estávamos meu pai e eu. Não foi muito depois do dia em que minha mãe deixou de ser quem era, então ela não ia mais à igreja, mas meu pai sim. Ele ainda tinha fé. Ou pelo menos frequentava para me ouvir cantar no coral, o que acontecia todo domingo. Era uma das minhas atividades favoritas, porque lembrava a minha mãe. Cantar fazia com que eu me sentisse mais próxima dela. Mais ou menos um ano depois, ele parou de ir também. A tia Jean nunca ia à igreja. "A caridade começa em casa", era o que dizia.

Foi após a missa da manhã, quando o pároco tinha rezado pela alma de Jean Jordan, a mais recente vítima do Estripador, aquele que passava no noticiário toda hora. Àquela altura, ninguém parecia muito preocupado. Era como se o Estripador fosse uma figura muito distante da nossa cidade. Ele procurava suas presas nas grandes cidades, e falavam de suas vítimas com um tom sussurrado de pena. Não eram pessoas como nós. Estávamos seguros na nossa igreja, protegidos pela nossa retidão.

Estávamos na entrada, e eu olhava para os túmulos de pedra diante de nós, aos pedaços e cobertos de musgo. Fiquei me perguntando se era ali que as mulheres assassinadas iam parar. Se elas teriam direito a um túmulo na igreja, já que só se falava sobre elas aos sussurros. Olhei para meu pai para fazer essa pergunta, mas ele estava em uma conversa baixa com Ruby, então esperei. Finalmente eles repararam em mim, e Ruby se inclinou para a frente para me olhar bem nos olhos, com uma névoa de perfume Charlie ao seu redor. Pisquei algumas vezes quando ela sorriu para mim e perguntou: "Quer ir jantar lá em casa um dia? Dar um descanso para sua mãe e seu pai?".

Eu não sabia o que tinha de tão exaustivo em mim para eles precisarem de um descanso, mas Ruby parecia a Purdey da série de tevê *Os novos vingadores*, com seu cabelo loiro curtinho, seu rosto sorridente, e me senti deslumbrada por ela e por sua simpatia perfumada. Na verdade, todo mundo parecia gravitar em torno dela, inclusive o meu pai.

"Sim, obrigada, sra. Parker", respondi, sem tentar disfarçar a ansiedade na minha voz.

Nessa primeira visita à casa dos Parker, fui andando até a entrada da casa com passos inseguros. Queria desesperadamente me agarrar à mão do meu pai, mas aos dez anos sabia que não tinha mais idade para isso. A casa de Sharon, alta e isolada, com suas janelas de guilhotina largas de molduras brancas impecáveis que proporcionavam uma visão para um interior organizado e confortável. Ruby abriu a porta, e vi Sharon atrás dela, com olhos azuis grandes como os de desenhos animados e os cabelos loiros cacheados parecendo um halo dourado. Eu já sabia da existência de Sharon, claro; afinal, estudávamos na mesma escola. Mas, para mim, ela era como um personagem de conto de fadas — uma princesa ou uma fada — e eu não pertencia a esse tipo de história. Quando ela saiu de trás da mãe e eu a vi por inteiro, ela estendeu a mão para mim. Fiquei só olhando para aquela mão, confusa, então ela segurou a minha e me puxou até seu quarto, ansiosa para me mostrar o papel de parede da Holly Hobbie e sua boneca combinando. Deixamos meu pai e Ruby conversando na porta. Eu nem me despedi dele.

Sharon tinha mais ursinhos e bonecas espalhados pela cama do que eu tive a vida inteira. Parecia uma espécie de unidade de vigilância com todas as cores do arco-íris que me encarava sentada, imóvel, em um banquinho diante da penteadeira, sem querer fazer nada que pudesse causar problemas ou me fazer ser expulsa dali. Apesar do meu desconforto, minha vontade de permanecer ali era tanta que chegava a doer fisicamente. Senti que as minhas bochechas estavam vermelhas, não só em reação a todos aqueles olhares inanimados, mas também ao calor incomum que vinha do aquecedor.

Fiquei sentada em silêncio. Esperando. A essa altura já sabia o quanto as pessoas eram capazes de revelar quando você só ficava lá, sem abrir a boca. Em pouco tempo, descobri que Sharon gostava de porquinhos-da-índia e que seu brinquedo favorito era sua Holly Hobbie, a quem tinha dado o nome não muito criativo de Holly. "Você não é de falar muito, né?", ela falou, inclinando a cabeça, como se eu fosse uma presença curiosa e um tanto difícil de decifrar.

"Estou só escutando", respondi.

Quando Ruby nos chamou para descer para o jantar, Sharon ainda não sabia nada sobre mim, mas eu já estava começando a me sentir mais à vontade com sua receptividade e tagarelice.

Depois que comemos nossos empanados de peixe, as batatas fritas e as ervilhas — até a comida na casa de Sharon tinha cores mais vibrantes que as cinzas e marrons lá de casa —, eu fiz menção de me levantar da mesa.

"Aonde você vai? Nós ainda não comemos a sobremesa", Sharon falou.

Desde o dia em que a minha mãe deixou de ser quem era, qualquer coisa parecida com um agrado desapareceu em dois tempos da nossa vida, e eu tinha até esquecido da existência de sobremesas. Quando Ruby colocou as tigelas de rocambole de geleia e creme inglês na nossa frente, eu senti vontade de pular de felicidade na cadeira a cada bocada. Estava cantarolando de satisfação quando percebi os olhos de Sharon e de sua mãe em mim, e uma ternura no rosto de Ruby que de alguma forma parecia também uma expressão de sofrimento.

Aquilo se tornaria familiar para mim na expressão das mães das outras crianças.

Pouco antes de o meu pai ir me buscar, Ruby embrulhou rocambole em um pedaço de papel-toalha, como se fosse uma festa de aniversário. "Tome aqui", ela disse. "Você pode comer de sobremesa em uma outra noite." Ela me deu um beijo na testa e continuou repetindo esse ritual toda quinta-feira, quando eu ia lá jantar, até que tudo aconteceu.

Então, como deu para perceber, Sharon não teve escolha a não ser virar minha amiga — mas ela era gentil, então fez isso de bom grado —, e de alguma forma nos tornamos tão próximas que éramos quase irmãs; nossa amizade se tornou uma espécie de gangorra. Eu tinha ideias, e Sharon as fazia acontecer. Nós éramos um ponto de equilíbrio uma para a outra. Não conseguia imaginar minha vida sem ela.

E era por isso que eu não podia me mudar de Yorkshire.

Depois que fiz meu desejo, o Estripador começou a invadir os meus sonhos também. Passei a ter um pesadelo recorrente, em que um homem sem rosto me jogava na traseira de sua van branca imunda. De alguma forma, eu sabia que ele estava me levando embora, e esmurrava a porta quando o carro começava a andar, mas os meus esforços não produziam nenhum som, então ninguém conseguia me ouvir.

Quando eu estava acordada, devorava avidamente as notícias. O que a polícia não estaria vendo? Como ele poderia ser encontrado? No *Yorkshire Chronicle*, um dos policiais do caso falou em uma entrevista sobre a "complexidade da investigação e a necessidade de rigor e estrutura" e, apesar de não saber ao certo o que a maioria dessas palavras significava, me apeguei a elas. Elas me faziam pensar na tia Jean e em suas listas e nas tentativas de colocar ordem na nossa vida.

A semente de uma ideia foi plantada.

Pensei em contar para Sharon sobre o meu desejo. Lembrava da ameaça da srta. Stacey de que os desejos não se realizavam se fossem contados para alguém, mas eu sabia que ia precisar de ajuda se quisesse encontrar o Estripador. No fim, concluí que podia fazer isso, que contar para Sharon era diferente de falar para qualquer outra pessoa — era como compartilhar um segredo com uma parte de mim mesma. Então toquei no assunto na semana seguinte, quando fui até a casa dos Parker para o jantar.

Estávamos no quarto de Sharon, comigo deitada na cama, folheando um número antigo da revista *Blue Jeans*. Os bichos de pelúcia e o papel de parede da Holly Hobbie tinham sido substituídos pouco tempo antes por um bege da marca Anaglypta e por brilhos labiais e pôsteres da banda Blondie; Sharon fez questão de comprá-los quando fez doze anos. Mas eu ficava contente de ver que a boneca Holly permanecia sobre o travesseiro. Sharon estava sentada diante da penteadeira, fazendo biquinho diante do espelho e prendendo seus cachos loiros em um rabo de cavalo alto, assim como a garota na capa da revista.

"Tive uma ideia", falei. "Uma bem grande", acrescentei, para diferenciá-la dos caprichos mais bobos que ocupavam nosso tempo. A fábrica de espiões russos foi só o primeiro de muitos. Teve uma época em que fingíamos ser bruxas e lançávamos feitiços nas pessoas de quem não gostávamos, e em seguida um breve período em que achamos que um dos nossos professores na verdade era um robô. Às vezes — e com mais frequência em tempos recentes —, eu temia que Sharon pudesse se recusar a me acompanhar nessas minhas excursões imaginativas. Dessa vez ela me olhou pelo espelho, com uma sobrancelha levantada, enquanto pegava um frasco de desodorante spray Impulse e passava no corpo todo, espalhando um cheiro tão doce e forte que comecei a tossir.

"Eu não vou fingir que sou alienígena de novo", ela disse.

Fiquei vermelha, apesar de mal conseguir respirar. Tinha esquecido disso, que aconteceu logo depois de vermos *Star Wars* pela primeira vez.

"Não", eu disse. "É sobre o Estripador. E se nós tentássemos descobrir quem é?"

"Do que você está falando?", ela retrucou. "Como é que *nós* vamos conseguir pegar o Estripador de Yorkshire, se nem a polícia conseguiu?"

Soltei um suspiro. Esses questionamentos vindos dela eram uma característica mais recente e nada bem-vinda na nossa amizade. Mas era um argumento válido. Como nós íamos conseguir pegá-lo? Precisávamos de algum tipo de plano, de uma forma de juntar pistas e ordenar de forma que fizesse sentido.

Lembrei do que aquele policial falou sobre estrutura, e então da tia Jean e seu caderno, e a ideia se cristalizou como caramelo na panela. Eu sabia exatamente o que precisávamos fazer.

"Vamos fazer uma lista", expliquei. "Uma lista de pessoas e coisas que a gente considerar suspeitas. E aí... E aí a gente investiga isso mais a fundo."

"E por que exatamente nós faríamos isso?"

"Bom, se descobrirmos quem ele é, podemos ganhar a recompensa que a polícia está oferecendo", falei. "Imagine só quantas coisas daria para comprar. Todos os livros e batons e doces que quiséssemos."

O reflexo de Sharon agora estava sorrindo para mim.

"E, mesmo se não der certo, pense em quantas prostitutas nós podemos salvar."

Apesar de nenhuma de nós saber o que era uma prostituta, achei que a ideia de salvar vidas teria seu apelo para Sharon, que era a pessoa mais boazinha que eu conhecia.

"E todo mundo ia saber quem eu... quer dizer, quem *nós* somos", acrescentei.

Seria o fim da invisibilidade. E dos olhares de pena das outras mães.

"Humm", ela falou. "Vou pensar."

No dia seguinte a caminho da escola, a minha sugestão sobre o Estripador ainda pairava no ar. Tentei falar sobre outra coisa, para deixar que Sharon tocasse no assunto, mas, como sempre, ele era o centro de todas as atenções. Dos cartazes colados nos postes às manchetes no mostruário de jornais em frente ao mercadinho da esquina, era impossível escapar da presença do Estripador mesmo se quiséssemos. Fazia cada vez mais sentido para mim que deveríamos tentar pegá-lo.

No portão da escola, em um acordo tácito, paramos lado a lado enquanto víamos a brincadeira da fuga do Estripador acontecer no pátio à nossa frente. Reece Carlton corria pelo chão de cimento, com o rosto bem sério e as pernas compridas percorrendo o pátio a passos largos. Estava totalmente concentrado na pobre menina que perseguia, seus olhos azuis fixos nela.

Eu conhecia Reece desde os tempos do fundamental. Ele era bem menor que os outros meninos, só que aparentava ser mais velho, com bochechas côncavas e olhos de quem parecia saber de coisas que o resto de nós nem desconfiava. Era um menino tímido, que chegava agarrado na barra da saia da mãe quando ela o levava, depois ficava encurvado no fundo da sala sozinho até a hora de ir embora. Nós dois fomos os primeiros alunos a aprender a ler, e por isso tínhamos privilégios especiais, como sentar para ler um livro sem a supervisão da professora — uma coisa de que eu me orgulhava muito na época, quando ainda era aceitável ser inteligente. Muitas vezes eu e ele sentávamos juntos, em uma harmonia silenciosa. Agora era como se esse menino não existisse mais. Ele estava irreconhecível.

A menina perseguida tropeçou nos próprios pés, e deu para ver o terror no seu rosto quando levantou e continuou correndo. Senti meu coração disparar no peito ao absorver aquele medo, por mais que fosse só uma brincadeira. Fiquei me perguntando como as mulheres perseguidas pelo verdadeiro Estripador se sentiam. Estremeci, e nesse momento senti a mão de Sharon no meu braço.

"Está bem", ela falou. "Vamos fazer isso. Vamos tentar descobrir quem ele é."

Eu concordei com a cabeça e fui andando apressada para o portão, me misturando aos outros para ela não ver o sorriso que se espalhou pelo meu rosto.

AS COISAS SUSPEITAS

# 1

## MIV

### NÚMERO UM

Começamos nossa busca pelo Estripador no primeiro dia do recesso da primavera. Foi um dia de bastante calor. O sol fez aparecerem varais no beco dos fundos das fileiras das casas geminadas com lençóis que se inflavam como fantasmas de desenho animado enquanto seguíamos para o mercadinho da esquina, acompanhadas pelo tagarelar das mulheres por cima dos muros sobre o estado do país e como tudo era melhor antigamente. Elas pareciam a tia Jean em um modo eterno de repetição.

Sharon e eu tínhamos ido correndo para casa primeiro, para contar nossas moedas e poder comprar os jornais lá no mercadinho. Depois de ter sido temporariamente substituído no noticiário pela Margaret Thatcher, o espectro do Estripador continuava a dominar as primeiras páginas. Até o sol da primavera parecia eclipsado pela sua sombra.

Quando juntamos nossos fundos, descobrimos que estávamos ricas. Somando, tínhamos juntas quatro libras e cinquenta. Admito que a maior parte era de Sharon. Ela recebia vinte centavos por semana, enquanto eu ganhava o meu dinheiro fazendo tarefas domésticas, então a quantia variava de acordo com a minha disposição. Além dos jornais, decidimos comprar um caderno como o da tia Jean, para anotar as descobertas das nossas investigações, e dez centavos em doces variados para manter as energias.

"Ah, a Duplinha Danada", o lojista disse quando entramos e a sineta tocou. "Por onde andaram? Os meus lucros caíram desde que vocês pararam de vir aqui." Ele deu uma risadinha, claramente achando muita graça da própria piada. Nós rimos por educação e repassamos nossa lista de compras, debatendo várias vezes sobre quais variedades de doces comprar enquanto ele já estava a postos, com a concha na mão, pronto para abrir os potes atrás de si alinhados em um caleidoscópio de cores. Outro cliente entrou, e ele olhou na direção da porta, sorrindo.

"Espero que você não se importe de esperar um momentinho enquanto as minhas duas melhores freguesas escolhem o que comprar."

O homem soltou um grunhido e ficou de pé atrás de nós, com o jornal que ia comprar enfiado debaixo do braço. "É o seu carro parado lá fora?", ele perguntou. "É melhor ficar de olho, porque tem uns trombadinhas rondando por aí." Ele apontou com o queixo para a rua, passando as moedas para pagar pelo jornal de uma mão para a outra.

Nós pagamos os doces, nosso caderno em espiral e saímos. Com água na boca, ficamos paradas na calçada olhando para os nossos saquinhos de doces, decidindo quais comer primeiro, quando o lojista saiu, deu uma olhada ao redor e foi em direção ao seu carro. Nós seguimos seu olhar e vimos três jovens à distância. De onde estávamos, as cabeças raspadas os faziam parecer carecas como bebês, o que só acentuava sua juventude.

"Aposto que são Neil e Reece", murmurei para Sharon, reconhecendo o andar todo pavoneado deles. Mas acho que não me ouviu — ela os encarava com uma expressão que eu não soube identificar. O homem do mercadinho trancou o carro e lançou um olhar de desconfiança para os meninos enquanto voltava, e, no fim, nós fomos embora também, enfiando as balas em formato de disco voador na boca. De repente, tive uma ideia e segurei Sharon pelo braço. "Que carro era aquele?", perguntei. "Aquele lá fora — o que o homem do mercadinho trancou. Você reparou?"

Ela deu risada, tirando a minha mão do seu braço. "Por que eu iria reparar nisso?"

Dei meia-volta e fui na direção do carro marrom-claro, apertando os olhos para vê-lo melhor no sol. Abri o caderno com um floreio dramático e anotei a placa, lendo o nome do modelo estampado em letras prateadas na tampa do porta-malas. "É um Ford Corsair", murmurei, sem fazer nenhuma questão de esconder o quanto me orgulhava do nível de informações que eu tinha sobre o nosso caso.

Em uma prateleira na despensa de casa, juntos com pedaços de corda, potes de margarina vazios e sacolas plásticas enfiadas dentro de outras sacolas plásticas, a tia Jean guardava edições antigas dos jornais locais, "só por precaução". Nunca perguntei para quê era essa precaução toda, mas desde então passei a apreciar seus hábitos de acumuladora. Depois de fazer meu desejo, eu tinha começado a surrupiar alguns jornais para o meu quarto, passando a me ocupar deles em vez dos livros com Os Cinco, à procura de pistas que pudessem ajudar na nossa missão. Material era o que não faltava.

De acordo com o *Yorkshire Chronicle*, a nona vítima do Estripador, uma mulher de quarenta anos chamada Vera Millward, tinha saído de casa para comprar cigarro às dez da noite e foi encontrada pelos jardineiros da Enfermaria Real de Manchester no dia seguinte. Ela havia sido atacada com um martelo e esfaqueada diversas vezes. A polícia conseguiu identificar as marcas de pneus do veículo que o Estripador usava e associá-las a onze modelos diferentes de carros, entre eles o Ford Corsair.

Sharon me encarou com uma expressão perplexa, e então voltou o olhar de novo para o mercadinho. "Não é possível que você ache que ele é o Estripador", ela falou baixinho. "Isso é ridículo, Miv." Ela cruzou os braços e apoiou o peso do corpo sobre uma das pernas, em uma postura indignada. "Ele é o adulto mais legal que conhecemos."

Parei um instante para pensar nisso. Sharon tinha razão. Eu nunca tinha visto o homem do mercadinho de mau humor, e ele era um adulto que escutava o que dizíamos, respondendo como se também fôssemos adultas. Esse tipo de gente era uma raridade no nosso universo, onde a maioria achava que crianças existiam para ser vistas, não ouvidas. Abri um sorriso ao lembrar que, quando não havia ninguém lá além de nós, ele ligava o pequeno toca-fitas que ficava no balcão e fingia tocar piano enquanto escutava Elton John, que ele adorava.

"Ele não é só um pop star, é um artista de verdade", o homem do mercadinho nos dizia.

Mas deixei de lado essas questões sentimentais, porque não havia espaço para isso na nossa investigação. Continuei a fazer anotações no caderno, listando tudo o que sabíamos sobre ele e lendo em voz alta para Sharon, que cruzou os braços e sorriu enquanto ouvia, indulgente com essa minha necessidade de sempre ter razão. Pela primeira vez, entendo por que a tia Jean faz aquelas listas. Eu me senti mais confiante e cheia de certezas enquanto anotava as minhas suspeitas.

"Um, ele tem cabelos escuros. Dois, ele tem bigode. Três, ele tem olhos escuros. Quatro, ele não é daqui. E, cinco, ele tem um Ford Corsair."

Não havia nenhuma descrição indicando que o Estripador não fosse branco, mas as menções aos olhos e cabelos "pretos" e ao olhar "sombrio", além das sobrancelhas "cheias e escuras" e à pele "amorenada" estavam em todas as descrições que li a seu respeito. A maioria das pessoas que eu conhecia receava qualquer um com uma pele mais escura que a sua. Era uma coisa suspeita por si só. Sharon me cutucou nas costelas e apontou para o letreiro acima da porta.

"Olha só. O nome dele é sr. Bashir. Por que será que nunca reparamos nisso?", ela perguntou. "Se vamos fazer isso direito, é melhor anotar essas coisas."

Eu acompanhei seu olhar; nunca tinha prestado atenção naquela placa antes e, quando dei um passo atrás, observei a fachada de verdade pela primeira vez na vida. Digo, sempre fui uma pessoa observadora, que repara nos detalhes que os outros deixam passar, mas ia precisar ser ainda mais atenciosa se quisesse fazer aquilo direito. Localizado no final de uma fileira de casas, aquele mercadinho estava lá desde antes de eu nascer, era parte de uma paisagem cinzenta e monótona que ninguém se dá ao trabalho de parar para olhar duas vezes.

Era o interior do mercadinho que importava. Lá dentro havia um tesouro de doces, batatinhas e refrigerante em todos os tons de cores primárias, além da presença sorridente do sr. Bashir atrás do balcão. O perfume de lá era um dos meus preferidos. Uma curiosa mistura da doçura do açúcar e do amadeirado do fumo de cachimbo que envolvia a gente como um cobertor. Eu achava aquilo inebriante.

Quando o sr. Bashir veio para cá, a tia Jean chegou em casa toda preocupada que ele fosse trazer consigo seus temperos exóticos, e os vizinhos cochichavam preocupados sobre uma pessoa "de fora" ter tirado o trabalho de alguém nascido e criado em Yorkshire. Depois de dois meses, alguns dos moradores das ruas da vizinhança ainda se recusavam a frequentar o local. Em vez disso, caminhavam vários quilômetros até o centro da cidade, ou esperavam pelo dia de feira, só para não ter que comprar nada de um homem de pele marrom.

Mas, em termos gerais, a maioria das pessoas pareceu se conformar com relutância à presença do sr. Bashir. "A necessidade fala mais alto", dizia a tia Jean, com um suspiro e, no fim das contas, os nossos vizinhos precisavam comprar pão e leite em algum lugar. A questão era que, embora Sharon estivesse certa sobre ele ser o adulto mais legal que conhecíamos, eu também sabia que o sr. Bashir não era bem o que parecia. Que, sob aquela aparência simpática, devia haver algo muito bem disfarçado e contido.

Apenas algumas semanas antes, eu estava no mercadinho sozinha, olhando as prateleiras e decidindo como gastaria os dez centavos que tinha ganhado por lavar a louça, e ouvi Kenneth Pearson, que trabalhava na Schofields, falando para o sucateiro da vizinhança, Arthur, sobre "esse monte de pakis vindo para cá", e que "logo vai ter um monte deles pelas ruas".

Fiquei bem parada, não querendo ver se o sr. Bashir tinha ouvido. Senti um calor subindo pelo rosto, apesar de não ter sido eu quem havia dito aquilo. Havia alguma coisa naquela palavra, e na forma como era dita — geralmente gritada pelos piores alunos da escola ou cuspida com desprezo pelos adultos —, que tinha um ar ameaçador. Até mesmo Arthur pareceu perplexo, e o silêncio que se seguiu foi quase intolerável. "Eu não estava falando de você, claro. Você é diferente", Kenneth disse com uma voz exageradamente alta ao levar suas compras para o balcão.

"Eu sei exatamente o que você quis dizer", o sr. Bashir respondeu, articulando cada palavra de forma impressionante. Kenneth deve ter entendido isso como um sinal de que estava tudo bem, mas eu percebi pelo tom do sr. Bashir que não estava, não. Os adultos sempre faziam isso, pelo meu entendimento, falando uma coisa quando queriam dizer outra, deixando a verdade nas entrelinhas. Morando com a tia Jean, eu tinha aprendido a traduzir o significado dessas coisas não ditas e percebi pela forma quase indetectável como o sr. Bashir estreitou os olhos e cerrou os dentes que ele estava furioso. Depois que os dois homens foram embora, decidi por um pacote de batatinhas e o levei para o balcão.

"Por que você não disse nada?", perguntei, tapando a boca com a mão imediatamente depois dessas palavras me escaparem. Eu não tinha planejado dizer aquilo, mas quando contei para tia Jean que estava sendo ridicularizada na escola, a resposta dela continuava ecoando na minha mente. "Você precisa saber se defender", ela havia dito, mas, por causa do medo, o que fiz foi tentar chamar cada vez menos atenção na escola, ficando cada vez mais na minha até esquecerem da minha existência. Isso até eu virar amiga de Sharon. Mas o sr. Bashir era um adulto. E eu não queria acreditar que os adultos pudessem ter medo.

O sr. Bashir me olhou com uma expressão indecifrável. "Porque eu não teria mais fregueses", ele respondeu com os dentes cerrados e um autocontrole que fazia sua raiva parecer ainda mais perigosa. Esse momento me veio à mente quando pensei na possibilidade de o sr. Bashir ser o Estripador, além de todas as coisas que já sabíamos a seu respeito.

E foi assim que ele virou o primeiro suspeito a ir para a lista.

1. O homem do mercadinho da esquina
   - Ele tem cabelo escuro
   - Ele tem bigode
   - Ele tem olhos escuros
   - Ele não é daqui
   - Ele tem um Ford Corsair

# 2

**MIV**

"Eu andei pensando", disse para Sharon, enquanto íamos até o mercadinho na manhã seguinte. Era outro dia de sol, e estávamos sem os casacos impermeáveis que fomos obrigadas a vestir pela tia Jean, deixando-os amarrados na cintura. Era mais uma das instruções que a tia Jean dava "só por precaução", para o caso de chover, embora não houvesse nem uma nuvem no céu.

"Precisamos descobrir mais coisas sobre o sr. Bashir", continuei.

"Tipo o quê?", questionou Sharon, enrolando uma mecha de cabelo no dedo enquanto seguíamos em frente.

"Tipo, ele é casado? E, se não for, por que não?", expliquei. Um homem adulto e solteiro era uma coisa quase inédita no nosso mundo, e, portanto, suspeita por si só. "E o que ele faz quando não está no mercadinho?"

Eu tinha concluído que era improvável que o Estripador fosse casado. Para mim, era impossível que alguém pudesse esconder crimes desse tipo de uma pessoa com quem morava junto. Vivíamos amontoados lá em casa e, apesar de ninguém nunca conversar nada sobre nada, todo mundo conseguia ver e ouvir tudo o que estava acontecendo. Na verdade, a rua inteira sabia bem o que estava acontecendo, a julgar pelos olhares de pena que eu recebia.

"Mas é melhor você perguntar", continuei, me voltando para Sharon e observando seu perfil quase angelical. Ela se virou para mim, com a testa franzida em um questionamento que respondi com um "As pessoas gostam de você", sem acrescentar "mais do que de mim".

Estávamos pagando pelos refrigerantes de dente-de-leão e bardana no mercadinho quando Sharon, que continuava a brincar com o cabelo, os olhos bem abertos e a voz límpida e cantada, perguntou para o sr. Bashir: "De onde o senhor é?". Imediatamente percebi que havia feito a escolha certa. Eu teria me complicado toda com essa pergunta se conseguisse criar coragem para fazê-la.

O sr. Bashir riu em resposta, uma risada grave de quem entendeu o que estava acontecendo ali. Por outro lado, ele ria de quase tudo. "Bradford", ele falou, para nossa surpresa, e então sua expressão ficou mais séria. Ele esperou em silêncio por um momento enquanto o encarávamos, e de repente comecei a me sentir constrangida, mas então veio o complemento: "Mas a minha família é do Paquistão... originalmente". Então sorriu de novo e deu uma piscadinha.

Ele apontou para a porta atrás de si que levava ao estoque e à sua casa. Havia pequenas fotografias pregadas ali, de famílias, casas e paisagens desconhecidas para nós. O sr. Bashir abriu o balcão para nos permitir olhar mais de perto. Eu me contive, mas Sharon fez sinal para eu segui-la. Quando nos aproximamos do sr. Bashir, absorvi aquele cheiro forte e de pele quente, característico de pai, e senti vontade de ficar o mais perto possível dele. Sharon apontou para cada uma das fotos, perguntando "Quem são esses?", e "Onde é isso?", enquanto o sr. Bashir respondia a tudo com sua voz suave e melódica. Em um determinado momento, ele olhou para mim e, franzindo a testa, perguntou: "O que foi? O gato comeu sua língua?".

Sharon tratou de intervir antes que eu pudesse responder. "Não se preocupa, não, sr. Bashir, ela só está quieta porque está pensando." Em seguida, acrescentou com um sussurro conspiratório: "Minha mãe diz que ela pensa demais".

Eu me afastei dos dois, a princípio aturdida com aquela observação, mas então dei de ombros para mim mesma, percebendo que provavelmente era verdade. O sr. Bashir me olhou, sua expressão também pensativa. "Entendi", foi sua resposta, assentindo para mim, e me vi retribuindo o gesto, sentindo que ele reconheceu em mim algo que nem eu mesma sabia ao certo o que era.

Bem naquele momento, a porta que dava para os fundos da casa se escancarou, e um menino risonho saiu correndo, provocando um sobressalto em nós. Assim que notou nossa presença, ele parou, nos encarou e pareceu se encolher todo até ficar bem miudinho. Sharon e eu ficamos olhando para ele.

"Já conheceram o meu filho quietinho e bem-comportado?", o sr. Bashir perguntou, revirando os olhos. "Ishtiaq." Sharon e eu baixamos os olhos e fizemos que não com a cabeça, mas obviamente sabíamos quem era. Alto e magro e com os cabelos e olhos bem pretos, Ishtiaq estava no mesmo ano que nós na escola. Sua expressão me dizia que ele nos reconheceu também, mas não disse nada.

"Volta lá para dentro", o sr. Bashir falou, em uma reprimenda afetuosa. "Eu já falei para você que é perigoso abrir a porta correndo desse jeito." O garoto desapareceu em silêncio para dentro de casa e, depois da interrupção, o clima de intimidade se desfez e nós fomos embora, levando nossas latas de refrigerante.

Mais tarde, fiquei pensando na diferença entre o Ishtiaq tímido e calado da escola e o garoto espalhafatoso e risonho que vi lá no mercadinho. Eu me perguntei se ele também costumava pensar demais, como eu. Como se estivesse lendo meus pensamentos, Sharon comentou a respeito.

"Eu nunca vi ele sorrir assim na escola", ela disse.

# 3

## OMAR

Omar Bashir observou as meninas saírem com o sorriso de sempre no rosto. Quando a sineta tocou e a porta pesada se fechou, ele se virou de novo para a desbotada colagem de fotografias coladas atrás de si, sentindo-se ao mesmo tempo atraído e repelido pela imagem que adorava e evitava na mesma medida.

Era o retrato obrigatório tirado para mandar como prova de seu sucesso e sua prosperidade aos familiares que deixaram para trás. Seus cabelos ainda eram bem pretos na época — não havia os grisalhos que se espalhavam cada vez mais a essa altura —, e ele parecia constrangido diante da câmera, embora sua expressão fosse de alívio ao posar com o uniforme do Sistema de Transportes da Cidade de Bradford.

Assim como todos os homens jovens e capazes de sua aldeia, ele veio para trabalhar nas tecelagens. Em pouco tempo, porém, procurou uma escapatória daquele trabalho exaustivo e monótono e acabou conseguindo um dos empregos mais cobiçados no serviço local de ônibus; principalmente por ter aprendido o novo idioma tão depressa — seu amor pelas palavras e pelos livros acabaram se revelando um benefício inesperado em sua nova vida. O alívio era porque Rizwana pôde vir se juntar a ele bem antes do esperado. Ela estava ao seu lado na foto, com os olhos voltados para ele, sorrindo e parecendo à vontade, contrastando com sua formalidade rígida e desajeitada. Ela estava resplandecente usando uma salwar kameez azul-turquesa.

Como sempre, o luto era visceral, como um chute forte na boca do estômago, obrigando-o a buscar apoio no balcão e se firmar até que a dor passasse. Ele se endireitou devagar, balançou a cabeça e abriu a porta dos fundos para ir ver Ishtiaq. Quando a porta se abriu, o menino se voltou para ele, seus olhos tão parecidos com os de Rizwana que Omar sentiu sua visão ficar borrada.

"Está tudo bem, pai?", Ishtiaq perguntou, a voz baixa, mas cheia de preocupação.

"Claro, claro", ele respondeu, se inclinando para a frente para bagunçar os cabelos do filho sentado no sofá.

Ishtiaq voltou a prestar atenção no seu desenho animado, mas Omar continuou olhando para ele. Era um garoto muito sensível, um motivo de preocupação constante para o pai. Muitas vezes Omar se sentia cegado pelo amor que sentia pelo filho, e era difícil encontrar um equilíbrio entre o desejo de protegê-lo e a liberdade que ele e Rizwana sempre quiseram que o menino tivesse.

"Só toma cuidado quando for para a rua."

Ishtiaq se virou ao ouvir a seriedade no tom de voz do pai.

"Tem uns garotos rondando por aí, de cabeça raspada, mal-encarados..."

Ishtiaq confirmou com a cabeça, com uma expressão resignada.

Atrás do balcão, o restante da manhã passou depressa, ocupada pelo recebimento de entregas e o atendimento à freguesia, com "Goodbye Yellow Brick Road" tocando bem alto no toca-fitas quando o mercadinho esvaziava. Logo que eles se mudaram, ele ficou até surpreso com o fato de sua rotina ali ser tão previsível. Era exatamente disso que precisava: foi o ritmo tranquilizador e hipnótico de ter as mesmas pessoas aparecendo nos mesmos horários para comprar as mesmas coisas que lhe permitiu seguir adiante naqueles primeiros dias de perda.

Como o início das tardes era sempre tranquilo, ele reabastecia as prateleiras e deixava tudo limpo e arrumado. Seu único cliente regular nesse horário era Brian, que morava a dois quarteirões dali com a mãe, Valerie, funcionária na fábrica de biscoitos. Ela e suas amigas seriam boas rivais para suas tias em Bradford: sabiam de tudo a respeito da vida dos moradores da cidade. Omar muitas vezes se perguntava se o jeito silencioso de Brian não se devia ao fato de nunca conseguir dizer uma única palavra em casa, e, como consequência, suas cordas vocais haviam se atrofiado.

Ele desconfiava que Brian escolhia aquele horário para vir porque sabia que o mercadinho estaria vazio. Às vezes o via do lado de fora, com seu macacão azul ensebado e seu gorro de lã amarelo, observando o movimento, e era possível que estivesse esperando os outros irem embora para entrar. Com o tempo, entendeu que Brian preferia não fazer contato visual, então preparava sua compra habitual — um maço de dez cigarros Mayfair e um exemplar do *Yorkshire Chronicle* — e a deixava separada no balcão.

Quando a sineta da porta tocou, assinalando a chegada de Brian, ele fez o que sempre fazia e baixou o volume do toca-fitas. Já havia notado a careta de Brian quando o som estava muito alto, e que ele levantava os ombros como se estivesse tentando cobrir as orelhas. Omar se concentrou em repor as prateleiras, controlando sua inclinação natural de conversar enquanto Brian apanhava seu pedido e deixava o valor exato em moedas de prata e cobre no balcão, e a única indicação de sua passagem por ali era a sineta tocando quando a porta se fechava ao sair.

Valerie apareceu uma vez para pegar as compras de Brian e, ao ir embora, agradeceu a Omar num tom um pouco ríspido por "cuidar do meu menino". Foi a primeira vez que ela se dirigiu a ele sem ser pela troca de dinheiro por mercadorias, e marcou uma nova fase de aceitação de sua presença na comunidade — algo que, querendo ou não, era sempre incerto. Depois desse dia, ela levou todas as amigas ao mercadinho e costumava parar para conversar um pouco, nunca deixando de perguntar sobre Ishtiaq.

Algumas horas depois, a cabeça de Ishtiaq apareceu na porta dos fundos, um lembrete diário de que estava na hora de fechar o estabelecimento para preparar o jantar. Quando Rizwana adoeceu, ela fez questão, apesar dos protestos do marido, de que ele aprendesse a fazer os pratos favoritos do filho. Não queria passar suas receitas secretas para as mulheres que a cercavam. Ele lhe agradecia mentalmente por isso todos os dias, ciente de que a familiaridade da comida da mãe trazia algum conforto para o garoto.

Ele concordou e pediu para Ishtiaq trazer o mostruário de jornais para dentro enquanto fechava tudo. Instantes depois, houve um berro estrangulado. Omar logo lembrou dos meninos de cabeça raspada e correu para fora, levando a mão à boca para encobrir o grito que subiu pela garganta ao ver o que estava escrito na parede da sua casa. Os olhos de

Ishtiaq estavam cheios de lágrimas raivosas. Omar sabia que ele já tinha idade para entender essas coisas, guardar na memória e levar consigo. E esse tipo de incidente vinha ocorrendo durante toda a sua vida.

"Isso não pode continuar assim, pai", ele falou baixo, mas inequivocamente reprovador, que atingiu Omar com tamanha força que o fez se encolher como tivesse sido perfurado.

"Filho, nem todo mundo é assim", ele respondeu. "São só algumas pessoas ignorantes, que sempre fazem questão de ser mais escandalosas que as outras. As coisas estão até melhorando ultimamente, não é?" Ele sabia muito bem que aquilo era só uma tentativa desesperada de tentar acalmar o filho — ou a si mesmo? De repente, ele não sabia mais ao certo, e seus ombros despencaram de exaustão, uma sensação que vinha sendo obrigado a enfrentar todos os dias desde a morte de Rizwana.

"Você diz isso toda vez, pai. E não, as coisas não estão melhorando." Ishtiaq olhava para o chão ao dizer isso, quase em um sussurro.

Omar sabia que Ishtiaq muitas vezes chegava em casa com arranhões e hematomas; quando questionado sobre, ele apenas dava de ombros e dizia "Sei lá". Em uma ocasião, Omar fez justamente aquilo que Ishtiaq não queria e se dirigiu até a escola para perguntar sobre esses ferimentos. Foi conduzido a uma sala de descanso abafada, e sentou diante do professor do filho, depois de quase todo mundo já ter ido embora, em meio ao cheiro de cigarros e café velho. Sua cadeira era mais baixa que a ocupada pelo professor, e ele se perguntou se aquilo era de propósito.

O sr. Ware, com seu porte alto e imponente, parecia incomodado e impaciente para se livrar dele de uma vez. "Se Ishtiaq não conta o que aconteceu com ele, então não vejo o que podemos fazer a respeito. Quem disse que isso aconteceu na escola, ou, inclusive, que tem alguma relação com a escola? Sei que deve ser difícil para você ficar de olho no seu filho, considerando a sua... situação."

A palavra *situação* foi dita com um desdém que Omar considerou quase cômico. Sua situação era a de um pai viúvo que precisava trabalhar. Sim, seria melhor se Ishtiaq tivesse uma mãe viva e capaz de cuidar dele, mas isso não era de forma nenhuma um motivo de vergonha. Omar ficou apenas encarando o professor, esperando que ele restabelecesse contato visual para dizer: "Me explique melhor o que você quis dizer com isso".

Ele gostou de ver o professor se complicar todo; ficou com a sensação de que aquele não era um homem acostumado a ser desafiado daquela forma. Mas, mesmo assim, foi embora sem uma solução para o problema. A não ser que Ishtiaq dissesse o que estava acontecendo, não havia nada a fazer. Seu filho se recusava a mencionar qualquer nome que fosse, o que o deixava irritado, mas, em certa medida, orgulhoso também. "Você querer me defender só vai piorar as coisas. Pode deixar que eu me viro com isso, pai." Era essa a resposta de Ishtiaq sempre que Omar insistia, o que acontecia com frequência, tentando diversas estratégias, desde a gentileza e preocupação à raiva e ameaça. A cada dia, seu filho se tornava mais parecido com a mãe. E, quando Rizwana se decidia por uma coisa, não havia como fazê-la mudar de ideia.

"Pai." A voz dele o trouxe de volta para o presente. "Talvez não tenha sido uma boa ideia vir para cá." Aquelas palavras soaram convictas e límpidas, apesar de ditas em voz baixa. Omar se sentiu atingido fisicamente por cada uma delas, e precisou se segurar para não erguer os braços para se proteger. Ele olhou para o filho. Aquela quietude era carregada de sentimento, cuja fonte era tão profunda que parecia abalar as estruturas da loja.

"Filho, você ainda não era nascido quando nos mudamos para cá", Omar respondeu, num tom tão baixo quanto o de Ishtiaq, "então não sabe a dureza que foi em Bradford, nem como sua mãe e eu nos sentíamos, como se aquele nunca seria nosso lugar. Mas, não sei nem como, em algum momento Bradford virou um lar para nós." Ele fez uma pausa, e um turbilhão de sentimentos inundou seus sentidos; a casinha em Bradford que Rizwana deixou tão linda, o orgulho que tinham dela, a felicidade que sentiram quando Ishtiaq nasceu.

"Esse lugar pode virar um lar também. E vai", ele complementou, tentando infundir na voz trêmula mais convicção do que de fato sentia.

A expressão de Ishtiaq se amenizou. "Tudo bem, pai", ele falou. E, apesar de saber que o filho só estava tentando agradá-lo, que aquela conversa não estava encerrada, e provavelmente nunca estaria, Omar se sentiu exausto de repente. Pôs a mão no ombro de Ishtiaq e o conduziu para dentro.

Mais tarde naquela noite, depois que o garoto tinha ido para a cama, Omar sentou na poltrona gasta e puída perto da janela, e uma raiva reprimida dominou seu corpo com tamanha força que o fez estremecer. Ele imaginou o que faria com as pessoas que picharam aquelas coisas na parede e que machucavam seu filho na escola. Era uma fúria que o dominava com frequência na escuridão da noite, e era um dos muitos motivos pelos quais ele sempre se mantinha ocupado durante o dia. Não podia correr o risco de deixar isso transbordar na frente dos outros.

"Nosso filho precisa de pelo menos um dos pais presente", foi o que Rizwana havia dito. "O que você acha que acontece quando pessoas como nós são presas nesse país?" Ela o fez prometer que nunca reagiria fisicamente, pelo bem de Ishtiaq. E ele era um homem de palavra.

Ao ouvir um barulho do lado de fora, impulsionado pela raiva e adrenalina, ele espiou pela lateral das cortinas de nylon laranja, através das telas beges desbotadas, alerta à presença dos garotos de cabeça raspada. Enquanto observava o beco às escuras no fundo das casas geminadas minúsculas e decadentes, percebeu que ali poderia facilmente ser Bradford. Em sua mente, ecoou a voz de Masood, o irmão de Rizwana, quando Omar anunciou que estava se mudando para longe da família e dos amigos.

"Você não tem como escapar do luto, irmão."

Mas, quando a loja foi colocada para alugar, aquilo lhe pareceu um sinal, e Omar seguiu em frente mesmo assim, apesar dos avisos de Massod de que "não vai ser como em Bradford" — ou seja, não haveria tantos rostos não brancos por perto. Mas ele queria começar uma nova vida, longe das lembranças dos últimos meses de vida de Rizwana e, para ser bem sincero, longe também da família dela — que a acompanhou em peso depois que ela se mudou para a Inglaterra — e sua proximidade sufocante. Não queria estar cercado de gente que foi criada junto com ela, que parecia com ela e com seu jeito de agir e de falar.

Então se mudou para essa cidadezinha, onde a segregação espacial tácita significava que eles eram os únicos não brancos da região. Caso morassem a pouco menos de um quilômetro dali, teriam se integrado a uma nova comunidade de pessoas amigáveis, ainda que não tão numerosa, embora isso significasse uma série de interferência na vida deles, e Omar não aceitaria que ninguém além dela lhe dissesse como criar seu filho. Eles precisavam agradecer à praticidade de Rizwana, que, depois do diagnóstico, os fez ter infindáveis discussões sobre como Omar deveria lidar com tudo, desde o idioma que deveria falar com o filho — deveria conversar tanto em urdu como em inglês — até questões como casamento e possíveis carreiras, e chegaram à mesma abordagem para todas as questões: quanto mais fosse pressionado, mais resistente ele se tornaria. Omar não precisava da opinião de ninguém.

Não muito tempo depois da morte da esposa, ele começou a ouvir indiretas sobre a necessidade de se casar de novo, e logo, além de palpites de como deveria criar Ishtiaq. As discussões com os parentes de Rizwana persistiram até o dia em que eles se mudaram, mas Omar se manteve firme. Rizwana queria que seu filho tivesse liberdade e oportunidades, e o incumbiu de garantir que isso acontecesse.

"Nós somos muçulmanos", Masood disse certa vez. "Temos o dever de cuidar uns dos outros."

"Pois é", Omar respondeu. "E eu estou cuidando do meu filho. Isso não basta?"

Por um instante, ele questionou se não tinha sido egoísta. A única pessoa que poderia lhe responder isso com sinceridade não estava mais ao seu lado.

# 4

## MIV

"Tive uma ideia", falei para Sharon quando fui buscá-la na manhã seguinte. "Uma forma de descobrirmos mais sobre o sr. Bashir e de saber se ele é o Estripador."

"Então conta", ela disse com um sorriso enquanto fechava a porta de casa e se juntava a mim na calçada.

Ansiosa em manter meu ar de superioridade e mistério, balancei a cabeça.

"Você vai ver. É só seguir a minha deixa quando estivermos lá."

Sharon revirou os olhos, mas ainda estava sorrindo quando a sra. Pearson e seu jack russell passaram por nós. Depois de um cumprimento animado, nós seguimos para o mercadinho. Quando chegamos, o sr. Bashir estava esfregando a parede com força, e havia ao seu lado um balde com a água cheia de sabão tingida de um cor-de-rosa encardido, que escorria pelas rachaduras na calçada. "Bom dia, sr. Bashir", exclamamos em uníssono.

Ele se virou, olhou para nós, balançou a cabeça e abriu um sorriso que não alcançou seus olhos, e que parecia refletir uma raiva inesperada. Senti Sharon ficar tensa ao meu lado, mas eu estava curiosa. O sr. Bashir estava muito irritado com alguma coisa, o que era interessante para mim, já que o Estripador era descrito muitas vezes como alguém raivoso. Ele logo voltou para sua tarefa. Eu só vi o contorno das letras N e F, com um círculo em tinta spray vermelha ao redor, e isso era tudo o que restava do que havia sido pichado na parede. Era um símbolo que eu via muitas vezes em muros e janelas, e que sempre achei que fossem as iniciais de alguém. Nunca tinha visto o sr. Bashir assim tão sério. Talvez estivesse bravo por causa da pichação, pensei. Eu conseguia até imaginar a reação da tia Jean se tivesse sido na nossa casa. *Esses jovens de hoje*, ela teria dito, com uma fúria gélida, *eles não sabem a sorte que têm*, como se de alguma forma eu fosse culpada também, só por ser jovem.

Olhei ao redor, e notei pela primeira vez as cortinas se agitando nas casas vizinhas enquanto as pessoas observavam o sr. Bashir. Valerie Lockwood — que morava na rua do lado — conversava com o sucateiro da vizinhança, Arthur, e os dois balançavam a cabeça, apontando com o queixo para o mercadinho. Parecia haver algo a mais ali além de uma simples pichação, mas eu não conseguia entender o que era.

"O Ishtiaq está em casa?", perguntei, um pouco apreensiva, sem saber qual seria sua reação.

O sr. Bashir parou o que estava fazendo e olhou direito para nós pela primeira vez, limpando o suor do rosto com um lenço que tirou do bolso.

"Ele está lá nos fundos, vendo alguma coisa na tevê", ele respondeu, e acrescentou: "Vocês podem pedir para ele me fazer um chá?". Nisso, sua expressão se amenizou, e eu assenti, aliviada por estar de novo diante do sr. Bashir que conhecia.

"Claro, sr. Bashir", disse Sharon num tom solene, e eu lancei um olhar rápido para ela. "Podemos fazer mais alguma coisa para ajudar?"

Ele meneou a cabeça, e nós fomos para os fundos da loja.

Ao abrir a porta que dava para a entrada da casa, fiquei surpresa ao ver que o corredor era parecido com o de todas as outras casas da rua. Não sei o que eu esperava encontrar, mas com certeza não era o mesmo carpete estampado e o papel Anaglypta bege que também tínhamos em casa. A única diferença era um cheiro delicioso e desconhecido que fez meu estômago roncar.

Ishtiaq estava sentado na sala de estar escurecida pelas cortinas fechadas, totalmente concentrado na televisão. Ele não levantou os olhos quando aparecemos na porta. Sharon me cutucou a apontou com o queixo para ele. "Vai lá", ela sussurrou, "isso foi ideia sua." Ela me empurrou para a frente e eu entrei cambaleando na sala, e por pouco não caí. Ele enfim virou a cabeça.

"E aí, Ishtiaq", falei. Ele ficou nos encarando, a testa franzida, absorvendo a cena.

"Hã... oi?", ele disse. Sua voz tinha um tom interrogativo e um tanto constrangido. "O que vocês querem?"

"Nós, é, nós viemos dizer um oi", eu continuei. "E, hã, saber se você quer sair para brincar uma hora dessas?" Senti que estava me atrapalhando toda, e percebi que os olhos de Sharon se arregalaram em surpresa, como se aquela fosse a última coisa que esperava de mim. Os meus olhos se voltaram para a tevê, e para meu alívio vi que ele estava assistindo a um jogo de críquete. Aquela era a minha oportunidade. "Você sabe jogar?", perguntei, apontando para a tela.

Ishtiaq confirmou, mantendo os olhos fixos em mim, estreitando-os de leve, como se desconfiasse da minha motivação para a pergunta.

"Porque eu sei", falei, me empertigando toda, como se isso de alguma forma pudesse ser uma demonstração da minha habilidade no críquete. Ishtiaq parecia cético.

"Meu pai diz que eu aprendi a jogar assim que consegui parar de pé", contei, toda orgulhosa. "Ele diz que o críquete está no meu sangue."

Ishtiaq finalmente abriu um sorriso. Se estava mais à vontade ou achando graça, eu não tinha como saber.

"Tá, por que não jogamos juntos então?", Ishtiaq sugeriu. "Amanhã de manhã, no parque. Com um lançador, um rebatedor e um jogador de campo."

"Tá bom", respondi.

"Nós passamos aqui amanhã cedo aqui, então? Quando o mercadinho abrir?", continuei.

Ele concordou, mas estava com uma expressão interrogativa de novo, como se ainda estivesse desconfiado da nossa motivação para aquilo. Quando estávamos indo embora, Sharon se virou de novo para ele.

"Ah", ela disse, "o seu pai pediu para você preparar uma xícara de chá para ele, pode ser?" A voz dela soou um pouco trêmula, como se não a usasse fazia um tempão e estivesse sem prática, como eu ficava quando passava um tempo sem cantar. Ishtiaq sorriu para ela e assentiu mais uma vez, enquanto Sharon olhava para os próprios pés.

"Até amanhã, então", eu disse, intrigada com a timidez repentina dela.

"Se preparem para levar uma surra", ele falou baixinho enquanto saíamos.

"O que foi isso?", Sharon perguntou na rua.

"É o que eu pergunto para você", retruquei, mas a minha pressa para revelar meu plano era maior que a minha curiosidade sobre o que tinha dado em Sharon.

"Agora que somos amigas do Ishtiaq, podemos descobrir mais sobre o pai dele, perguntar aonde o sr. Bashir costuma ir e esse tipo de coisa. E também podemos descobrir o que aconteceu com a sra. Bashir", contei com um tom de triunfo, orgulhosa da minha engenhosidade. "Já reparou que nós nunca vimos ela?", complementei, balançando a cabeça, sabichona.

"Você é boa nisso", ela disse com uma risadinha e até um toque de surpresa. Fui andando toda empinada durante todo o caminho de volta para casa, sentindo o elogio de Sharon reverberar dentro de mim.

A caminho da casa dos Bashir na manhã seguinte, porém, Sharon estava estranhamente calada. Era cedo — eu sempre saía de casa o quanto antes, mesmo quando não tinha aula, ou talvez principalmente quando não tinha aula —, e o único barulho nas ruas além dos nossos passos era o canto dos pássaros e o rugido suave do motor do caminhãozinho de leite fazendo suas entregas. Mas o silêncio durou tanto que comecei a me perguntar se ela havia mudado de ideia sobre o que fazer naquele dia.

"Está tudo bem? Você está tão quieta."

"Está, sim", ela disse, voltando a ficar quieta em seguida.

Fiquei esperando, sabendo que Sharon demorava um tempo para admitir quando as coisas não estavam bem.

"Meu pai me perguntou o que nós fizemos ontem, então eu contei", ela continuou. "Ela não gostou da ideia de sairmos para brincar com o Ishtiaq."

Não era preciso nem perguntar por quê.

Shazia Mir tinha sido a primeira aluna de pele marrom da nossa escola no ensino fundamental. Usava calça por baixo da saia do uniforme e foi a primeira pessoa que vi na vida com um brinco no nariz. Eu imediatamente também quis um. Não lembro quando os meninos começaram a tapar o nariz ao passar por ela, ou quando todo mundo parou de sentar ao seu lado na hora do almoço. E também não lembro quando começaram as musiquinhas.

*Rosas são vermelhas, violetas são azuis*
*Shazia fede como os animais dos zoos*

No começo, entrei na brincadeira, sempre um pouco constrangida, mas querendo fazer parte. Até que um dia as musiquinhas se voltaram para mim também:

*Rosas são vermelhas, violetas são azuis*
*Sua mãe é uma doida, e você um avestruz*

Depois disso, nunca mais entrei nesse tipo de brincadeira. Apesar de já fazer bastante tempo, ainda me sentia incomodada toda vez que pensava em Shazia, sentada sozinha todo dia no pátio da escola, até que um dia ela desapareceu. Ninguém nunca disse por quê. A tia Jean falou na época: "Com certeza são pessoas boas e respeitáveis", se referindo à família dela, "mas espero que não queiram se misturar conosco". Era essa a opinião da maioria das pessoas no nosso bairro.

Então uma lembrança surgiu aos poucos na minha mente, e fiquei me perguntando se para o pai de Sharon essa questão poderia ser ainda mais séria. Antes de a minha mãe parar de falar, e de o sr. Bashir vir morar aqui, e de Sharon e eu virarmos amigas, tinha acontecido uma coisa na igreja.

Naquela época a minha mãe cantava no coral dos adultos, e o meu pai e eu íamos ouvi-la — meu pai totalmente fascinado, eu me ajeitando desconfortável naqueles bancos de madeira. Em certo domingo, acabamos sentando na mesma fileira da mãe da Sharon, Ruby, e do pai dela, Malcolm. Nós os conhecíamos só de vista na época. O pároco falou alguma coisa sobre "receber de braços abertos pessoas de todas as culturas e todos os credos na cidade", e Malcolm falou "Isso é o que nós vamos ver" tão alto que todo mundo se virou para olhar para ele.

"Você quer fazer alguma outra coisa hoje, então?", perguntei para Sharon. "Eu posso ver o Ishtiaq sozinha e depois contar como foi."

"Não!", ela logo respondeu, franzindo a testa. "Mas, se alguém perguntar, podemos dizer que era só a gente brincando? Meus pais acabaram discutindo um com o outro, e eu não quero que isso aconteça. Meu pai viajou de novo por alguns dias, então não vai ficar sabendo. E também..." Ela não terminou o que estava dizendo, virando o rosto para o outro lado.

"Você está chorando?", perguntei, hesitante.

Ela balançou a cabeça devagar, mantendo o rosto virado para o outro lado.

Eu sabia que ninguém ia perguntar para mim como foi meu dia, mas aceitei o pedido dela mesmo assim, me sentindo estranhamente incomodada com a ideia dos pais de Sharon brigando, como se o chão sob os meus pés tivesse se tornado instável, ou se tivesse levado um tropeção. Eles sempre me pareceram tão contentes, e eram a minha prova viva de que famílias felizes existiam. Eram a minha esperança de que a minha família um dia também pudesse ser assim.

Próximas do mercadinho, vimos que Ishtiaq já estava lá fora, parecendo ansioso pela nossa chegada. Estava com o cabelo penteado para o lado com uma risca impecável, e as roupas, uma calça jeans e uma camiseta branca, pareciam mais estilosas que de costume. Na escola, ele sofria com o duplo estigma social de ter a pele marrom e ser inteligente, mas hoje percebi pela primeira vez que, na verdade, Ishtiaq era bem bonito. Olhando para baixo, vi que ele também segurava uma sacola de lona com casinhas e tacos. Levantei uma sobrancelha; ele estava levando aquilo bem a sério.

Quando estávamos nos preparando para ir, a cabeça do sr. Bashir apareceu na porta da loja. Ele estendeu uma sacola — uma do mercadinho, listrada e colorida — na direção de Ishtiaq.

"Comida", ele falou com um sorriso.

"Obrigado, pai", murmurou Ishtiaq, pegando a sacola como se estivesse com vergonha.

Enquanto íamos para o parque, Sharon e Ishtiaq caminhavam lado a lado na calçada, enquanto eu ia com um pé no meio-fio e outro na rua. Ishtiaq e eu conversamos sobre os nossos times de críquete favoritos e quem venceria a próxima série Ashes, enquanto Sharon se mantinha em silêncio, sem saber muito sobre o esporte, mas sempre com os olhos grudados em Ishtiaq. Então lembrei o que deveríamos estar fazendo. Eu tinha anotado uma lista de questões no caderno, que mais tarde decorei.

"O seu pai fica o tempo todo no mercadinho?", perguntei. "Toda vez que nós vamos, ele está lá."

"Ah, sim", Ishtiaq respondeu com um leve sorriso.

Fiz uma anotação mental.

"Mas e se ele ficar doente ou algo assim?", questionei, realmente curiosa a respeito, mas, antes que ele pudesse responder, emendei: "Você tem mãe?". Sharon me deu um cutucão ao ouvir isso, e percebi que tinha ido longe demais. O rosto de Ishtiaq ficou mais sério.

"Eu tinha, mas ela morreu", ele falou num tom sem emoção.

Fiquei tão atordoada que até detive o passo. Eu não havia sequer considerado essa possibilidade.

"Ah. Meus sentimentos." Sei que é isso o que precisamos falar, mas nunca entendi direito, porque fica parecendo que estamos pedindo desculpas. Ishtiaq parou de andar também, estreitando os olhos.

"Por que todas essas perguntas?", perguntou, desconfiado de novo.

"É só por curiosidade mesmo", falei, sendo bem sincera. "Então são só vocês dois? Seu pai deixa você com alguém? Tipo uma babá, ou alguém da família?"

"Não. Nós quase não vemos mais a família", ele contou, e percebi quando ele se fechou por completo, como as cortinas do mercadinho, desaparecendo dentro de si mesmo e voltando a ser o Ishtiaq de sempre, reservado e calado.

"Bom, agora você tem a gente", Sharon falou com gentileza, tocando de leve o braço dele. Ishtiaq olhou bem para ela antes de voltar a falar, com um tom de voz tão baixo que era até difícil de ouvir.

"Desde que a minha mãe morreu, estamos sempre juntos. Nós somos a Dupla Dinâmica. Ah! E vocês são a Duplinha Danada." Ele pareceu achar muita graça nisso, e soltou uma gargalhada tão contagiante que Sharon e eu caímos na risada também, dissolvendo a tensão.

Não fiquei decepcionada com a revelação de que eles estavam sempre juntos. Isso era a confirmação de que o sr. Bashir não era um suspeito. Se estava o tempo todo no mercadinho ou com o filho, não teria como ser o Estripador, e eu inclusive vinha torcendo para isso, porque gostava do sr. Bashir. Troquei um olhar com Sharon, e nós sorrimos; ela estava pensando a mesma coisa que eu.

Andei na frente de Sharon e Ishtiaq o restante do trajeto até o parque, e logo percebi que eles tinham entabulado uma conversa. Tentei ouvir, mas ela havia baixado o tom de voz límpido e melodioso para o mesmo volume dos murmúrios de Ishtiaq. Parecia não ter dificuldade em fazê-lo falar, e o som baixo de suas vozes continuou ressoando até chegarmos ao parque, onde demarcamos a pista central de um campo de críquete usando a casinha que Ishtiaq tinha trazido e nossos casacos impermeáveis.

O "parque" na verdade era só um grande gramado e era assim chamado graças a algumas balanças tortas e um gira-gira enferrujado abandonados em um canto. Seus limites eram demarcados por pilhas de lixo — pacotes de salgadinhos, latas e incontáveis guimbas de cigarro —, mas havia um bom pedaço de grama, alternando entre o verde e o marrom, que era suficiente para jogarmos. Como ficava no meio do caminho entre a minha casa e a de Sharon, nós brincávamos lá desde que viramos amigas. Era melhor do que passar o tempo em lojas ou pontos de ônibus, o que várias meninas da nossa sala vinham fazendo ultimamente, na esperança de encontrar algum garoto. Pelo menos, eu achava que era o que Sharon ainda preferia.

Uma partida se tornou uma melhor de três, e então uma melhor de cinco. Na empolgação de correr de um lado para o outro, deixei de lado a habitual vergonha pelo desejo de vencer, me inflando toda de orgulho quando Ishtiaq disse "Você sabe jogar mesmo", e em um determinado momento percebi que estava me divertindo de verdade. Essa percepção surgiu do nada, como se tivesse chegado sorrateira e me cutucado no ombro, e fiquei surpresa de sentir isso. No fim, cansados de tanto correr, sentamos para comer nosso almoço na toalha xadrez que tínhamos trazido. O sr. Bashir havia preparado um banquete digno de uma história d'Os Cinco com as coisas que vendia no mercadinho — sanduíches de queijo, latas de refrigerante e mais de um sabor de batatinhas —, que Ishtiaq tirou da sacola junto com uma câmera toda bacana.

"Eu gosto de tirar fotos", Ishtiaq falou, em uma explicação meio desnecessária.

Peguei a câmera para dar uma olhada. Minha única experiência com máquinas fotográficas era com a Box Brownie do meu pai e com a filmadora que ele usava para registrar nossas férias quando ainda éramos uma família de verdade. Eu não tinha permissão para mexer em nenhuma das duas. Quando voltávamos de Filey ou Scarborough, as cidades na costa de North Yorkshire que frequentávamos, ele fazia questão de exibir aqueles filmes silenciosos com a gente correndo para entrar ou sair do mar, apesar de termos acabado de chegar em casa e a lembrança ainda estar fresca na memória.

A câmera de Ishtiaq era uma caixinha retangular preta com um botão vermelho. Parecia uma coisa da era espacial em comparação com a do meu pai. Perguntei para Ishtiaq se podia tirar uma foto, e ele assentiu e me mostrou como a segurar retinha. Tirei uma dele e de Sharon em um momento em que estavam rindo. Depois usei a janelinha do visor para acompanhar a aproximação de duas figuras que vinham na nossa direção. Ishtiaq se voltou para onde eu estava olhando e se sentou mais reto, de repente alerta, como um animal que sente um cheiro no ar.

Percebendo sua tensão, deixei a câmera de lado.

As figuras já estavam mais próximas a essa altura. Eram Neil e Reece, da nossa turma. Sem o uniforme da escola, eles pareciam diferentes. Mais adultos. Usavam a mesma jaqueta de nylon verde, com camisetas brancas, calça jeans dobradas na barra e botas pretas de sola grossa iguais. Pareciam idênticos, como soldados fardados.

Um sentimento repentino de medo começou a tomar conta do meu corpo, como se todo o açúcar que consumimos tivesse sido injetado diretamente na minha veia.

Ishtiaq começou a guardar o equipamento de críquete com movimentos apressados e tensos. *Nós conhecemos esses garotos, eles não vão fazer nada*, senti vontade de dizer, mas as palavras ficaram presas em um nó na garganta que não consegui desfazer.

"Você já está in...?", Sharon começou a perguntar, mas foi interrompida por Reece, que estava próximo o suficiente para ser ouvido por nós.

"O que você está comendo aí, Bashir? Curry? Dá para sentir o cheiro a quilômetros daqui", ele falou de forma desdenhosa.

"Nada", murmurou Ishtiaq, o olhar no chão, fechando a cara. Fiquei só observando o que desenrolava diante de mim, como se nem estivesse lá. Seria assim que Ishtiaq se sentia a maior parte do tempo?

Reece voltou sua atenção para mim e para Sharon, perguntando: "E vocês duas, por que estão com ele? Não têm amigos, não?".

Sharon ficou de pé.

"Ele *é* nosso amigo", ela respondeu, quase gritando, pegando a toalha em que estávamos sentados e a dobrando com gestos violentos.

"Deixa. São só meninas", Neil falou, segurando o braço de Reece, que se desvencilhou.

"Vocês não deviam brincar com ele", Reece insistiu, uma ameaça velada na voz. "Isso não é apropriado. Você devia ficar só com gente da sua laia", ele falou, apontando com a cabeça para Ishtiaq.

Cheguei a me perguntar onde ele poderia ter aprendido a palavra "apropriado", mas então lembrei do menino que conheci no fundamental, sempre com o nariz enfiado em um livro. Encarei Reece, tentando apelar com os olhos para ele.

"Quem disse?"

Tive um sobressalto de surpresa quando Ishtiaq falou. Ele tinha se levantado, para ficar na mesma altura dos dois, mas isso só evidenciou o quanto era magrinho perto deles.

"Vamos embora", disse Sharon, com o olhar voltado para Neil, que fez um gesto com a cabeça para indicar que saíssemos dali. Nós nos viramos para ir, mas dei uma olhada rápida para trás. Reece encarava Sharon sem nem ao menos piscar, enquanto Neil o segurava pelo braço, com as juntas dos dedos brancas por causa do esforço. O rosto de Sharon estava todo vermelho, mas, para minha surpresa, constatei que não era de vergonha. Ela estava furiosa. Atravessamos o parque com pressa, e Sharon se virou para Ishtiaq. "Isso costuma acontecer bastante?", ela perguntou.

"O tempo todo", disse ele, encolhendo os ombros.

No caminho de volta, quando mais nos afastávamos de Neil e Reece, mais à vontade ficávamos para falar sobre críquete, e quem jogava melhor, e quem rebateu mais bolas, como se estivéssemos retomando toda a alegria ruidosa que foi engolida pela presença daqueles garotos. Eu me virava para trás o tempo todo, torcendo para não ver pares de botas pretas atrás de nós.

Lá no mercadinho, o sr. Bashir estava com refrigerante de cereja à nossa espera. Bebi o meu tão rápido que fiquei até com soluços, que fizeram Sharon rir tanto que escapou refrigerante pelo nariz dela. O sr. Bashir e Ishtiaq entraram na onda, e nós quarto gargalhamos incontrolavelmente até ficarmos com dor no corpo inteiro.

Quando cheguei em casa naquela noite, estava tudo silencioso, e não tinha ninguém sentado na poltrona surrada onde minha mãe ficava quando descia do andar de cima, os contornos do corpo dela marcados no couro. A batida de uma janela em algum lugar me alertou para o fato de que havia uma brisa fria percorrendo a casa.

Vi que a porta dos fundos estava aberta. Minha mãe estava sentada do lado de fora no nosso quintal minúsculo, ainda de camisola e tremendo de frio, com o olhar perdido à distância. Fiquei olhando para seu rosto magro. Antes de tudo acontecer, o que pareciam linhas retas em mim, no caso da minha mãe poderiam ser descritas nos meus livros como "feições refinadas". Eu sabia que ela havia sido linda, apesar da aparência frágil, mas agora só parecia emaciada mesmo.

Seus olhos perturbados se voltaram para os meus, e me aproximei devagar, como se estivesse diante de um animal ferido. Senti que estava desaparecendo dentro de mim mesma de novo, como tinha acontecido no parque. Era como estar na casa dos espelhos de um parque de diversões, vendo uma versão minha falando "Vem, vamos", fazendo um gesto para reforçar o que dizia com mãos que não eram minhas, usando o tom de voz que ela usava quando eu estava incomodada com alguma coisa. Sempre gentil, mas firme. Essa versão de mim lavou as mãos e preparou torradas para nós duas, que minha mãe mastigou devagar, em pedaços minúsculos. Eu me vi dizendo "Muito bem, muito bem", para incentivá-la a comer tudo, então a coloquei na cama antes que meu pai e a tia Jean chegassem do trabalho, como se a filha fosse minha, e não o contrário.

Só voltei a mim bem mais tarde, quando meu pai apareceu na porta do meu quarto para me dar boa-noite. Quase contei o que havia acontecido — o incidente no parque, ter encontrado a minha mãe no quintal quando cheguei em casa —, mas então olhei bem para o seu rosto e notei o tom cinzento de exaustão nas rugas ao redor dos seus olhos.

"Boa noite, pai", foi o que falei em vez disso.

"Boa noite."

O tempo fechou no dia seguinte, e o cheiro das chuvas da primavera tomou conta do ar. Chovia demais para ir visitar Sharon, então decidi passar a manhã lendo no sofá depois que meu pai saiu para ir ao depósito de cargas onde era supervisor e a tia Jean foi para o Departamento de Emprego, onde trabalhava. Fiquei surpresa ao ver a minha mãe no andar de baixo, considerando seu estado no dia anterior. Ela estava em silêncio na poltrona, a camisola bege e o rosto pálido se misturando, olhando para a televisão no mudo.

Eu passava tão pouco tempo em casa durante o dia que me perguntei se não era isso que ela fazia sempre que ficava entediada, apesar de que "só as pessoas tediosas ficam entediadas" era o que tia Jean dizia quando eu reclamava de me sentir assim. Só conseguia me lembrar vagamente da casa cheia dos ruídos dela — o rádio sempre ligado enquanto ela cantava junto —, mesmo que tenha sido apenas dois anos atrás. Pensar na solidão que ela devia sentir fez os meus olhos arderem e a minha garganta apertar. Queria estender o braço e tocá-la, mas era como se um campo de força invisível a cercasse, como um personagem de *Doctor Who*. Eu não conseguia suportar isso. Sentia uma necessidade intensa de me afastar daquela tristeza.

Assim que a chuva virou uma leve garoa, vesti uma jaqueta impermeável e, cheia de culpa, corri até a casa de Sharon, que estava comendo maçã e queijo com Ruby. Ao redor delas na mesa havia papéis com desenhos feitos com canetinha. Quando olhei mais de perto, vi que eram imagens das túnicas e das joias de uma das mulheres que vimos nas fotos da porta dos fundos do mercadinho do sr. Bashir. Ruby nos deixou a sós, dando um beijo na testa de cada uma enquanto recolhia os pratos e os levava para a cozinha. Respirei fundo para sentir seu cheiro de bolo e perfume.

"Vamos lá na casa do Ishtiaq?", perguntou Sharon.

Fiquei intrigada por um momento. "Mas nós riscamos o sr. Bashir da lista, não? Ele não é o Estripador. Está sempre no mercadinho, pelo que o Ishtiaq falou. Então por que ir até lá falar com ele de novo?"

Sharon soltou um suspiro. "Não é disso que eu estou falando. Estou dizendo para irmos lá chamar ele para brincar, entendeu?"

"Ah", falei, absorvendo a reviravolta. "Por quê?"

Sharon franziu a testa, mas abriu um sorriso quando respondeu: "Porque ontem foi incrível, porque nós rimos um montão, porque você adora críquete e porque ele é legal. Nós podemos nos divertir também, né?".

Não foi a primeira vez que me perguntei se Sharon havia recebido algum segredo sobre a vida que eu desconhecia. "Tá", falei, meio hesitante. "Mas nós podemos voltar à lista mais tarde?"

Ela balançou a cabeça para mim, ainda sorrindo. "Siiiim", respondeu, como se estivesse agradando uma criancinha.

Dei um empurrão nela. "Para com isso", eu falei, e ela me empurrou de volta, e nós caímos na risada.

"Vamos lá chamar o Ishtiaq, então", eu disse.

Quando chegamos ao mercadinho, tinha um papel fixado na porta. O recado escrito em caneta azul com uma caligrafia trêmula dizia: *Fechado para limpeza*.

Espiamos pela janela e vimos o sr. Bashir de quatro no chão, esfregando o piso com uma escova, seus olhos marejados e fixos. Bati de leve no vidro.

"Sr. Bashir, o Ishtiaq pode sair para brincar?"

Ele se ergueu com gestos lentos e abriu a porta, acompanhado dos acordes de "Rocket Man" no toca-fitas. Por algum motivo, a música soou triste e lamentosa, assim como a expressão dele. "Podem ir pelo beco lateral e entrar pelos fundos", ele falou, fechando a porta logo em seguida. Obedecemos, aturdidas com o tom curto e grosso do sr. Bashir. Sharon bateu na porta dos fundos, e Ishtiaq atendeu.

"Você quer sair para brincar?", ela perguntou.

Parado no batente da porta, o sol o iluminou brevemente, mostrando as marcas das lágrimas derramadas.

"O que foi, o que aconteceu?", eu me apressei em perguntar, sem conseguir me conter.

"Alguém jogou uma garrafa com xixi dentro da loja", ele murmurou, baixando os olhos de vergonha. "Espirrou para todo lado."

A princípio, pensei que tivesse ouvido errado. Mas o sobressalto assustado de Sharon me confirmou que era isso mesmo. Ficamos paradas em choque, olhando para Ishtiaq, horrorizadas. Era como se nós duas tivéssemos sido transformadas em pedra, como em um conto de fadas.

"Por que alguém faria *isso*?", questionei, com a voz embargada. "Vocês chamaram a polícia?"

Ishtiaq olhou para mim com uma expressão opaca. Ele balançou a cabeça. "Eu não vou sair para brincar hoje." Depois de dizer isso, ele tentou fechar a porta, mas o pé de Sharon não permitiu. Ele olhou para aquele tênis branco, e depois para ela, confuso.

"Você tem algum jogo? Tipo, de tabuleiro?", ela perguntou, como se o restante da conversa não tivesse acontecido.

"Eu tenho o Operando", ele respondeu, soando ainda mais confuso.

Sharon e eu trocamos um olhar. Operando era o jogo mais cobiçado na nossa escola: um tabuleiro com a silhueta do esqueleto de um homem, em que os jogadores removiam os ossos com pinças, e que vibrava se os eles tocassem as bordas das cavidades. "Muito bem, então vamos brincar em casa, se você não quer sair", disse Sharon, como se fosse a sugestão mais lógica do mundo. Ishtiaq baixou os olhos, e prendi a respiração por um instante imaginando uma negativa, mas então ele abriu a porta completamente para nos deixar entrar.

Enquanto Ishtiaq ia buscar o jogo no quarto e Sharon ia ao banheiro, eu dei uma boa olhada na sala de estar pela primeira vez. Era cheia de contradições. A televisão estava empilhada sobre caixotes com nomes de frutas e legumes nas laterais, e o sofá marrom estava gasto e com as costuras puídas, mas em um canto escuro estavam o equipamento de críquete de Ishtiaq e torres oscilantes dos últimos lançamentos de jogos e livros, suas cores reluzentes brilhando contra os tons apagados das paredes e do piso. No topo de tudo estava o meu jogo favorito, Cai não Cai, o que achei curioso por ser um jogo baseado em equilíbrio, e a pilha toda parecia estar prestes a ir ao chão se uma coisa sequer fosse removida. Observando o cômodo, eu tive a certeza de que a tia Jean decretaria: "Este lugar precisa de um toque feminino".

Sharon manteve a conversa viva enquanto montamos o jogo e começamos a brincar, e eu fiquei em silêncio, emudecida pela incapacidade de expressar o meu horror com aquilo que havia acontecido com os Bashir. Enquanto eu observava Ishtiaq pouco a pouco voltar a si e aproveitar a brincadeira, percebi que não precisava dizer nada. Talvez só estar ali presente bastasse. Mas eu não conseguia esquecer o assunto. Foi só na segunda rodada de Operando — depois de eu ter vencido a primeira, apesar de desconfiar que Sharon estava tentando deixar que Ishtiaq ganhasse — que eu, enfim, falei "Eu sinto muito, de verdade", provocando um sobressalto nele enquanto tentava remover um osso esquisito do paciente, e o tabuleiro vibrou.

"Sente muito por quê? Não foi você que fez isso." Ele pareceu irritado por eu ter tocado no assunto, e eu estava prestes a me desculpar de novo quando uma voz cansada falou lá da porta:

"O que ela quis dizer foi que lamenta pelo que aconteceu, certo, querida?"

Olhei naquela direção e vi o sr. Bashir parado na porta, com o suor brilhando na testa e um pano na mão. Eu assenti.

"Então tá, alguém aceita um Sherbet Fountain?", ele perguntou, com uma alegria fingida na voz, tirando do bolso do avental três tubos amarelos com palitos de alcaçuz despontando na parte de cima.

"Sim, por favor!", respondemos em coro. O sr. Bashir bagunçou meus cabelos enquanto me entregava o meu, e inexplicavelmente senti vontade de chorar.

Mais tarde, quando tínhamos acabado de nos despedir de Ishtiaq e estávamos atravessando o beco lateral para ir para casa, ele nos chamou de volta.

"Vocês querem vir brincar de novo amanhã?", ele falou. "O meu pai falou que tudo bem, se vocês quiserem."

"Sim", respondeu Sharon, com firmeza, antes mesmo que eu tivesse a chance de respirar.

"Sim", repeti. Ao que parecia, estávamos virando amigos.

Quando demos meia-volta para ir embora de novo, vi a sombra escura de uma pessoa desaparecendo do outro lado do beco, e o som de suas botas ecoando pelo ar. Fiquei me perguntando se não tinha alguém de olho em nós.

# 5

## MIV

### NÚMEROS DOIS E TRÊS

Quando vi Ishtiaq de novo, quase acabei esbarrando nele. Estava no corredor da escola depois da volta do recesso de meio de semestre, distraída demais com o livro nas minhas mãos — eu tinha acabado de começar a ler *Jane Eyre*. Nós dois levamos um susto e cravamos o olhar um no outro ao nos reconhecermos. Houve um momento propício para um cumprimento, só que, em vez disso, continuei andando como se nada tivesse acontecido. Instantes depois, voltei ao meu livro, mas notei que as minhas mãos estavam trêmulas. Por que não dei oi para ele? Por que não reconheci a nossa amizade incipiente?

Tentei me concentrar na leitura, mas era impossível ignorar a sensação nauseante de culpa que começou a se formar na minha barriga. Eu me virei com a intenção de chamá-lo, mas ele já tinha desaparecido dentro de uma sala, e o silêncio do corredor começou a ser preenchido pelo barulho dos alunos voltando para dentro depois do intervalo. Pensei em correr atrás dele para explicar. Para dizer que não sabia por que não o tinha cumprimentado. Que sentia muito. Mas não fiz nada disso. Então, olhei ao redor para ver quem estava perto de mim.

Três meninas bonitas, mais velhas estavam bem juntas, a cabeça delas quase se tocando, usando a mesma cor de batom rosa e penteados idênticos feitos com laquê. Perto delas, estava outra garota, chamada Janice, que eu conhecia de vista, com as meias amarrotadas e os sapatos arranhados. Como eu, ela era quase invisível para meninas como as primeiras. Parecia estar sempre precisando de um banho, e todos a chamavam de Quatro-Olhos, por causa dos óculos azul-claros que usava, dos tipos que davam de graça no Serviço Nacional de Saúde, preso em um dos cantos com um esparadrapo, mas ela sempre tirava nota máxima nas provas de matemática.

Uma das meninas ergueu a cabeça e se deparou com Janice olhando para elas. Seus olhos se estreitaram, e por algum motivo pressenti que o que estava por vir era pior do que ser invisível. Queria que Sharon estivesse lá. Ela sabia como dissipar a tensão em situações como aquela. Era bonita o bastante para ser ouvida pelas meninas populares, e estranha o suficiente para ter uma amiga como eu. Ainda com os olhos cravados em Janice, a menina atraiu a atenção do restante da gangue para ela, balançando a cabeça como pássaros prestes a se refestelar com uma minhoca. Seus sussurros reverberavam no ar, então se dissiparam, e a única coisa que restou foi a expressão chorosa de Janice.

Continuei plantada ali, grudada ao chão, quando quatro garotos barulhentos apareceram acelerando pelo corredor, as mochilas balançando nos ombros, enquanto as meninas bonitas davam gritinhos e se encolhiam contra a parede. Um deles empurrou Janice para fora do caminho, e as bonitinhas deram risada quando a saia dela subiu, revelando uma calcinha de um cinza que um dia já tinha sido branco.

Uma das minhas lembranças mais dolorosas veio à tona nesse momento. Em um verão, no jardim de infância, antes de Sharon ser minha amiga, eu fui passar férias em Filey com meus pais. Nós nos tornamos amigos de uma família da nossa cidade que tinha uma filha da minha idade, Joanne. Eu idolatrava essa garota. Ela era toda grã-fina, articulava direitinho as palavras e não usava expressões e gírias típicas de Yorkshire, como o restante de nós. Eu a via como uma princesa. Passamos as férias fazendo castelos de areia e explorando a praia juntas.

Quando as aulas recomeçaram, fui correndo até ela para contar o que tinha feito no restante das férias. Ela me olhou, me cumprimentou com um aceno de cabeça e se virou para conversar com a amiga ao seu lado. Depois disso, nunca mais olhou na minha cara. Foi a primeira vez que me dei conta de que não tinha o que era necessário para pertencer. Que eu não era alguém com quem ela poderia abertamente ter uma amizade. Foi tão difícil quanto se ela tivesse puxado meu cabelo ou estapeado minha cara, e fiquei aliviada quando essa menina foi estudar em um liceu à moda antiga, e não em uma escola pública comum, como eu.

Enquanto saía do caminho dos garotos, fiquei me perguntando de onde tinham vindo aquelas regras. As regras que diziam que as bonitinhas não podiam ser vistas com as garotas pobres ou inteligentes. Que garotos e garotas não podiam ser amigos, e que de forma nenhuma garotas brancas como eu e Sharon podiam fazer amizade com pessoas de pele marrom como Ishtiaq. Eu não sabia nem como havia internalizado essas regras, muito menos por que ainda as seguia. O corredor foi se esvaziando aos poucos, e eu fiquei lá parada, ouvindo o barulho das conversas e das cadeiras se arrastando nas tábuas do piso. Só então fui para minha primeira aula e sentei na minha carteira, ao lado de Sharon. O sentimento nauseante de culpa foi junto comigo.

As salas de aula geralmente geladas da Bishopsfield eram preenchidas por fileiras e mais fileiras de carteiras de madeira, lascadas e desgastadas por anos de uso e nomes encravados com pontas de compasso. Havia um auditório com um piso de madeira que cheirava a antisséptico e suor, e o pátio era um gramado malcuidado. O banheiro ficava em uma construção externa, onde nossa voz ecoava e nosso corpo tremia quando precisávamos usá-lo. Isso me fez lembrar da escola descrita em *Jane Eyre*. A Bishopsfield tinha sido construída na era vitoriana, de acordo com os cartazes com o histórico da escola emoldurados e expostos logo na entrada. Parecia que nada havia mudado desde então, mas era possível imaginar que no passado o lugar havia abrigado crianças bem mais grã-finas do que nós.

Como era o primeiro dia de aula depois do recesso, parecia que todos os trinta alunos da nossa sala estavam inquietos, mexendo no colarinho da camisa do uniforme, e desejando ter permissão de tirar a blusa de manga comprida. Estávamos aprendendo sobre a Revolução Industrial por meio de histórias imaginadas sobre os trabalhadores das tecelagens do distrito de West Riding de Yorkshire. Não era a coisa mais interessante do mundo, e a gente só queria ir embora. Um pequeno burburinho se formou nos fundos da sala. Todo mundo se virou para ver o que era, e eu resmunguei mentalmente. Eram os mesmos encrenqueiros de sempre, Neil Callaghan e Reece Carlton. O volume do falatório e das reclamações aumentou rapidamente.

"Muito bem", disse o sr. Ware, em tom de ameaça. "Podem parar com isso. Todo mundo quieto." Demorou mais que o habitual para que a onda de obediência chegasse ao fundão, o que fez o sr. Ware levantar da cadeira e nos encarar com o nariz empinado, franzindo o bigode.

"Já chega", ele disse. O tom implacável de sua voz fez até os últimos do fundo interromperem o que estavam fazendo. "Vocês acabaram de fazer por merecer uma lição de casa extra. Quero que pesquisem a história das tecelagens locais. Pode ser conversando com seus pais, pode ser nos livros da biblioteca, mas eu vou querer uma história por escrito, e com ilustrações, para o fim da próxima semana."

Apesar de ter me juntado ao coro de resmungos que se seguiu a esse anúncio, eu estava secretamente contente. Adorava lição de casa. Além disso, já conhecia um pouco da história das tecelagens, já que todas as mulheres da minha família trabalharam lá. A tia Jean tinha problemas de audição pelas décadas que passou no ambiente ruidoso do chão de fábrica desde os catorze anos. A palavra mais usada entre as mulheres da minha família era *hein?*, e a tia Jean só sabia falar gritando.

"Se eu ouvir mais um pio, aí é que vocês vão ter motivos para reclamar", disse o sr. Ware, e nesse momento um silêncio resignado se instalou, e tentei me concentrar na aula, mas acabei me distraindo com o pensamento que me veio enquanto olhava para o rosto irritado do professor.

Uma matéria recente no jornal tinha se baseado em um retrato falado do Estripador e informava que ele usava seu bigode ao estilo de Jason King. Também havia especulações sobre o tipo de sujeito que a polícia estava procurando: ele podia se mostrar "raivoso" em relação a mulheres, segundo o texto. O homem mais nervosinho de bigode que eu conhecia era o sr. Ware.

A maioria dos professores da Bishopsfield estava lá desde sempre, mas o sr. Ware era um recém-chegado. Só estava lá fazia dois anos, vindo de outra cidade. Assim como o sr. Bashir, esse fato o tornava um suspeito: ele não era "das nossas bandas". Além disso, ele havia estabelecido uma reputação de homem temido. O sr. Ware tinha quase um metro e noventa de altura, porte atlético e não pegava leve nos castigos.

Assim que ele se virou para escrever no quadro-negro, aproveitei a oportunidade para atrair a atenção de Sharon e me virei para ela com os olhos arregalados. No seu rosto vi a mesma expressão que a minha. Era óbvio que ela estava pensando o mesmo. Quando a aula terminou, saímos correndo porta afora para o pátio, à procura de um lugar discreto para conversar, sob a sombra de um grande carvalho.

"O sr. Ware!", exclamei, no exato momento em que Sharon disse: "As tecelagens!".

Ficamos imóveis, olhando uma para a outra.

"O que foi que você disse?"

"As tecelagens", ela repetiu, ofegante. "Elas são o lugar perfeito."

Tínhamos concluído que, além de pessoas suspeitas, precisávamos nos concentrar também nos lugares onde o Estripador poderia ocultar um cadáver. Minha pesquisa noturna havia revelado que uma das vítimas, Jayne McDonald, foi encontrada por um grupo de crianças perto de um parquinho. Outra delas, Yvonne Pearson, estava escondida em um terreno baldio em Bradford. Um homem que passava por ali viu um braço despontando de baixo de um sofá velho. Ele pensou que fosse um manequim de alfaiate. Se conseguíssemos localizar esse tipo de lugar, poderíamos desmascará-lo, foi o que pensamos. Nossa cidade estava cheia de tecelagens abandonadas — relíquias de uma indústria têxtil que um dia tinha sido próspera. Sharon estava certa: eram lugares perfeitos para esconder um corpo.

"E o que você estava falando? Sobre o sr. Ware?", ela perguntou.

Eu tinha recortado a matéria de jornal que descrevia o Estripador como um homem raivoso com mulheres e guardado no meio do caderno onde estava a nossa lista. Quando a tirei da mochila, outra matéria saiu voando e caiu no chão. Era sobre os quatro filhos da primeira vítima do Estripador, Wilma McCann. Nós a lemos juntas. Em silêncio. Enquanto lia, senti um nó na garganta e tossi para tentar me livrar dessa sensação, agoniada ao ouvir que havia soado como um soluço abafado. Quando levantei a cabeça, vi que lágrimas também escorriam pelo rosto de Sharon.

"Por que você está chorando?", ela perguntou, com um sorriso lacrimoso.

Havia algo na ideia de que aquelas pessoas foram deixadas para trás que fazia meu estômago doer. Eu queria falar *Por causa das mulheres que morreram e das pessoas que as amavam*, mas as palavras pareciam entaladas na minha garganta, então apenas dei de ombros. Ela assentiu para mim.

Então acrescentei os itens *Sr. Ware* e *As tecelagens* na lista.

2. Sr. Ware
    - Ele tem bigode
    - Ele tem cabelo escuro
    - Ele está sempre irritado
    - Ele não é das nossas bandas

3. As tecelagens
    - Escuras e sinistras
    - Ótimo lugar para esconder corpos
    - Será que são assombradas?

# 6

## SR. WARE

Mike descontou a raiva no cigarro, tragando com força e desfrutando da sensação da fumaça nos pulmões, como se estivesse inalando toda a ira que sentia e a deixando percorrer seu corpo antes de soprá-la pela boca para que impregnasse cada canto do cômodo. Estava sozinho, como sempre, em uma das cadeiras cobertas com um tecido verde escolhido especialmente para esconder as inevitáveis manchas de nicotina da sala de professores de uma escola pública. Seus colegas perambulavam ao redor, tagarelando e entornando incontáveis xícaras de chá, mantendo-se a uma boa distância, já que seu mau-humor chamava tanta atenção quanto o terno e a gravata impecáveis que usava todo dia no trabalho, apesar de isso não ser necessário.

A fúria o acompanhou desde a saída de casa naquela manhã, como uma trilha de vapor em seu encalço. Bateu a porta de tal forma que fez estremecer até seus dentes, deixando a esposa aos prantos no chão do corredor. Nem sequer olhou para trás, para não sentir pena dela. As cortinas da casa da frente se entreabriram enquanto ele entrava no carro e saía cantando pneus. Conseguia até imaginar a vizinha, uma mulher de certa idade cujo nome se recusava a aprender, correndo para ver o que tinha acontecido assim que ele estivesse fora de vista. Ele sabia como aquilo parecia. E sabia como era visto. Como um homem cruel e raivoso, e sua esposa, uma linda e indefesa vítima. Ou pelo menos era isso o que os outros achavam.

Ele viu uma professora, Caroline Stacey, se aproximar com cautela pela sua esquerda, parecendo apreensiva. A maioria das pessoas o tratava assim. Ela era uma das "jovens" docentes que iam trabalhar com um brilho nos olhos e cheias de entusiasmo. Acreditava no potencial de cada criança, e era adorada por todos os alunos também.

"Que foi?", ele falou, com a voz encharcada de sarcasmo. Ela teve um leve sobressalto, como se tivesse sido pega fazendo alguma coisa errada.

"Eu só queria falar sobre um dos seus alunos, mas se não é um bom momento..."

Ela parecia à beira das lágrimas, e então ele se desarmou. Apesar da ingenuidade, ela era uma pessoa de quem ele gostava. Uma pessoa divertida e inteligente, que o fez se sentir bem-vindo quando chegou à escola, ao contrário de certas pessoas.

"Desculpa, estou tendo um dia daqueles, só isso", ele respondeu com uma tentativa não muito convincente de sorriso. "Sobre quem você quer falar?" Ele fez sinal para que ela se sentasse.

"Você já deve imaginar", ela respondeu, com um meio-sorriso, sentando com gestos cuidadosos, como se estivesse pronta para ficar de pé em um pulo de novo a qualquer momento.

Ele revirou os olhos. "Qual dos dois? Reece ou Neil?"

"Os dois, na verdade. Estão atrapalhando demais as aulas. Quer dizer, mais do que o normal." Ela fez uma pausa para encará-lo. "Mas um deles, Reece, parece ser o líder da bagunça."

Mike deu outra tragada no cigarro, agora com menos violência, refletindo quanto à resposta. Neil tinha uma raiva mais evidente, era mais confrontador, só que Mike sabia lidar com isso porque reconhecia essas mesmas características em si mesmo. Estava na cara qual era o problema. Mas Reece era um garoto caladão, que poderia ser um estudante exemplar e tirar só dez se fizesse um esforço para isso, e às vezes até tirava. O caso dele era um pouco mais perturbador.

Mike lembrou da última vez que o tinha flagrado fumando. Estava acostumado a fazer até mesmo os garotos mais durões estremecerem diante de sua austeridade, mas aquele ali o encarou com toda a frieza e manteve o contato visual o tempo inteiro enquanto apagava o cigarro no chão e saía andando. Mike apagou o cigarro. "Acho que você tem razão."

"Talvez ele esteja com algum problema em casa", Caroline sugeriu, sua voz ganhando mais confiança. Mike sorriu ironicamente para si mesmo. Lá vem. Mas talvez ela estivesse certa sobre isso também. O pai dele não tinha perdido o emprego fazia pouco tempo? Isso não era surpresa nenhuma naquela cidade. Mas ele também não tinha ouvido falar que Kevin, o pai de Reece, não era do tipo com quem nenhuma pessoa iria querer encrenca? E se fosse agressivo com o próprio filho? Não seria a primeira vez que a raiva de um pai seria direcionada a uma criança sensível e estudiosa.

"Eu estava pensando se não seria uma boa ideia, bem, separar os dois... quer dizer, na sala de aula", ela continuou, demonstrando a mesma hesitação de antes ao fazer a sugestão. Era esse o efeito que ele tinha sobre seus colegas? Intimidá-los a ponto de deixá-los apreensivos em expressar sua opinião? Era disso que sua esposa vinha se queixando? Por um instante, sentiu alguma empatia por ela, que passou com a mesma rapidez com que surgiu, deixando em seu rastro apenas as brasas acesas da raiva anterior. Ele sabia que, se continuasse pensando nela, a chama voltaria a se acender, então redirecionou sua atenção para Caroline, assentindo devagar em concordância, para a evidente surpresa dela, que ficou vermelha e abriu um sorriso fraco.

"Tem razão", ele respondeu. "Eles não se ajudam em nada, e separar os dois pode dar a Neil a chance de pensar com a própria cabeça, sair da sombra de Reece. Mas, quanto a Reece, não sei, não. É preocupante... Vou conversar com ele." Os olhos de Caroline se arregalaram por um instante. Ela claramente esperava uma discordância, ou talvez a sugestão de medidas mais punitivas.

"Obrigada, Mike", ela falou enquanto a sala dos professores esvaziava, cada um seguindo para sua próxima aula.

Enquanto percorria o corredor, pensou no próprio filho. No quão feliz estava por ele não precisar frequentar uma escola como aquela — caindo aos pedaços, superlotada, com alunos barra-pesada de bairros igualmente barra-pesada —, apesar de ele mesmo ter escolhido trabalhar ali, querendo ajudar os menos afortunados. Antes sentia vergonha de morar em um lugar que seus alunos chamariam de "grã-fino", mas agora se sentia grato por ter condições de bancar uma casa ali, graças a seu pai, e aliviado por poder mandar Paul para uma escola particular, onde seu filho não ficaria à mercê de garotos como Neil e Reece. Só de pensar a respeito, ele estremeceu. Tinha tentado deixar seu filho mais durão, porém, a única coisa que conseguiu com isso foi estremecer sua relação com Paul e provocar brigas aos berros com Hazel pelos "maus-tratos" contra alguém que era sangue de seu sangue. Ela não entendia que sua intenção era prepará-lo para o mundo.

Ele foi atravessando a multidão de alunos, que saíam às pressas de sua frente para que o caminho estivesse livre sem que ele precisasse deter o passo até a porta de sua sala, onde havia um estudante agachado no chão, provavelmente colocando os livros de volta na mochila. Ele o reconheceu de imediato.

"Vamos logo, Crowther. Pare com essa enrolação, se não quiser ser pisoteado." Sua voz ecoou pelo corredor, junto com as risadinhas dos alunos ao seu redor.

"Sim, senhor. Desculpa, senhor", Stephen Crowther respondeu, a voz trêmula quase irrompendo em choro.

Stephen o encarou com olhos arregalados, a pele pálida, e uma expressão tão carente que fez Mike querer sacudir toda a fraqueza e vulnerabilidade dele corpo afora. Ele passou por cima do garoto e chutou a pilha de livros, obrigando Stephen a enfiá-los de novo na mochila, enquanto os outros alunos contornavam o garoto. Ele precisava aprender a deixar de ser sempre a vítima.

# 7

## MIV

Naquela noite, sentei de pernas cruzadas na cama sobre a coberta áspera e multicolorida feita de quadradinhos de crochê costurados pela tia Jean. Estava cercada de jornais, com a lanterna na mão e o caderno no colo.

Toda vez que lia sobre seu método de ataque — atingindo as vítimas na nuca com um martelo e depois as perfurando repetidas vezes com uma chave de fenda —, fazia uma pausa e fechava os olhos com força, como se, caso eu não visse aquelas palavras, era como se nada tivesse acontecido. Mas as imagens permaneciam, e muitas vezes eu notava que as minhas mãos estavam tremendo quando virava as páginas.

Voltei os meus pensamentos para o sr. Ware, me perguntando se era mesmo possível que ele estivesse cometendo aqueles atos. Eu não conseguia imaginar isso, mas então lembrei que o Estripador estava por aí em algum lugar, vivendo sua vida normalmente, e ninguém pensava que ele seria capaz daquilo também. Em todas as páginas que lia, havia alertas para que as pessoas ficassem atentas, e garantias de que procurassem por esse homem, onde menos esperávamos que ele estivesse. Decidi que o primeiro passo da nossa vigilância ao sr. Ware seria mudar o lugar onde sentávamos no ônibus.

Fiquei contente com a interrupção quando meu pai veio me dar boa-noite. Ele tinha tirado um raro dia de folga para ver o time de críquete de Yorkshire jogar em casa contra o Lancashire, nossos "arqui-inimigos desde o tempo da Guerra das Rosas", segundo tia Jean. A partida cheia de rivalidade invadiu a noite amena. Seu rosto estava vermelho e seu hálito quente, com um cheiro de fermentado quando beijou minha testa, as rugas do rosto atenuadas.

"Foi legal, pai?", perguntei, ansiosa para me distrair por um instante da lista e dos assassinatos. Eu me recostei no travesseiro ouvindo-o contar sobre a partida, pegando no sono com o ritmo lento e hipnótico de sua voz.

Nossas aulas de educação física aconteciam no centro de lazer local, onde tinha piscina e quadra coberta, o que não existia na nossa região da cidade, por isso precisávamos ir de ônibus com o sr. Ware e um monitor que o acompanhava. Quando subimos no ônibus para a aula, em vez de sentarmos no meio, como sempre, Sharon e eu pegamos um lugar mais à frente, logo atrás do sr. Ware e do sr. Frazer, para ouvir o que eles falavam. Ishtiaq estava no assento logo atrás do nosso.

"Tudo bem, Ish?", Sharon disse enquanto sentávamos. Ela falou tão alto que todo mundo se virou para olhar para nós.

"Oi", ele falou, num tom mais baixo, só passando os olhos por mim antes de olhar para ela.

"Oi", eu falei também, determinada a me redimir. Ishtiaq me encarou, mas então enfiou o nariz de novo no livro que levava. Fiquei chateada, mas sabia que a atitude dele era compreensível, então me concentrei na conversa diante de mim para me distrair do meu desconforto. Era difícil imaginar que os professores tivessem toda uma vida fora da sala de aula, e eu esperava ter um vislumbre de como seria a vida particular do sr. Ware. Em vez disso, quem falava era o sr. Frazer, e sobre sua turma.

"A garotada cantou 'Congratulations', aquela música do Cliff Richard, sabe. Foi divertido, e uma ótima surpresa, e ainda me perguntaram se poderiam ir à festa de noivado. Eu falei que ia precisar conversar com a srta. Stacey, e espero que eles esqueçam o assunto." Dava para ouvir o sorriso na voz dele, apesar de não ser possível ver.

"Você pretende estender o noivado por muito tempo?", o sr. Ware questionou, sua voz mais abafada por estar com a cabeça voltada para a janela, sem olhar para o sr. Frazer.

"Ah, sim, não temos dinheiro para casar ainda. Vamos continuar morando cada um na própria casa para economizar."

"Bom, então toma cuidado."

"Como assim?"

O sr. Ware se voltou para encará-lo.

"Eu sei que agora está parecendo tudo uma maravilha, mas você precisa saber que isso não vai durar para sempre. E tenha certeza de que está fazendo a coisa certa... Não vá cometer o mesmo erro que eu, e definitivamente não se apresse para ter filhos."

Houve uma longa pausa. Além da informação sobre o sr. Ware, ficamos empolgadíssimas por saber que o sr. Frazer e a srta. Stacey estavam noivos. Ela era uma professora que eu adorava, e quem eu queria ser quando crescesse. Todas as nossas tendências românticas foram atiçadas com essa revelação. A ideia dos dois se beijando e andando de mãos dadas me fez querer dar risadinhas.

Nós nos inclinamos para a frente para ouvir melhor.

"Eu entendo que você está passando por um momento difícil", o sr. Frazer falou, "mas custa ficar feliz por mim, Mike?"

Mike. O nome dele era Mike. Tirei o caderno da mochila e fiz a anotação.

"Desculpa, amigo. Pode me ignorar. Estou ficando cada vez mais cínico e amargurado com a idade. Estou contente por vocês dois..." O volume de sua voz foi diminuindo à medida que ele se voltava de novo para a janela. Quando eles ficaram em silêncio, escrevi um bilhete e mostrei para Sharon.

*Será que é da esposa que ele está reclamando?*

"Isso não quer dizer nada", ela murmurou, dando de ombros.

Durante a aula de educação física, o sr. Ware parecia mais irritado do que nunca, além de muito cruel. Estava um dia gelado, e as minhas pernas estavam duras e estalando. A turma fazia corridas de revezamento, e ele ficou pegando no meu pé, dizendo que o meu jeito desengonçado de correr atrasava a minha equipe. Eu estava à beira de lágrimas, e não era a única. Ele também gritava com Stephen Crowther, que, além de magro e baixinho, corria com o pé torto sobre o terreno irregular, avançando aos tropeços.

"Anda logo, Crowther, seu maricas."

Stephen terminou seu percurso e foi se esconder atrás do restante da equipe. Assim como eu, estava com os olhos cheios de lágrimas, segurando o choro e torcendo para que ninguém visse. Naquele momento, fiquei com muita raiva do sr. Ware. Stephen era sempre alvo dos meninos mais velhos. Tinha esquecido o uniforme de educação física uma vez, e foi obrigado a usar uma saia de netbol, que o deixou vulnerável a todo tipo de insultos. O xingamento por parte de um professor deixou Sharon revoltada.

"Agora todo mundo vai chamar ele de maricas", ela disse. "Quer saber? Você tem razão, ele *merece* estar na lista." Suas feições geralmente suaves e harmoniosas estavam crispadas de fúria, e seus olhos azuis faiscavam. Sharon usou a raiva para impulsionar sua corrida, e eu vi seu rabo de cavalo balançando enquanto ela colocava nossa equipe de volta na liderança com um foco e uma intensidade que eu nunca tinha visto. Isso lhe rendeu um elogio a contragosto do sr. Ware, que Sharon ignorou. No caminho de volta para a escola, no ônibus, ela se virou para mim e falou: "Ele é um bruto. Precisamos descobrir mais sobre ele".

Concordei, meu cérebro já fervilhando de ideias sobre como fazer isso. Alguma coisa no jeito de ele falar sobre a esposa me disse que ela seria a chave. Passei o resto do dia calada e distraída, elaborando um plano.

Quando chegamos à escola na manhã seguinte, nossa atenção foi desviada para o item seguinte da lista. Neil e Reece tinham invadido a Tecelagem Healy, agora um prédio abandonado em uma rua deserta, e apuramos nossos ouvidos. O que mais havia em West Yorkshire eram construções assim, com uma fachada enganosamente grandiosa, lembranças de um tempo em que nossa cidade era um polo industrial próspero.

"Foi muito fácil entrar, e era enorme lá dentro", Neil contou para os colegas da turma de olhos arregalados quando nos aproximamos.

"Pois é", confirmou Reece, "e era bem assustador, cheio de teias e tudo mais, e aranhas enormes do tamanho da sua mão." Como o contador de histórias que era, ele correu na direção das meninas, levantando e sacudindo os braços, provocando um monte de gritinhos e fugas. Sharon e eu não saímos do lugar.

"Era como se não entrasse ninguém lá há, tipo, cem anos", continuou Neil. "Mal dava para respirar por causa da poeira, e tinha um monte de máquinas e coisas do tipo."

Reece voltou e acrescentou, num tom bem sério: "E foi então que nós escutamos. O som de passos". Ele baixou o volume da voz para criar um efeito dramático, e Sharon revirou os olhos para mim como quem diz: *Lá vem*. Precisei segurar o riso.

"Dava para ouvir o clap-clap das sandálias dele no piso de madeira, e o rangido das portas." Neil respirou fundo, e sua expressão mudou da seriedade fingida que tinha adotado para uma expressão genuinamente solene. "Mas, quando a gente subiu a escada, juro por Deus, a coisa mais estranha que tinha lá era o vulto de um menininho nas sombras na parede. E depois ouvimos um assobio. Tipo uma melodia assobiada."

A voz de Neil foi sumindo, e Reece interrompeu: "E aí um velho apareceu e gritou: 'Eu pego você, seus pestes, vamos ver se me escapam'". Nós soltamos um grunhido e nos dispersamos ao ouvir a voz que ele fez, ao estilo de um personagem de Scooby-Doo, e Reece ria da cara de todo mundo. Quando olhei para trás, porém, Neil não estava sorrindo. Nós voltamos para a sala.

"Você acredita em fantasmas?", Sharon perguntou, com seriedade.

Eu pensei a respeito. Tinha parado de acreditar nas fadas e nos duendes dos livros que lia, mas e os fantasmas?

"Não sei, não", falei, indecisa. Eu já tinha preocupações de sobra no mundo real. "Por quê, você acredita?"

"Também não sei. Mas acho que o Neil podia estar falando a verdade sobre o menininho."

Eu também. Obviamente, boatos como esse e sobre outras assombrações serviam para nos fazer desistir de explorar esses prédios abandonados, mas esse tipo de alerta tem o efeito contrário em certos tipos de crianças.

Quando fui encontrar Sharon na manhã seguinte, ela já me esperava na esquina. "Eu andei pensando na Tecelagem Healy", ela falou como se já estivéssemos no meio de uma conversa. "Perguntei para a minha mãe ontem à noite, e ela disse que o lugar é assombrado *mesmo*. Por um menininho." Ela olhou bem para mim e acrescentou: "E eu nem falei que eles tinham visto o vulto de um menininho". Um brilho surgiu nos olhos dela enquanto me esperava absorver aquelas palavras.

"É isso mesmo que eu estou pensando?"

"Sim. Nós precisamos investigar."

Havia um tom triunfante em sua voz que me fez querer soltar uma risada de alegria. Sempre pensei que Sharon fosse a mais bem-comportada de nós duas. O fato de estar tão ansiosa para explorar o item seguinte da lista deixou tudo ainda mais empolgante. Nós estávamos cada vez mais próximas.

Naquela noite, o Estripador foi substituído nos meus sonhos pelo vulto de um menininho, escondido nos cantos e nas sombras. O pesadelo me acordou com um sobressalto, e olhei ao redor do quarto, verificando os ângulos e as formas dos objetos em busca de algum sinal da criança-fantasma. No entanto, só encontrei o contorno familiar dos Wombles. Ao contrário do quarto de Sharon, no meu o papel de parede não acompanhou a minha mudança de gostos, e continuei com a escolha que fiz aos cinco anos. Como não encontrei nenhum sinal de algo sobrenatural, peguei minha lanterna, meu livro e uma coberta e fui ler um pouco para voltar a dormir.

Instantes depois, ao registrar o leve rangido de uma porta, percebi que na verdade tinha sido despertada pelo barulho de alguém se movimentando lá embaixo.

De repente, estava em alerta máximo.

Como o banheiro era perto do quarto dos meus pais, não podia ter sido um dos dois levantando para usar a privada ou beber água. Além disso, meu pai tinha contado que minha mãe tomava comprimidos especiais que provocavam um sono tão profundo que nem um terremoto seria capaz de acordá-la. Ele me disse isso não muito tempo depois de ela deixar de ser quem era. Eu tinha ido até o quarto deles para brincar, como sempre fazia, mas não consegui acordá-la. Saí de lá desolada.

E era pouco provável que fosse a tia Jean. Ela dormia no andar de baixo, no cômodo bem na frente da casa, e eu nunca a tinha ouvido levantar depois de ter fechado a porta. Sentei na cama e desliguei a lanterna, deslizando o botão devagar e com cuidado para não fazer ruído nenhum. Fiquei imóvel, como se estivesse brincando de estátua, mas só o que conseguia ouvir era a minha pulsação ecoando nos ouvidos.

O barulho parou. Eu me perguntei se não poderia ter imaginado aquilo. Sharon com certeza daria risada por eu ser tão medrosa quando contasse a ela sobre isso no dia seguinte. Devo ter ficado mais impressionada do que pensava com a história do menininho fantasma. Mas então, enquanto me preparava para me enrolar nas cobertas e voltar a dormir, tive um sobressalto ao ouvir o som de passos no corredor. Voltei a sentar na mesma hora.

Antes de pensar no que estava fazendo, fui na ponta dos pés até o alto da escada, prendendo a respiração. Enquanto fazia isso, ouvi o som do disco do telefone girando e a voz baixa do meu pai. Sentei no degrau de cima, apurando os ouvidos para escutá-lo na escuridão. Só conseguia entender palavras soltas, mas então ouvi claramente: "Não sei o que fazer".

Meu estômago começou a se revirar lentamente. Meu pai sempre sabia o que fazer. Isso era o que todo mundo dizia. "Pergunta para o seu pai. Ele vai saber." Fui descendo aos poucos as escadas, parando a cada degrau para não ser ouvida. Assim que consegui discernir direito, sentei e me agarrei ao corrimão.

"Ela não está muito bem. É cansativo demais." Houve uma pausa. "Não sei quanto tempo consigo continuar fazendo isso." Depois de mais uma pausa, ele disse: "Eu preciso de um tempo".

Ele estava usando seu tom de voz sério de adulto. Não gostei nada disso. O fundo da minha garganta se fechou quando o ouvi dizer: "Estamos pensando se não valeria a pena mudar. Sair de Yorkshire. Mas...". Ele soltou um suspiro tão alto que consegui ouvir do meu lugar na escada. "Isso não vai nos livrar dos assassinatos na tevê a cada cinco minutos."

Claro. Era sobre a mudança. E sobre mim. O meu pai sabia sobre a lista? Como? Ele não entendia que eu estava fazendo isso para *não* precisarmos mudar? Foi como levar um soco no estômago. Uma vez, levei uma bronca por uma coisa à toa na escola e o sr. Ware me olhou com desaprovação e falou: "Sua mãe e seu pai já têm problemas demais sem você criar outros para eles, mocinha". Eu não entendi o que ele quis dizer com isso. Mas, pelo visto, eu era um motivo de decepção. E aquela conversa parecia confirmar isso. Meus olhos ardiam de vergonha. Fiquei de pé com gestos lentos e voltei lá para cima, segurando as lágrimas até poder chorar fechada no meu quarto. Prometi com todas as forças a mim mesma que não criaria mais problemas, o que, sem dúvida, significava que precisava manter escondida a qualquer custo a Lista de Coisas Suspeitas até desmascararmos o Estripador.

Minha promessa durou só até surgir uma oportunidade para descobrir mais coisas sobre o sr. e a sra. Ware. Ruby tinha organizado um café da manhã na igreja no sábado para todas as mães da vizinhança, para levantar fundos para uma brinquedoteca que estava montando, e tinha feito bolos para vender. Sharon e eu fomos escaladas para ajudar.

"Muito bem, vocês podem ficar na barraca de bolos", ela ofereceu, e nós concordamos de bom grado. A lista era um bom motivo para querermos ficar sempre perto das pessoas, em vez de nos fecharmos na nossa bolha de melhores amigas. Pessoalmente, eu preferia quando éramos só nós duas, mas não sabia se o mesmo valia para Sharon. Ruby nos deixou atrás de uma mesa enorme, lotada de bolos e pães caseiros, com um cheiro delicioso subindo pelo ar competindo com o odor de umidade da igreja, que parecia estar fechada fazia um século, apesar de ser usada todos os dias.

"Você pode conversar com as freguesas", eu disse para Sharon. "Você é melhor nisso do que eu. Pode deixar que eu cuido das anotações." Dei um tapinha no caderno, que ficava, como sempre, no bolso da frente da jardineira que a tia Jean tinha costurado para mim. Eu tinha várias, de diversas cores e estampas, todas feitas com sobras de tecido que um homem vendia na feira.

Enquanto estávamos atrás da nossa mesa na ventania do salão da igreja, observei que as pessoas sempre sorriam para Sharon. Ela estava toda bem-vestida, com uma camisa branca cheia de babados — do tipo que eu deixaria imunda em questão de segundos — e os cachos loiros brilhantes. Olhei para a minha camiseta de venda de garagem e minha jardineira e percebi que não era à toa que as pessoas ficavam tão impressionadas com ela e tendiam a me ignorar.

Havia grupos de mulheres e crianças circulando pelo salão, e o barulho no local tinha aumentado até uma moça bonita aparecer, acompanhada de um menino magro e emburrado que era a cara do sr. Ware. Percebi que as mulheres começaram a cutucar umas às outras e a cochichar entre si. A atmosfera mudou, quase da mesma forma como acontecia quando mencionavam o Estripador.

Eu a observei com atenção. Alta e magra, com os cabelos loiros e compridos repartidos ao meio, vestindo uma calça jeans escura. Era a imagem perfeita da elegância sem esforço. Lembrei da cantora loira do Abba e me apaixonei naquele mesmo momento. Ela era tudo o que eu queria ser e não podia. Parecia um pouco constrangida — ainda que sem perder o glamour — e percorreu o salão com o olhar várias vezes antes de vir até a nossa mesa, o garoto em seu encalço. Procurei Sharon, mas ela havia desaparecido, então me peguei perguntando, de uma forma um tanto gaguejada, se poderia ajudar.

"Olá, mocinha", ela disse com um sorriso. "Eu vim buscar a encomenda de Hazel Ware."

Ela falava sem o sotaque típico de West Riding, o que a tornava ainda mais glamourosa. Olhei para as fileiras de bolos pré-encomendados, em busca do que tivesse o nome dela na etiqueta. Incentivada por sua simpatia, tomei a liberdade de fazer uma pergunta: "Você é casada com meu professor?".

Com um sorriso, ela respondeu: "Se o seu professor for o sr. Ware, da Bishopsfield, então eu sou, sim. E você é...".

"Miv", falei, estendendo a mão para apertar a sua, elegante e de unhas bem-feitas.

"Miv", ela falou enquanto me cumprimentava, meu nome soando exótico nos seus lábios. "Que nome bonito."

Eu me empertiguei toda. "Prazer em conhecê-la", falei, porque tinha ouvido em algum lugar que era isso que as pessoas educadas diziam. Hazel Ware com certeza me parecia uma pessoa educadíssima.

Ela apertou a minha mão. "O prazer é todo meu."

Depois de localizar sua encomenda, entreguei o bolo enquanto tentava desesperadamente pensar em outra pergunta que a mantivesse conversando comigo. Mas outra mãe apareceu, então dei um passo atrás e fiquei só escutando.

"Hazel... que bom ver você. Não sabia se você viria, mas que bom que veio." Ela sorriu para Hazel, mas de um jeito meio artificial, fixo. A mulher inclinou a cabeça para o lado como se estivesse consolando alguém depois de uma morte.

"Eu é que agradeço por você vir aqui me cumprimentar", respondeu Hazel. "E é claro que eu viria."

Suas palavras soaram educadas, e sua voz, calma e melodiosa como quando falou comigo, mas havia uma frieza que não estava lá antes. Ela se virou para o garoto, que agora estava jogado contra uma parede, parecendo estar a quilômetros de distância daqui, com os olhos baixos e os cabelos escuros caindo por cima da testa. Aparentava ser uns dois anos mais velho que nós.

"Como estão *as coisas*?", a mulher perguntou numa voz doce, mas havia algo no tom que eu não consegui identificar.

"Está tudo bem, obrigada. Corrido, como sempre."

Eu estava acostumada com essas conversas dos adultos em que as coisas importantes não eram ditas; isso acontecia direto na minha família, mas não consegui detectar o que estava acontecendo aqui. Hazel apontou com a cabeça para o menino. "Por falar em corrido, tenho um compromisso com Paul daqui a pouco, então preciso ir." Ela deu as costas para a mulher com um gesto abrupto e olhou para mim, sua expressão se amenizando. "Obrigada pela ajuda. Foi um prazer conhecer você, Miv."

Hazel foi embora sem dizer mais nada, deixando estampada a perplexidade no rosto da mãe com quem estava conversando. Ela com certeza havia desrespeitado alguma regra tácita de convivência de Yorkshire interrompendo a conversa de forma tão repentina, ainda mais sem ter dito o suficiente para render uma fofoca. Engoli o sorriso que ameaçava escapar, receosa de alimentar a ira ainda mais. O garoto se desvencilhou da parede com gestos lentos para segui-la, mas, pouco antes de se virar, seu olhar cruzou com o meu, e consegui detectar um leve sorriso também. Alguma coisa dentro de mim começou a borbulhar. Quando vi, estava me empertigando ainda mais, sentindo um calor subir pelo meu corpo. Mas, antes que eu pudesse analisar melhor essa reação, ele já tinha ido embora.

Quando Sharon voltou, eu logo a atualizei sobre o que aconteceu, e pedi para ela ficar de ouvido atento às conversas das outras mães sobre os Ware. Não demorou muito para conseguirmos o que queríamos. A mulher que tinha parado para conversar com Hazel Ware estava no meio de um grupinho, em que todas bebiam chá e se pareciam mais com o tipo de adultas com que eu estava acostumada. De saia de tricô, meia-calça fumês e cabelos com penteado ou permanente. Nós as víamos nos cabelereiros da High Street, tia Jean entre elas, sentadas sob uns secadores enormes que faziam com que parecessem Stormtroopers preparadas para proteger nossa cidade de uma invasão. Todas bem diferentes da exótica Hazel.

"Fiquei surpresa com a audácia dela de aparecer aqui", comentou uma.

"Ora, mas é uma bela de uma cara de pau."

"Eles vão se divorciar antes mesmo do fim do ano."

"Promíscua", falou uma delas, em meio a murmúrios de concordância seguidos de pedidos de silêncios, ao notarem crianças por perto.

"Ué, mas é verdade", ela insistiu.

Percebi que eu não era a única escutando a conversa. Ruby estava por perto, as observando atentamente. Estava vermelha, seus olhos faiscavam. Aquele foco absoluto chegava a ser um tanto desconcertante.

O divórcio era algo relativamente novo para Sharon e eu. Os pais de quase todo mundo que conhecíamos eram casados, e até pouco tempo antes pensávamos que todo mundo tinha uma mãe e um pai que moravam juntos na mesma casa. Um dia, no fundamental, durante a atividade do "mural de novidades" (em que anotávamos e desenhávamos o que havíamos feito no fim de semana), um menino da nossa turma escreveu que foi visitar o pai no apartamento novo dele. Todo mundo deu risada, achando que ele tinha se enganado. A professora explicou o que era divórcio, dizendo: "Às vezes, os pais e as mães deixam de se dar bem, então vão morar em casas separadas". Ela se referiu a isso como "famílias desfeitas".

Eu nunca pensei que era algo necessário, os pais se darem bem. Desde que a minha mãe deixou de ser quem era, nós simplesmente nos adaptamos. A tia Jean cozinhava, limpava e me dizia o que fazer, e o meu pai cuidava da parte prática das coisas. Eu simplesmente tentava não precisar de uma mãe. Não conseguia imaginar que as coisas pudessem ficar tão ruins para que morar em casas separadas seria melhor. A minha família podia até ter se desfeito, mas nós juntamos os cacos com uma cola improvisada, pelo menos por enquanto. Eu me perguntei o que poderia ter acontecido para os Ware estarem nessa situação.

Curiosamente, o que escutamos não colocava o sr. Ware como o vilão da história. Em vez disso, a culpa parecia ser toda da sra. Ware. A grande dúvida para nós duas era o que ela poderia ter feito para irritá-lo a ponto de querer descontar sua raiva em todas as mulheres. Enquanto pensava a respeito, de repente lembrei onde tinha ouvido aquela palavra, *promíscua*. Era uma das coisas que falavam das prostitutas, o alvo predileto do Estripador. Hazel poderia ser uma "daquelas mulheres"? Nesse caso, seria possível que houvesse uma pista sólida ali?

"O que nós fazemos agora?", perguntou Sharon.

"Me deixa pensar um pouco", falei. "E enquanto isso vamos até a tecelagem na quinta que vem quando eu for jantar na sua casa." Sharon nunca ia jantar na minha casa, isso não era sequer discutido. De alguma forma, ela sabia que a gente não recebia visitas, e fazia a gentileza de não me perguntar por quê.

O evento do café da manhã havia terminado e, depois que ajudamos Ruby a arrumar tudo, tínhamos o restante do dia só para nós.

"Quer ir encontrar o Ishtiaq?"

A sugestão de Sharon fez o meu corpo todo ficar tenso. Eu ainda não tinha encontrado uma forma de contar para ela o que havia acontecido no corredor da escola, mas aquela poderia ser uma boa oportunidade para fazer as pazes.

"Tudo bem", respondi, tentando colocar alguma alegria na voz para disfarçar a hesitação em encará-lo. Dava para sentir cada nervo meu se tensionando enquanto íamos até a casa do sr. Bashir. Quando chegamos, ele fez um carinho no meu queixo, o que só me deixou ainda pior. "É a Duplinha Danada", ele falou, o que fez Sharon rir alto e eu sorrir hesitante.

"Ishtiaq está lá nos fundos."

Os olhos de Ishtiaq se iluminaram ao reconhecer Sharon e, ao me ver, ele apenas fez um aceno de cabeça educado, como se estivéssemos acabando de nos conhecer. Estremeci. Na sala dos fundos, a televisão estava ligada, e na mesinha estava montado o que reconheci como um tabuleiro de xadrez. Vendo ali uma oportunidade de puxar conversa, perguntei: "Você sabe jogar?". Ele revirou os olhos de um jeito exagerado e disse: "É claro".

"Pode ensinar para nós?", eu pedi, ansiosa. Um outro filme do James

Bond que eu adorava era *Moscou contra 007*, em que um dos vilões era um grão-mestre de xadrez. Esse jogo ainda exercia um fascínio sobre mim, apesar de eu já ter deixado de lado a ideia de que as fábricas de Yorkshire eram centros de espionagem.

"Ah, sim, por favor", complementou Sharon.

"Tá", disse Ishtiaq, com uma voz séria de quem estava no controle da situação. "Podem sentar."

Ao longo da hora seguinte, acompanhei, encantada, enquanto ele nos ensinava qual era a função de todas as peças no tabuleiro e falava sobre cada forma de movimentação, jogando uma partida simulada contra nós duas. Eu nunca tinha escutado Ishtiaq falar por tanto tempo, e fiquei impressionada. O silêncio de Sharon me dizia que ela também achava o mesmo. Havia alguma coisa na clareza suave de sua voz e na intensidade de seu olhar que não nos dava escolha a não ser escutá-lo e aprender.

"Ah, não." Sharon olhou no relógio depois de um tempo. "Eu vou me atrasar." Ela ficou de pé em um pulo. "Prometi que ia voltar para casa antes da cinco. Você vem comigo ou vai ficar?", ela me perguntou.

Olhei para Ishtiaq, que deu de ombros.

"Vou ficar", respondi.

O encanto do xadrez foi quebrado com a partida de Sharon, então olhamos para a televisão, que continuava ligada. Estava passando o noticiário esportivo, e a parte sobre o críquete tinha acabado de começar. Sem que precisássemos falar, Ishtiaq foi até o aparelho e aumentou o volume, e ficamos assistindo em silêncio, até que eu falei: "Sinto muito".

Para minha surpresa, ele caiu na risada. "Quem sabe um dia, a gente possa brincar juntos sem você precisar se desculpar por alguma coisa."

Por algum motivo, me peguei rindo também, e a gargalhada borbulhou na minha garganta até me deixar sem fôlego. Ishtiaq continuava aos risos, batendo na perna com força a cada onda de gargalhada. Fomos tão escandalosos que o sr. Bashir veio dar uma espiada pela porta, balançando a cabeça e sorrindo. Vê-lo ali nos fez rir ainda mais. E acho que nesse momento senti que Ishtiaq tinha me perdoado, e que era uma pessoa melhor do que eu jamais poderia ser.

Estávamos jantando na casa da Sharon na quinta-feira quando Malcolm apareceu. Ele viajava a trabalho e ficava bastante tempo fora de casa, então era uma presença rara e muito apreciada na nossa vida. Sempre que voltava de viagem, ele se anunciava de um jeito escandaloso com um "Querida, cheguei" em um falso sotaque norte-americano que nos fazia rir assim que passava pela porta. Ele beijou Ruby primeiro, depois segurou a cabeça dela sob o queixo e respirou fundo, como se inalasse seu cheiro. Eu a vi se desvencilhar desse toque, em parte achando graça, em parte irritada. Depois ele se voltou para Sharon, deu um beijo na testa dela e perguntou: "Como vai a minha garota preferida?".

Ele parecia um dos pais dos programas estadunidenses que eles às vezes nos deixavam assistir quando eu estava por lá: elegante, inteligente e bonito. Então quando ele me deu uma piscadinha, bagunçou meus cabelos curtos e falou "E como vai a minha segunda garota preferida?", eu fiquei tão vermelha que parecia que meu rosto estava em chamas. Para mim, era como se a casa e a família de Sharon fossem a parte em cores de *O mágico de Oz* — tudo era vívido, luminoso e cheio de vida. E a minha casa e a minha família eram como a parte em preto e branco, desbotado, gasto e sem cor.

Quando terminamos o jantar, pedimos permissão para sair de novo. Não era uma coisa a que eu estava acostumada. Geralmente, entrava e saía quando quisesse — a preferência na minha casa, ou seja, a da tia Jean, era que eu ficasse fora do caminho.

"Tudo bem, meninas. Só voltem para casa antes de escurecer, por favor. E não esqueçam dos casacos", disse Ruby.

Isso nos dava duas horas.

O calor do início do dia deu lugar a um fim de tarde frio, com um vento um pouco mais forte. Fechamos o zíper do casaco, Sharon já tremendo quando jogou o capuz por cima do rabo de cavalo. O caminho até a Tecelagem Healy nos levou a rua menos conhecidas no distrito mais industrial da cidade, com novas fábricas e galpões que proporcionavam uma paisagem ainda mais desoladora do que os prédios decrépitos que haviam substituído. Nada que o mundo moderno acrescentava parecia ser um aprimoramento. As melhores partes da nossa cidade eram as que já existiam antes da guerra. Antes das duas guerras, na verdade. Tudo o que havia de bonito tinha sido feito bem antes de eu nascer.

Ao nos aproximarmos da tecelagem, nuvens escuras estavam se formando e, já na Healy Lane, parecia que estávamos diante de uma foto em preto e branco de uma rua vitoriana, com a fábrica se erguendo ameaçadoramente contra o céu. Só faltava a fumaça saindo pela chaminé para completar o panorama de uma pintura de Lowry, e a música sobre os telhados fumegantes e as figuras de homens e cachorros e gatos de palitinhos que a minha mãe costumava cantar para mim antes de dormir.

Era uma construção enorme, de quatro andares de altura, com janelas compridas e estreitas e um letreiro já meio apagado pintado com estêncil na parte de tijolos: *Tecelagem Healy de Manufatura de Lã Reaproveitada*. Pensei no que a tia Jean dizia quando o tempo fechava na nossa vida: "O maquinário vai ferver". Seria por isso que eu sempre associei tecelagens a coisas ruins?

"Tá, vamos ver se encontramos algum jeito de entrar", falei bem alto, tentando encobrir o tremor na minha voz com o volume. "Shhh", fez Sharon, colocando o indicador diante dos lábios em um gesto exagerado e olhando ao redor. Nós contornamos a fachada da construção. Estava cheio de pichações, além dos avisos de PERIGO: NÃO ENTRE e o cheiro desagradável de urina velha. As janelas estavam cobertas com tábuas, a não ser uma que claramente havia sido arrebentada em algum momento, mas alta demais para alcançarmos.

No fim, encontramos uma passagem na lateral da construção que permitia que entrássemos pelos fundos, onde vimos uma escada estreita de ferro fundido pendurada na parede como uma trepadeira. Olhando para cima, havia uma saída de incêndio no primeiro andar mantida entreaberta por um pedaço de madeira, por onde provavelmente Reece e Neil entraram. Eu tinha levado uma caixa de giz, caso precisasse de uma justificativa para o caso de sermos pegas. Sharon pegou um giz e desenhou um jogo de amarelinha no chão de cimento enquanto eu examinava o perímetro à procura de algum sinal de vida antes de tentarmos entrar. Se fôssemos pegas, diríamos na maior inocência que estávamos procurando uma pedra para usar na nossa brincadeira. Os adultos não saberiam que não tínhamos mais idade para brincar disso. Pela minha experiência, os adultos sempre achavam que eu era nova demais para as coisas interessantes e velha demais para as coisas que me traziam algum conforto.

Assim que me certifiquei de que não tinha ninguém por perto, voltei para onde ela estava.

"Acho que está tudo certo", falei.

Ela olhou para o céu, que estava se fechando acima da nossa cabeça.

"Vamos entrar juntas?"

Sharon assentiu, e nesse momento percebi que ela não tinha dito uma palavra desde que chegamos.

"Você está bem?", perguntei.

Ela não respondeu, mas assumiu a frente enquanto subíamos a escada para o primeiro andar, onde a porta estava entreaberta, nossos sapatos batucando os degraus de ferro. Peguei minha lanterna, abri a porta e entramos. O cenário à nossa frente me trouxe à mente um hino religioso que cantávamos na escola sobre o "maquinário sombrio de Satã". Só o que havia ao redor eram máquinas enferrujadas e cobertas de teias de aranhas parecendo um tecido esfarrapado cobrindo um esqueleto. Segurei na mão de Sharon, sentindo meu coração pulsar na garganta.

"Não fica com medo", falei, com um tremor na voz que denunciava o meu próprio pavor.

"Eu NÃO ESTOU!", ela sibilou, puxando a mão para longe da minha.

Virei a lanterna para ela. Como Sharon não estava tão assustada quanto eu? Mas, quando vi seus olhos empalidecidos refletidos na luz da lanterna, percebi que ela também estava só fingindo. Estendi a mão de novo, e ela pegou. Nós nos agarramos firmemente uma à outra.

Para termos uma noção melhor do espaço, fiz o facho da lanterna passar como um holofote pelas paredes e o teto cavernosos, onde os canos e as vigas se entrecortavam em fileiras simétricas. Imaginei as fileiras igualmente simétricas de homens e mulheres que trabalhavam naquele maquinário agora morto e silencioso. As fileiras de operários nas tecelagens haviam sido substituídas por filas de pessoas no Departamento de Emprego, onde a tia Jean agora trabalhava.

Eu só tinha visto a tia Jean chorar uma vez na vida. E não dava nem para chamar aquilo de choro — era mais uma batalha silenciosa contra um sentimento que logo foi subjugado. Ela estava falando sobre seu pai (meu avô), que nunca mais foi o mesmo depois do fechamento das tecelagens. Para mim, descobrir que a tia Jean tinha sentimentos foi desconcertante.

"É difícil para a tia Jean", a minha mãe me disse na época. "Ela está aqui desde que nossa cidade era motivo de orgulho. Antes de virar um lugar maltratado e com vergonha de si mesmo. Dói ainda mais ver isso agora para quem sabe como era antes."

Cada ruído na tecelagem era amplificado, desde os rangidos típicos de uma construção antiga com uma estrutura desgastada ao *ping-ping-ping* ritmado de um vazamento não identificado ecoando entre as paredes. Senti que escutava até o corre-corre de ratazanas em algum ponto mais distante, só que preferi deixar esse pensamento de lado enquanto movimentava a lanterna de um lado para o outro, como nos programas policiais da tevê.

Cada passo que dávamos provocava um rangido no piso sob os nossos pés, e fiquei em dúvida entre direcionar o facho de luz para onde estávamos indo ou para baixo, garantindo que não cairíamos em um buraco nas tábuas. Todos os alertas dos adultos de repente fizeram sentido. Senti o aperto de Sharon na minha mão se intensificar quando ouvimos um barulho alto vindo lá de baixo. Nós paramos, com a respiração presa, e desliguei a lanterna. Em seguida, no entanto, não escutamos mais nada. Deve ter sido o vento, justifiquei para mim mesma, mas eu tinha a mesma sensação de estar sendo vigiada ao atravessar o beco ao lado do mercadinho da esquina. Era quase uma coisa física, que se manifestava na pele.

Acendi a lanterna de novo e voltamos a andar, apontando-a de um lado para o outro como um farol enquanto procurávamos por alguma coisa que parecesse ser suspeita. Eu evitava olhar demais para os brilhos e as sombras nas paredes, para não acabar formando imagens na cabeça. Estávamos à procura de cadáveres, não de fantasmas. Fomos andando nas pontas dos pés, testando a resistência das tábuas do assoalho a cada passo, e parando de repente quando um baque surdo pareceu fazer o piso tremer.

Com certeza havia alguém ou alguma coisa ali conosco.

As histórias sobre assombrações voltaram com toda força à minha mente. Eu estava disposta a enfrentar um homem de carne e ossos com um martelo, mas não achava que fôssemos ficar cara a cara com um fantasma. Precisei cerrar o maxilar para impedir meus dentes de bater.

O baque se transformou em passos pesados. Não pareciam os de um menininho, e então ouvi o misterioso som de um assobio alegre. Não sei por que não saímos correndo. Ficamos plantadas no chão, ouvindo a melodia de "You Are My Sunshine" ecoando na escuridão. Era outra das músicas que minha mãe costumava cantar para mim, mas, naquelas circunstâncias, virou algo inevitavelmente sinistro.

Quando o som se aproximou, o brilho de uma luz apareceu do outro lado da construção, até que, o que a princípio parecia um espectro feito de sombras, se revelou um homem usando uma jaqueta com um distintivo. Estava longe de ser uma aparição espectral. Enquanto se aproximava de nós, percebi que ele balançava a cabeça. Eu ainda me sentia pregada no chão.

"Pode deixar que eu falo", murmurou Sharon.

"Nós sentimos muito, senhor", ela falou, olhando para baixo. Eu a imitei e baixei os olhos para os meus sapatos.

"Mas o que é que vocês duas estão fazendo aqui? Não é possível que não saibam que é perigoso", ele disse. "Vamos, respondam!", o homem acrescentou, diante do nosso silêncio.

"Viemos dar uma olhada aqui por causa de um trabalho para a escola", Sharon disse, dessa vez o encarando com os olhos arregalados, a mentira na ponta da língua como se fosse a coisa mais natural do mundo.

"Ah, é mesmo?", ele retrucou. "É por isso que eu peguei dois rapazinhos da sua idade aqui outro dia?"

Neil e Reece, sem dúvidas. Nós duas confirmamos. Ele murmurou algo que soou como "malditos professores" e lançou o facho da lanterna no nosso rosto. "Vocês deviam aprender o que acontece de verdade em lugares como este, e não os malditos contos de fadas que contam na escola."

Nós piscamos por causa da luz forte da lanterna e desviamos o olhar. Precisei me segurar para não rir do praguejamento dele.

"Um rapazinho perdeu a vida aqui. Podem perguntar para seus professores. Podem perguntar sobre John Harris. Ele foi estrangulado até a morte bem aqui neste lugar."

Sharon e eu trocamos olhares.

"Às vezes dá para ouvir o som das sandálias dele contra o piso."

Tive um sobressalto ao ouvir isso. Foi o que Neil e Reece disseram ter ouvido. Talvez não fosse só um mito.

"Muito bem. Vocês prometem que não vão aparecer aqui de novo ou eu preciso chamar seus pais e tudo mais?", ele perguntou, lançando o facho da lanterna sobre nós de novo.

"Não, senhor", respondemos em uníssono.

"Então podem ir."

Sharon foi para casa, mas eu não estava pronta para ir para a minha ainda. Estava com a mente agitada demais por causa do drama daquele dia. Então, em vez disso, fui até a casa do sr. Bashir e me acalmei disputando uma partida de xadrez com Ishtiaq. Assim, quando fosse para casa, estaria pronta para encarar todo aquele silêncio.

Quando cheguei, a tia Jean já tinha voltado do trabalho fazia tempo, o que significava que os sons das tarefas domésticas preenchiam o silêncio habitual. Fiquei surpresa ao ver que minha mãe estava de pé também, e não de camisola, ainda que a saia e a blusa grossa que vestia fossem grandes demais para ela.

Eu me perguntei se conseguiria despertar alguma reação nela contando sobre a tecelagem e a música que o homem estava assobiando. Senti inclusive vontade de cantar para ela, para ver se produzia algum efeito nela, qualquer que fosse. Mas a possibilidade de não haver reação nenhuma era dolorosa demais, então fui direto para a cozinha, onde o cheiro que pairava no ar me dizia que eu tinha perdido a torta de linguiça que eles comeram no jantar.

Eu mal havia dado um passo no piso de linóleo quando a tia Jean se virou para mim, brandindo a espátula como um caubói sacando a arma.

"Nem *pense* nisso", ela avisou, e percebi que à minha esquerda, na mesa amarela e bamba, havia um prato com as sobras. Eu estava prestes a protestar enfaticamente que nem sabia que aquela comida estava lá, mas fui distraída pelo som da porta abrindo e fechando e os passos pesados do meu pai, que provavelmente chegava do pub. Ele também veio direto para a cozinha, seguindo o cheiro que vinha de lá, assim como eu. Imediatamente, ele pegou uma linguiça para comer, sob os meus protestos e a expressão horrorizada da tia Jean.

"Austin!", ele falou. "Você é pior que criança."

A tia Jean vivia dizendo isso para meu pai, e eu sempre me indignava com o fato de ser a medida de comparação quando as pessoas faziam coisas erradas, mas deixei de lado a vontade de discutir, porque naquele momento nós quase parecíamos uma família de novo.

Depois da escola na sexta-feira, com o pretexto de fazer nossa lição de casa, fomos até a biblioteca para ver se descobríamos a história de John Harris. O prédio da biblioteca da cidade era outra construção vitoriana imponente. Eu me refugiava lá quando o tempo estava ruim para brincar na rua ou a atmosfera em casa ficava opressiva demais. Para mim, aquele silêncio era reconfortante, não tinha nada de solitário. Apresentei Sharon aos prazeres do lugar, e passamos a ir juntas, tratando-o com uma reverência normalmente reservada à igreja.

Dessa vez havia uma pessoa desconhecida atrás do balcão, mais jovem do que a bibliotecária toda séria que normalmente nos atendia. Ela estava de cabeça baixa, carimbando e empilhando livros com o rosto fechado e a testa franzida. Ergueu os olhos quando chegamos, e sua pele pálida, quase azulada, conferia a seu rosto uma aparência espectral, sobrenatural.

Ela olhou para Sharon, depois para mim, e sorriu. Isso transformou completamente sua expressão. Ela era como eu imaginava as fadas e elfas dos meus livros da Enid Blyton, toda miudinha, de feições delicadas e olhos verdes reluzentes, como Audrey Hepburn. De acordo com o crachá, seu nome era sra. Andrews. Gostei dela imediatamente; era como uma criança dentro de um corpo de mulher.

"Como eu posso ajudar as duas mocinhas?", ela perguntou.

Cutuquei Sharon para que ela contasse a nossa história combinada de antemão. Desde o incidente na tecelagem, estávamos de acordo que eu me ocuparia de pensar e ela, de falar.

"Estamos fazendo um trabalho sobre as tecelagens para a escola e queríamos pesquisar sobre a história de John Harris e da Tecelagem Healy", ela falou. "Você pode nos ajudar?"

A sra. Andrews franziu a testa de novo, e nos olhou como se quisesse perguntar mais alguma coisa, mas, em vez disso, nos levou até a seção de história local. Depois de pesquisar um pouco, abriu para nós um livro na página com o título "Enforque o Palmer".

"Podem me chamar se precisarem de ajuda para entender alguma coisa", ela falou enquanto voltava para o balcão. Dava para ver que continuou nos observando enquanto líamos.

**ENFORQUE O PALMER**

Em 1856, o infame dr. William Palmer (um assassino conhecido como o Envenenador de Rugeley) foi enforcado na prisão de Stafford. O caso foi chamado de o "julgamento do século", e mais de 30 mil espectadores foram acompanhar a execução. Os suvenires, as canções e as histórias inspiradas por seus assassinatos chegaram a uma pequena cidade de Yorkshire e aos ouvidos de quatro meninos, entre eles John Harris, de doze anos.

Os meninos inventaram um jogo chamado "Enforque o Palmer", que brincavam sempre na tecelagem onde trabalhavam. Durante uma dessas ocasiões, John fez o papel de "Palmer" e foi amarrado a uma grua movida a vapor. A certa distância dali, a grua foi acionada por um operário da tecelagem, e John acabou estrangulado. Seus três amigos foram acusados de homicídio culposo. No fim, foram inocentados, mas a tragédia deu origem a inúmeras histórias de fantasmas e alertas sobre o perigo de brincar em um ambiente fabril com maquinário pesado.

Era impossível ignorar a ironia de uma tragédia como essa ocorrer com meninos obcecados por um assassino, e decidi não riscar as tecelagens da lista por enquanto. Ainda sentia que nossas investigações por lá não tinham acabado.

# 8

## HELEN

Helen Andrews observou as meninas debruçadas sobre o livro de história local, com uma concentração tão intensa que pareciam pequenas adultas. Esperava que a história não fosse pesada demais para mentes tão jovens; não sabia ao certo se era apropriado deixá-las ler algo assim. Tinha vinte e três anos e ainda se sentia como uma criança por dentro. Ela se perguntou como pais decidiam coisas do tipo, como decidiam o que era certo ou errado para seus filhos. Ao ouvir um pigarrear, desviou os olhos das meninas e se voltou para a pessoa seguinte da fila.

"Bom dia, Valerie", ela falou para a mulher diante de si.

"Bom dia, Helen", Valerie Lockwood respondeu enquanto despejava o conteúdo dos braços carregados de livros sobre a Segunda Guerra Mundial no balcão. Helen sabia, pelo recente treinamento que havia feito, que o limite de empréstimos era de cinco livros, mas também sabia que não aplicaria essa regra. Apesar de ser nova no emprego, ela compreendia sem que fosse preciso perguntar que os livros eram para Brian, o filho de Valerie, que preferia não vir quando a biblioteca estava cheia. Sem dúvida ele estava lá fora, fumando um cigarro e esperando pela mãe, com o gorro amarelo de lã enfiado na cabeça até as sobrancelhas. Decidiu considerar que era um empréstimo para duas pessoas. Enquanto carimbava as fichas, as meninas voltaram ao balcão para devolver o livro que pegaram.

"Obrigada, sra. Andrews", elas disseram baixinho.

As duas observaram a saída das meninas, e então Valerie se virou de novo para o balcão, balançando a cabeça.

"Pobre criança", ela falou ao olhar para Miv e, apesar de ser a primeira vez que Helen a via, não era nem preciso perguntar o porquê. Todo mundo sabia sobre a mãe de Miv. "E você, querida, como vai?", Valerie quis saber. "Está indo tudo bem?" Ela apontou com a cabeça para o balcão, deixando claro que se referia ao emprego. Helen fez sua expressão habitual de "Está tudo bem, obrigada" e assentiu. O holofote das fofocas da cidade ficou apontado para ela em meses recentes, com a morte de sua mãe, e ela estava ansiosa para se livrar daquela atenção o quanto antes, mesmo que isso significasse esconder seu luto.

"Que bom ver você ativa e saudável. Se cuide."

Helen soltou um longo suspiro quando Valerie foi embora.

Mais tarde, pôde passar um tempo entre as prateleiras, guardando livros. Era sua parte favorita do trabalho. Ela inspirava o ar carregado das fileiras de exemplares e às vezes lia alguma coisa ou anotava um título que gostaria de ler. No momento, estava entretida com *Carrie*, de Stephen King. A sra. Hurst, a bibliotecária-chefe, ficou visivelmente perplexa ao pegá-la lendo aquele livro em seu horário de descanso.

"Você não parece ser do tipo que gosta disso", ela havia comentado na ocasião, balançando a cabeça.

Helen quase deu risada e ficou com vontade de perguntar "E que tipo seria esse?", mas então se lembrou do holofote das fofocas e se limitou a assentir e sorrir. Ela tinha uma preferência deliberada por livros que tratavam dos horrores do mundo e, como não tinha muito tempo para ler em casa, usava seus intervalos no trabalho como uma oportunidade para mergulhar em outra vida. Suas colegas preferiam acreditar que o mundo era um lugar seguro e confortável, talvez como um antídoto para a vida real, ou talvez porque no caso delas fosse mesmo. Mas ela sabia que não era bem assim.

Depois do turno, voltava andando para casa com uma sensação incomum de leveza. Foi necessária uma boa dose de persuasão para convencer Gary de que seria uma boa ideia aquele emprego. No fim, os argumentos decisivos foram a perspectiva de uma muito necessária renda extra para complementar o que ele ganhava como encanador, o fato de ser um trabalho de meio período — o que garantia que ela chegaria em casa a tempo de fazer o jantar — e a percepção de que era pouco provável que algum jovem galante e atraente frequentasse a biblioteca da cidade.

Parou no mercado da esquina para se presentear com um docinho como recompensa pelo fim da primeira semana de trabalho. Ela se pegou cantarolando com Kiki Dee ao som de "Don't Go Breaking My Heart", que vinha do toca-fitas no balcão, e tomou um susto, e depois caiu na risada, quando Omar apareceu e começou a cantar a parte de Elton John. Ela pegou um pacotinho de balas de caramelo, mas logo o pôs de volta quando sentiu o dente dos fundos que estava solto latejar, e pediu um saco de gomas de ruibarbo e creme inglês no lugar.

"Você está de bom humor hoje. Que bom", Omar comentou enquanto ela pagava.

Helen ergueu os olhos das moedas, procurando alguma zombaria, mas só o que viu foi um olhar bondoso e um sorriso gentil.

"Ah, sim", ela se pegou respondendo, "acho que estou mesmo." E, enquanto dizia aquelas palavras, constatou que eram mesmo verdadeiras.

"Como estão as coisas no novo emprego?", Omar perguntou, como se soubesse que aquele era o motivo.

"Ah, Omar, estou adorando", ela respondeu, expressando na voz toda a alegria que sentia. "É muito bom poder ser, não sei, útil! E todo mundo é muito simpático, e eu tenho tempo para ler, para conversar sobre livros, isso sem contar que é ótimo sair de casa um pouco e..." Ela se interrompeu, temendo estar exagerando, porém o sorriso de Omar apenas se abriu ainda mais, acompanhando cada palavra com um aceno de aprovação.

"Fico muito feliz por você", ele disse.

Uma vez na rua, quando parou para fechar a bolsa, sentiu um arrepio na nuca e a impressão bastante familiar de que alguém a observava. Então se lembrou do Estripador, e do fato de que ultimamente havia outros tipos de ameaças. Olhou ao redor e segurou com força a bolsa, só por precaução.

A rua parecia estar vazia, então ela seguiu andando, agora mais atenta aos arredores. Estava acostumada a se manter vigilante, e seu corpo reagiu como se fosse um reflexo natural, expandindo os sentidos para que não deixasse passar nada despercebido. Ao ouvir o som dos passos, ela se virou, mas só o que viu foi alguém usando botas pretas de operário desaparecendo dentro do mercadinho e a sineta tocando. Era só isso. Com os nervos à flor da pele, ela continuou o trajeto para casa. Quanto mais perto chegava, mais sentia que ia se fechando em si mesma.

# 9

## MIV

Na semana seguinte começaram nossas aulas mensais de natação nas piscinas públicas, uma atividade que eu associava a um medo terrível. Eu detestava os vestiários frios e fedorentos, e de vestir o meu maiô sobre as minhas costelas magricelas e de tremer a ponto de bater os dentes enquanto me perguntava por que ninguém mais parecia se importar com aquilo.

Eu tinha tentado me livrar da natação várias vezes ao esquecer a roupa de banho, levantando devagar a mão quando o sr. Ware gritava: "Quem não vai poder fazer a aula?". Eventualmente, ele ameaçou me jogar na piscina pelada se não trouxesse o meu maiô, e o ônibus inteiro caiu na risada. Essa humilhação só aumentou a minha antipatia por ele.

Naquela semana, enquanto me trocava, senti falta de ar antes mesmo de entrar na água. Eu me consolei com a ideia de que aquela seria uma forma de ficar de olho no sr. Ware, que estava calado e aparentemente distraído naquele dia, deixando passar oportunidades óbvias de gritar com a gente. Parecendo notar a minha ansiedade, Sharon me ajudou com meu armário e a toalha enquanto eu embolava tudo na mochila. Éramos as últimas no vestiário e estávamos passando encolhidas pela ducha fria que vinha antes da piscina — outra parte das aulas de natação que eu detestava —, quando ouvimos um som alto de algo caindo na água e um grito, e corremos para a beira da piscina, onde nos deparamos com uma cena caótica.

Reece Carlton estava segurando Stephen Crowther debaixo d'água. Nos olhos dele era possível ver a mesma intensidade gélida de quando brincava de fuga do Estripador. Senti um nó na garganta de medo. Em meio ao barulho, enfatizado pelo eco na área coberta da piscina, havia uma violência silenciosa estampada no rosto de Reece. Neil Callaghan o incentivava, segurando os braços de Stephen enquanto Ishtiaq e mais dois garotos tentavam puxá-lo. De repente, um apito agudo ressoou, e o sr. Ware apareceu correndo na lateral da piscina.

"Pare com isso agora!"

Reece não se moveu, e pareceu que todo mundo coletivamente prendeu a respiração.

Então ele o soltou, levantando as mãos numa rendição jocosa.

"Era só brincadeira, senhor", disse Reece, seu rosto relaxando numa expressão que era quase um sorriso travesso, como se tudo não tivesse passado de uma mera diversão entre amigos.

Todo mundo ficou esperando Stephen se levantar, mas ele permaneceu onde estava, com os cabelos flutuando acima de seu corpo na água. O lugar passou a se mover em câmera lenta. O sr. Ware pulou na piscina e tirou de lá seu corpo imóvel. Sob o nosso olhar horrorizado, ele deitou Stephen no chão e começou a fazer respiração boca a boca. A classe inteira estava em silêncio, um momento raro. Senti a mão de Sharon segurar a minha.

Houve um gorgolejo.

E uma tossida.

A srta. Stacey, que acompanhava o sr. Ware naquela semana, mandou todo mundo voltar para o vestiário, enquanto o pessoal da piscina chamava a ambulância.

Estendi o braço e segurei o de Ishtiaq quando ele passou por nós.

"Está tudo bem com você?", perguntei.

Ele assentiu em silêncio, olhando para mim e para Sharon, choque estampado no rosto. A mão livre dela se estendeu para ele, que a segurou por um breve momento.

Enquanto nos afastávamos da piscina, olhei para trás e vi o sr. Ware ainda debruçado sobre Stephen. Lágrimas escorriam pelo seu rosto.

"Eu sinto muito, sinto muito", ele repetia sem parar, e fiquei me perguntando sobre o que o sr. Ware poderia estar se desculpando.

O trajeto de ônibus de volta para a escola foi silencioso. Nunca ficávamos tão quietos assim. Até mesmo Neil parecia abalado com o que quase tinha acontecido, e mantinha a cabeça baixa, enquanto Reece estava impassível, de queixo erguido. Sharon fervilhava em silêncio, sua raiva irradiando do corpo como o calor das grades do aquecedor da sala lá de casa. Então ela se virou para mim, com o rosto brilhando de vermelho. "Ainda bem que estamos fazendo essa lista", ela falou, determinada. Eu não conseguia ver a relação entre uma coisa e outra, e minha expressão deve ter mostrado isso. "Isso é inaceitável. Uma pessoa sofrendo desse jeito, alguém que não tem como se defender. E aquelas mulheres..." Nossos olhares se encontraram. E eu entendi tudo.

No dia seguinte no auditório, o sr. Asquith, o diretor, fez um anúncio.
"Como muitos de vocês já sabem, houve um incidente lamentável ontem na piscina. Fico contente em dizer que Stephen está se recuperando bem e já está de volta à escola", ele falou, e nisso todos se viraram para Stephen, que tremia visivelmente. Imagino que ele nunca tivesse atraído tanta atenção na vida. "Reece Carlton e Neil Callaghan, porém, foram imediatamente suspensos. Um instrutor foi convidado para vir dar uma palestra sobre procedimentos de segurança na piscina aqui no auditório, para nos lembrar de como a água pode ser perigosa."

Não houve nenhuma menção ao sr. Ware, apesar de sua ausência e da presença de uma professora substituta. Pela primeira vez, nós não tiramos proveito da situação — professores substitutos em geral são alvos fáceis para mau comportamento. Em vez disso, todo mundo na classe fez o que nos foi pedido, em uma espécie de estado de choque, e se comportou surpreendentemente bem, o que poderia estar relacionado também à ausência de Neil e Reece. Stephen estava mais famoso que o normal — o episódio dramático havia elevado seu nível de interação social —, e passou o intervalo no pátio cercado de gente.

"Nunca vamos conseguir perguntar para ele sobre o sr. Ware", comentei com um suspiro de frustração. Ver o sr. Ware chorando e se desculpando com ele me fez pensar que Stephen pudesse ter informações úteis sobre o que poderia tirar o professor do prumo, já que nunca havíamos sequer imaginado uma demonstração de descontrole emocional como aquela.

"Vamos, sim", disse Sharon, abrindo caminho até ele pela multidão. Os olhos de Stephen se iluminaram ao vê-la, e ele se virou para nós, ignorando todos os demais. Nos contou a história com ares de alguém que já tinha todo um discurso ensaiado — e que incluía até alguns floreios dramáticos. Perguntei sobre o choro do sr. Ware.

"Disso eu não lembro", respondeu, franzindo a testa. "Ele chorou mesmo? O que sei é que ele foi comigo para o hospital."

"E o que foi que ele falou?", Sharon e eu perguntamos juntas.

"Foi meio esquisito, na verdade", Stephen comentou. "O sr. Ware disse que sentia muito, muito mesmo, pelo que tinha acontecido comigo, como se fosse culpa dele. E depois pediu desculpas por me chamar de nomes feios." Ele fez uma pausa, enquanto pensávamos naquilo. Eu nunca tinha ouvido algo assim, um adulto se desculpando com uma criança daquele jeito, ainda mais alguém como o sr. Ware. "Enfim, ele disse que eu precisava aprender a me defender de gente como Neil Callaghan e Reece Carlton."

Isso foi o máximo que ouvi Stephen Crowther dizer nos três anos em que estudamos juntos. Quando viramos para ir embora, ele segurou o braço de Sharon e acrescentou: "A minha mãe disse que o sr. Ware está se divorciando porque a mulher dele foi ficar com outro homem, e que ele está meio xarope, mas é um ótimo sujeito que não merecia isso. Ela contou que ele vai mudar daqui porque não suporta a ideia de ficar perto da mulher". Ele mal parou para respirar enquanto contava essa fofoca bombástica, como se tivesse memorizado cada palavra que a mãe tinha dito. O modo como ele balançou a cabeça depois deixaria a tia Jean orgulhosa.

Deixamos Stephen com sua multidão de admiradores, perplexas com suas revelações, mas não antes de eu ver uma troca de olhares imperceptível entre Stephen e Sharon.

"O que foi isso?", perguntei quando nos afastamos.

"Ah, não foi nada, na verdade", disse Sharon, fazendo um gesto de desdém com a mão. "É que eu ajudei ele a treinar um pouco de corrida depois da última aula de educação física... quando o sr. Ware chamou ele de maricas, sabe."

Quando foi que ela fez isso? Quando eu estava no coral? Como eu não fiquei sabendo?

Só nesse momento me ocorreu que, assim como nossos suspeitos, Sharon poderia ter uma vida secreta que eu não conhecia. Fiquei me perguntando se havia outras coisas que ela fazia quando não estávamos juntas.

E percebi também que meus sentimentos eram conflitantes em relação a Hazel Ware. Ainda a achava maravilhosa, mas imaginei o que a tia Jean diria sobre seu comportamento. E os meus sentimentos sobre o sr. Ware eram ainda mais confusos. A descrição dele como um "ótimo sujeito" e seu remorso em relação à forma como tratava Stephen me fizeram questionar sobre a possibilidade de ele ser o culpado por crimes tão horríveis quanto os assassinatos do Estripador. Isso queria dizer que poderíamos riscá-lo da lista?

Antes de sair, ele tinha passado para nós a lição de casa sobre as tecelagens. A minha era um resumo da história de John Harris. O último bilhete dele no meu caderno de exercícios vinha logo após esse texto, com uma observação sobre meu *interesse persistente, e provavelmente pouco saudável, pela morte.*

Ele não estava errado, mas o que o sr. Ware não entendia era que havia mais motivos para temer os vivos do que os mortos.

# 10

## SR. WARE

"Você veio visitar alguém?"

O homem sentado ao lado de Mike dava longas e lentas tragadas no cigarro enquanto segurava o suporte do soro injetado no seu braço. Mike desconfiava que ele não era tão velho quanto parecia. Os efeitos da doença, e provavelmente o excesso de cigarro, eram visíveis no rosto, mas seus olhos eram os de um jovem. Os dois estavam sentados em um banco bambo de madeira na entrada do hospital. Desde o "incidente", Mike continuava indo ali todo dia, apesar de Stephen já ter recebido alta fazia tempo. Ele não sabia para onde ir.

Da primeira vez, quando veio com Stephen, tinha ficado até a mãe do menino chegar, depois voltou para escola, onde participou de uma reunião com o diretor e os pais de Reece e Neil. Foi uma conversa desanimadora. Embora os pais de Neil o tivessem obrigado a se desculpar, tinham mil justificativas para o comportamento do filho, argumentando que tinha sido "só coisa de moleque". Reece, por outro lado, não mostrou nenhum arrependimento, e Mike pôde ver por si mesmo por que Kevin Carlton havia ganhado a reputação que tinha. O homem não disse nada, só ficou encarando, sem nem piscar, o diretor, que pareceu desconcertado e pressionado por sua presença. Foi sua esposa quem falou, insinuando que o incidente tinha sido um "mal-entendido". O único sinal de vulnerabilidade detectado por Mike foi que Reece constantemente olhava quando o pai abria a boca, buscando seu apoio. Era uma cena mais do que familiar para Mike.

Depois desse dia, ele pediu uma licença do trabalho e passou a vestir todos os dias o terno e a gravata pela manhã e a vir para o hospital, onde passava o dia todo sentado observando e refletindo. Mas não estava nem um pouco disposto a se explicar para aquele homem.

"Não exatamente. Eu só vim visitar um paciente. Um aluno meu", ele mentiu, se virando para o homem e abrindo um breve sorriso.

"Ah, você é professor? É melhor eu caprichar no linguajar, então." O homem riu, o que fez um acesso de tosse sacudir seu corpo magro, e Mike assentiu. "Bom, é muita gentileza sua", ele falou depois que se recompôs. "Vir ver um aluno. Não consigo nem imaginar qualquer um dos meus professores se preocupando comigo a esse ponto. Um bando de desgraçados."

Mike assentiu de novo, sem saber ao certo o que dizer.

"Na minha época, era mais fácil os professores mandarem os alunos para o hospital do que visitarem um", o homem continuou, sacudindo a cabeça. "Eu já fui para casa mais de uma vez cheio de machucados. Talvez agora seja diferente." Ele jogou o cigarro no chão, apagou a ponta com o chinelo, ficou de pé com grande esforço e foi andando devagar na direção das portas deslizantes do hospital, poupando Mike de precisar comentar.

Ele pensou no que o homem falou, e ficou contente por não ter precisado responder. O que poderia ter dito, afinal?

*Talvez eu não seja diferente desses brutos que deram aula para você.*

*Talvez eu seja parcialmente responsável pelo menino ter vindo parar no hospital.*

Nos dias seguintes à agressão a Stephen, Mike se viu assombrado pelas memórias do pai. Ele se lembrava da sala de estar cavernosa de sua casa de infância, com os ladrilhos gelados formando um padrão xadrez em preto e branco sob seus pés. Estava vestindo o short e o paletó da escola preparatória, com os joelhos esfolados e os cabelos desmazelados depois de tirar o boné. Não sabia por que estava chateado, mas a figura do pai diante de si era nítida.

"Pare de chorar", ele mandou, com toda a austeridade do militar que era. Mike ergueu os olhos lentamente para ele, com as lágrimas ainda escorrendo.

"Choro é coisa de maricas", seu pai grunhiu para ele, o que fez o fluxo de lágrimas aumentar; ele o fez ficar de pé no canto da sala, virado para a parede, até parar de chorar.

Mais tarde, sua mãe lhe deu um abraço enquanto ele contava o que tinha acontecido.

"Tente não contrariar o papai", ela falou, acariciando seus cabelos.

De acordo com sua mãe, foi a guerra que mudou seu pai, embora Mike não se recordasse de quem ele era antes disso. Naquele dia, tomou a decisão de jamais se tornar alguém como ele. Renegou a carreira militar para se tornar professor de escola pública, para o desdém profundo e incessante do pai.

Ele lembrava muito bem do medo que sentia toda vez que seu pai entrava num cômodo depois desse dia. E das xícaras de chá tremendo nos pires quando sua mãe arrumava a mesa do café da manhã. E dos comprimidos "para os nervos" que ela começou a tomar, que eram tantos que a tremedeira atingiu suas mãos também. E agora? Ele não sabia ao certo quando ou como havia acontecido, mas, de alguma forma, apesar de seus esforços, Mike era exatamente o homem que havia jurado nunca se tornar.

Quando chegou em casa no fim daquela tarde, estava prestes a pôr a chave na fechadura quando percebeu o que estava fazendo e, em vez disso, bateu na porta. Observou atentamente a reação de Hazel enquanto ela abria e se esquivava do beijo que ele tentou dar no rosto dela.

"Pode entrar", ela falou, e ele a acompanhou até a cozinha, onde ela preparava o jantar. Eles haviam concordado em conversar quando Paul estivesse no ensaio do coral, ou da orquestra, ou qualquer que fosse a atividade pela qual Mike nunca tinha demonstrado o menor interesse.

"Teve um bom dia?", ele perguntou, tentando parecer casual. Ela se virou e o encarou com uma expressão de perplexidade. Fazia mesmo tanto tempo assim que ele não perguntava?

"Hã. Sim, obrigada", ela respondeu. "E você?" O rosto de Hazel estava vermelho por causa do calor da cozinha, e ela estava descalça e sem maquiagem, o que o fez lembrar da jovem que um dia conheceu.

Ele cerrou o maxilar enquanto puxava uma cadeira da mesa grande ao redor da qual costumavam fazer as refeições em silêncio. "Senta um pouco", pediu com gentileza, apontando para o lugar do outro lado da mesa. Ela obedeceu, encarando-o como se ele tivesse enlouquecido, o que poderia muito bem ser verdade.

"Eu... Bom, eu queria pedir desculpas", ele falou, ciente que suas palavras soavam empoladas. "Por tudo. Sei que não tem sido fácil conviver comigo. E já faz tempo."

Hazel o encarou por alguns momentos. "Ok", ela disse, como se não tivesse certeza daquilo que ouvia.

"Eu só queria saber se é tarde demais. Para nós, sabe?" Ele baixou o olhar para a mesa, não querendo ver a expressão dela ou a confirmação nos seus olhos. As mãos dela se moveram sobre a mesa para segurar as dele, que ainda não conseguia encará-la. Ficou escutando a respiração dela, rasa e acelerada.

"Mike. Eu agradeço por isso. Pelo pedido de desculpas." A voz dela ficou embargada. "Para mim significa muito, mais do que você imagina."

Ela respirou fundo.

"Mas é tarde demais, sim."

# 11

MIV

NÚMERO QUATRO

As férias de verão começaram da melhor maneira possível, com um jantar comprado fora no mesmo dia em que fomos liberados da escola. Cheguei em casa toda animada por estar livre, e encontrei a tia Jean à minha espera. "Eu não estou com cabeça para cozinhar", ela falou sem nem ao menos me cumprimentar, sacando seu caderno gasto. "Tá, vamos fazer uma lista. O que nós vamos pedir?"

Depois que alguns dias ruins se tornaram algumas semanas ruins, minha mãe tirou mais um de seus períodos de "descanso", então só estávamos eu, meu pai e a tia Jean em casa. Eu sei que *deveria* sentir falta da minha mãe, mas não conseguia. Sempre que ela estava ausente, era como se uma válvula invisível de alívio de pressão fosse acionada. Eu conseguia respirar de novo. Até mesmo a tia Jean virava a versão dela de uma pessoa bem-humorada.

Mas eu sentia falta de quem a minha mãe era. Mesmo quando ela me irritava me dizendo o que fazer o tempo todo — *lave o rosto, escove os dentes, penteie os cabelos, mastigue de boca fechada* — isso não era problema, porque as mães são assim mesmo, e ela tinha um jeito de falar que fazia tudo parecer mais leve e melódico, como se estivesse cantando. Agora era a tia Jean que me dizia essas coisas, e era diferente: pesado e seco.

Quando chegamos à lanchonete, a sra. Pearson — com seu animado jack russell amarrado no poste do lado de fora — e Valerie Lockwood — que ia pedir para ela e o filho Brian, o homem do macacão — estavam na fila. Isso significava que a tia Jean teria a oportunidade de se dedicar a seu passatempo favorito: uma conversa escandalosa e indiscreta sobre o povo da cidade. Como trabalhava no Departamento de Emprego, ela sabia coisas que a maioria ignorava sobre a vida das pessoas, mas imagino que acabaria descobrindo tudo de qualquer forma, de tanto que gostava de fofocas e de ser melhor informada que os outros.

"Ouvi dizer que os irmãos Blackburn estão aprontando", comentou a sra. Pearson.

A tia Jean fechou os olhos e balançou a cabeça num gesto de pesar e desaprovação. "Pois é. Recebendo o seguro-desemprego e vendendo sucata por baixo dos panos. Uma coisa lamentável", ela respondeu.

"Mas que cara de pau", interveio a sra. Lockwood. "E pensar no tanto de gente honesta que dá duro para pôr comida na mesa. Foi um dos Howden que denunciou?"

Os Howden eram uma família bem de vida, proprietários do ferro-velho local. Eram da realeza de Yorkshire, o que significava que tinham dinheiro, mas não faziam pose de grã-finos. A tia Jean franziu os lábios, porque os Howden também eram alvos de sua desaprovação. A conversa foi interrompida pela chegada do peixe com fritas da sra. Pearson (com uma salsicha empanada para o cachorro) e então ela saiu, e a sra. Lockwood também foi embora logo depois.

No balcão, fomos atendidas pelo dono, que sempre pensei que se chamava Barry, já que o lugar se chamava Barry's Chippy.

"Coloquei um pouco de massinha frita também para a menina, coitadinha", ele falou, apontando com o queixo para mim como se eu não estivesse lá. Os meus olhos começaram a arder, mas foi por causa do cheiro de vinagre. Enquanto inspirava aquele aroma, lembrei de quando a minha mãe e eu fazíamos sanduíches de batatas fritas juntas. Ela besuntava o pão de forma com margarina e ketchup, depois eu salpicava os farelos de massinha de empanar antes que ela acrescentasse as batatas. Como uma linha de montagem deliciosa. Essa massinha frita era a minha parte favorita.

"Não sei se Marjorie deveria dar salsicha empanada para aquele cachorro", a tia Jean falou enquanto voltávamos para casa. Apesar de ser uma noite quente, ela apertou o cardigã no corpo para expressar sua desaprovação. "Você já viu o tamanho daquele bicho? E eu também não sei se ela deveria comer peixe com fritas." Para a tia Jean, quanto maior a cintura, menor a disciplina moral. Enquanto eu levava nosso jantar embrulhado num jornal, sentindo o calor e o vinagre nas mãos e tentando ignorar o estômago roncando, ela falava sobre os irmãos Blackburn, os Howden e sua desaprovação por todos que tentavam "burlar o sistema". Estava exaltada como quando falava de Margaret Thatcher, e distraída como quando lembrava de como as coisas eram "antigamente", então deixei os meus pensamentos se voltarem para o Estripador e a lista.

Sua visão sobre os Howden (grosseirões) e os "elementos criminosos" (bandidos) que atraíam despertou em mim uma suspeita sobre o caráter daquele ferro-velho. A imagem de um terreno imenso lotado de carros quebrados e máquinas inutilizadas me veio à mente. Se Sharon e eu investigássemos o ferro-velho dos Howden — mais um lugar excelente para esconder corpos — e descobríssemos outros crimes no processo, eu teria uma chance de finalmente fazer alguma coisa para conquistar a aprovação da tia Jean.

Eu tinha acabado de descobrir o novo item da lista.

Fui até a casa de Sharon no dia seguinte para falar sobre o ferro-velho. Ela abriu a porta enquanto eu atravessava o jardim da frente e ficou ali parada, quase dançando. "Vem logo, vem logo...", ela chamou, mostrando que precisávamos correr lá para cima.

Antes de eu poder contar sobre o ferro-velho dos Howden, ela sentou diante da penteadeira e apertou o play em um pequeno gravador. "O papai me emprestou para eu poder gravar as músicas do Top 40, mas eu usei para gravar isso da televisão", ela contou.

"É a fita do Estripador?", perguntei, sem conseguir me conter, e ela me pediu para ficar quieta. O aparelho começou a rodar e a emitir as palavras que já conhecíamos de cor, por estarem sendo reproduzidas o tempo todo em todo lugar. Era a voz do Jack de Wearside, o homem que dizia ser o Estripador, que mandou uma gravação com sua voz para o assistente de chefia da polícia, George Oldfied, o chefe da força-tarefa do caso.

*"Eu sou Jack. Vejo que vocês ainda não tiveram sorte na minha captura. Tenho um enorme respeito por você, George, mas, sério, vocês não estão mais perto de me pegar agora do que quatro anos atrás, quando comecei."*

O seu pouco familiar sotaque de Wearside tornava sua voz ainda mais assustadora para nós. Depois de escutarmos, restou o silêncio. Sharon tocou a fita de novo.

"Você acha que é mesmo ele?", perguntei. "Acha que é *de verdade* a voz dele que estamos escutando?"

Desde que a fita foi divulgada pela primeira vez, as pessoas começaram a andar com as orelhas de pé, sempre de prontidão para identificar aquela voz. Se a fita fosse transmitida no rádio no mercadinho do sr. Bashir, todo mundo parava o que estava fazendo e ficava imóvel até a reprodução terminar. Todas as vezes que Sharon e eu encontrávamos alguém que não tinha sotaque de Yorkshire — uma coisa bem rara —, ficávamos pensando: *Será que é ele? Será que é ele?*

Até a tia Jean ficou em silêncio quando ouviu a gravação pela primeira vez, enquanto meu pai balançava a cabeça em sinal de lamento, se perguntando em voz alta onde o mundo tinha ido parar, em uma rara expressão de opinião sobre alguma coisa que não fosse jogos de críquete. Eu queria saber se a minha mãe tinha ouvido também, onde quer que estivesse, ou se era mantida longe das conversas sobre o Estripador. Não dava para ter certeza nem de que ela sabia da existência dele.

O aparecimento da fita foi acompanhado de avisos em fábricas e outros locais de trabalho de que as mulheres não deveriam voltar para casa sozinhas. Estávamos começando a entender que Yorkshire tinha mudado para sempre, e de formas que não éramos capazes de compreender por inteiro, e isso ficou ainda mais evidente no dia em que o meu pai trancou a porta dos fundos antes de ir se deitar. Ele precisou revirar as gavetas da cozinha para encontrar a chave.

Houve certo alívio, claro, pelo fato de o sotaque na fita não ser de alguém de Yorkshire, mas isso só fortaleceu a desconfiança generalizada na cidade em relação a quem não fosse daqui. A desconfiança de que o Estripador poderia ser "um de nós" se desfez, e tínhamos todas as desculpas de que precisávamos para manter os desconhecidos à distância, para recusar uma aproximação. "Eu *sabia* que não era alguém de Yorkshire", a tia Jean falou na ocasião.

"Então nós vamos poder ficar aqui? Não vamos precisar mudar?", foi a minha resposta imediata. Mas uma troca de olhares entre a tia Jean e meu pai revelou que havia conversas acontecendo que eu não fazia a menor ideia.

Eu ainda não tinha contado para Sharon sobre essa ameaça da mudança e, enquanto estava lá na cama dela, escutando a fita e observando o rosto cheio de vida dela, decidi deixar isso para outro dia. Então falei sobre o ferro-velho, lembrando que o corpo de Jayne MacDonald tinha sido encontrado por crianças, e que Yvonne Pearson havia sido escondida no lixo. Enquanto Sharon me encarava boquiaberta, percebi o horror que as minhas palavras transmitiam. Nós concordamos que o ferro-velho seria o próximo item da lista.

4. O ferro-velho
   - Um lugar perfeito para esconder um corpo
   - Fica vazio à noite e é fácil de entrar
   - Conhecido por atrair "elementos criminosos" (segundo a tia Jean)

# 12

## AUSTIN

Austin sempre se sentia como se estivesse num bunker toda vez que sentava naquele Portakabin, a minúscula estrutura metálica pré-fabricada que fedia a cigarro e café velho. Todo mundo chamava o lugar de "o Barracão", mas era um escritório onde ele e o restante do pessoal da administração ficavam para cuidar da parte burocrática do trabalho sem perder de vista a movimentação dos veículos e, principalmente, dos trabalhadores. Les, seu chefe, tinha montado o escritório ali para ter uma visão estratégica da área de carga e descarga. Austin sempre ligava o rádio no último enquanto estava lá; o silêncio o lembrava demais sua casa, mas de tempos em tempos ele abaixava o volume quando tocava uma música que Marian cantava. Ela estava sempre cantando ou cantarolando alguma coisa, e a forma repentina como isso acabou tornava o silêncio insuportável. Ele ansiava por barulhos.

 Ultimamente — e com mais frequência desde que Marian voltou a ser internada no hospital —, porém, ele começou a se pegar olhando para o nada pela janela enorme diante de sua mesa, ignorando a papelada. Foi pego em um desses momentos, com a caneta quase caindo dos dedos, quando eles apareceram, o uniforme impecável em contraste marcante com a poeira e a sujeira de um depósito de cargas e seus trabalhadores. Ele se levantou e levou a mão à maçaneta no piloto automático, e só quando abriu a porta se deu conta do silêncio que preenchia o galpão. Havia sempre um rádio ligado, e gente gritando, rindo e se xingando, mas a visão dos dois oficiais de polícia fez todo mundo se calar.

 "Posso ajudar?", Austin perguntou, se surpreendendo com o tom formal da própria voz.

"Sim, podemos entrar um minutinho?", o mais velho dos dois perguntou, e Austin relaxou um pouco pelo tom casual dele. Ele fez um gesto para os dois entrarem no Portakabin e tirou pastas de arquivo das duas cadeiras extras e removeu os cinzeiros e as canecas da mesa, deixando um padrão de círculos marrons por toda a superfície. Ao fechar a porta, ouviu o burburinho do lado de fora recomeçar, e o ar ser preenchido pelas inevitáveis especulações sobre o que eles poderiam estar fazendo ali.

"Eu sou o sargento Tanner", o mais velho continuou enquanto sentava. "E esse é o policial Radcliffe."

"Austin Senior." Ele assentiu para os dois, enquanto observava Radcliffe sentar e colocar um pequeno gravador sobre a mesa.

"Nós fazemos parte da força-tarefa do Estripador", Tanner disse, encarando Austin por um momento, provavelmente à espera que ele assimilasse a informação. Austin prendeu a respiração e sentiu o sangue pulsar no pescoço enquanto os olhava.

"O senhor ficou sabendo da fita?", Radcliffe perguntou, mas não esperou pela resposta de Austin. "Pois bem, estamos percorrendo cada galpão e fábrica e tocando para todo mundo ouvir, para ver se alguém reconhece a voz."

Por razões que não seria capaz de explicar nem para si mesmo, Austin soltou um suspiro de alívio por não estarem ali por sua causa. "Tá, então os senhores querem que eu junte todos aqui ou um por um?", ele perguntou.

Tanner olhou para o depósito, assentindo enquanto contava os homens trabalhando lá fora. "Um por um", ele respondeu. "E podemos começar pelo senhor."

Austin sentiu a pulsação acelerando de novo, e se moveu na cadeira para tentar dissipar a tensão que sentia. "Sim, sem problemas, pode mandar bala."

O som da voz que saía do gravador era tão familiar que ele quase começou a recitar as palavras em voz alta, mas se concentrou em arranjar a expressão facial, fazendo questão de escutar sem parecer que estava ansioso demais ou tinha alguma coisa para esconder.

"Então, reconhece a voz?", Tanner perguntou, se inclinando para a frente e o olhando com atenção.

"Não", respondeu com firmeza. Não mesmo. Os policiais assentiram.

Pelas duas horas seguintes, Austin saiu para se juntar aos carregadores, ajudando-os enquanto os homens entravam e saíam um por um do Barracão. Ele notou o rosto pálido e sério de cada um que entrava, e em seguida o alívio ruidoso dos demais que esperavam do lado de fora ao sair, em meio a gritos de "Eles finalmente pegaram você, então?", para quebrar o gelo.

"Ainda bem que o Jim estava de folga hoje", ele ouviu uma voz que não conseguiu identificar comentando a caminho da sala de descanso, em meio a gargalhadas e imitações de Jim Jameson, o único caminhoneiro do depósito que era lá pros lados de Tyneside. Austin se perguntou como um homem como Jim devia estar se sentindo naquele momento — sob escrutínio constante, ouvindo piadinhas ou até sendo alvo de suspeitas em relação aos piores crimes já vistos em Yorkshire.

Observou os homens à medida que saíam: os mais escandalosos e confiantes, como Andy e Geoff, que eram sempre os primeiros a provocar os outros e a fazer brincadeiras de mau gosto sempre que a oportunidade surgia; os mais calados e reservados, como Stanley e Peter, cuja presença às vezes era esquecida; os chefes de família e seus filhos mal saídos da adolescência que também trabalhavam lá seguindo os passos do pai. Seriam eles como Austin? Teriam histórias para contar? Teriam segredos impossíveis de adivinhar só de olhar para eles? Ninguém entendia melhor do que Austin a capacidade de certos homens de compartimentalizar áreas da própria vida para poder seguir vivendo.

Era isso o que o Estripador fazia?

Olhava nos olhos das pessoas que amava e mentia para elas?

Como Austin fazia?

# 13

## MIV

As férias de verão eram a minha época favorita do ano. A única regra, até mesmo para Sharon, era chegar em casa antes de escurecer, e em julho já tínhamos desfrutado o máximo possível dessa liberdade, jogando críquete com Ishtiaq quase todo os dias, ou nós três fazendo piqueniques com nossos livros.

Esperamos para investigar o ferro-velho na semana de férias coletivas dos operários, quando todas as tecelagens e fábricas do distrito de West Riding davam folga para os funcionários, e os demais locais de trabalho fechavam. Apesar de a maioria das tecelagens estarem desativadas, esses dias de folga ainda eram uma tradição de Yorkshire, e até mesmo o sr. Bashir não abriu o mercadinho por uma semana e levou Ishtiaq para fazer uma visita à família em Bradford. Nós sabíamos que o ferro-velho também estaria fechado e, apesar de terem colocado uma corrente com cadeado no portão, nós éramos pequenas o bastante para conseguir passar por baixo. Era a oportunidade perfeita para darmos uma boa olhada no local.

Eu sempre passava na casa de Sharon antes de qualquer coisa, e assim podíamos aproveitar a maior parte possível do tempo juntas. Era um dia ensolarado mas frio de verão, e fomos andando até o ferro-velho dos Howden de jeans, camiseta e nosso cardigã, que Ruby nos obrigou a levar, amarrado na cintura. Situado no final de uma ruazinha estreita e malcuidada, cercada de mato e árvores de galhos baixos, o ferro-velho ocupava um terreno gigantesco, que a tia Jean definia como uma vergonha para a cidade. Lotado de pilhas e pilhas de carros precariamente equilibrados, peças de veículos, pneus, tubos e conexões, grades e todo tipo de objeto metálico, era um lugar perigoso para crianças brincarem e o local perfeito para esconder um corpo.

Sharon passou por baixo do portão primeiro, mas, quando fui em seguida, ela pôs a mão na minha perna para me alertar de algo. Parei e olhei para onde ela apontava. Saindo do Portakabin do terreno, em geral ocupado por um dos irmãos Howden, que passavam o dia fumando um cigarro atrás do outro e bebendo incontáveis garrafas de chá, havia um homem com a barba por fazer, roupas escuras e um gorro na cabeça. Estava distante demais para conseguirmos reconhecê-lo, mas havia algo de familiar no jeito como andava ao se dirigir a um barril grande de plástico, onde tirou o gorro e começou a lavar o rosto.

Enquanto isso, Sharon e eu tínhamos engatinhado até uma montanha de entulhos, onde nos escondemos. Eu estava até tremendo de empolgação.

Em seguida, o homem tirou a jaqueta azul-escuro de operário. Cutuquei Sharon nas costas, apontando para a jaqueta, e balancei a cabeça com os olhos arregalados. Ela deu de ombros, franzindo a testa com uma cara de interrogação, e eu balancei a cabeça como quem diz *Deixa para lá*. Para nosso horror, ele continuou se despindo peça por peça enquanto se lavava. Nenhuma de nós tinha visto um homem pelado antes, e ficamos divididas entre olhar e tapar os olhos com as mãos diante daquele peito branco e rosa com textura de pudim. Nós nos abaixamos e fomos para longe do alcance dos ouvidos dele.

"Você viu, você viu?", exclamei num sussurro expelido a duras penas em meio a minha respiração ofegante.

"Shhhh, fala baixo. Sim, eu vi", ela murmurou.

"A jaqueta de operário?"

Mais uma vez, ela pareceu confusa. Respirei fundo e soltei um suspiro trêmulo para tentar me acalmar antes de dizer: "Lembra de quando lemos uma descrição do Estripador e disseram que ele usava uma jaqueta azul-escuro de operário?".

Além das vítimas que matou, o Estripador também havia atacado várias mulheres que sobreviveram. Uma delas contou que seu agressor usava uma jaqueta como aquela que o homem à nossa frente tinha acabado de tirar. Ficamos imóveis até que o som da água espirrando cessasse e a porta do barracão fosse fechada, e então saímos correndo, passando às pressas por debaixo do portão, e só paramos no fim da rua do ferro-velho. Trocamos olhares, meio rindo, meio assustadas pela percepção de quão real nossa busca tinha se tornado.

"E agora?", Sharon perguntou, ofegante.

"Só um minuto", eu falei, arfando e alternando entre a raiva que sentia de mim mesma por ter fugido e o alívio por termos feito isso. Sentamos na grama para recuperar o fôlego enquanto eu pensava no que tínhamos visto.

"Como é que você consegue lembrar de todas essas coisas?", Sharon perguntou. "Tipo a jaqueta de operário?"

"Sei lá", respondi. Achei uma pergunta estranha, já que nunca tinha passado pela minha cabeça "tentar" lembrar do que quer que fosse. Eu só reparava em tudo e guardava as informações na mente.

"Você acha que é um andarilho?"

"Não sei, não deu para ver direito... só que... você não acha que tinha alguma coisa familiar nele?" Sharon estreitou os olhos e percebeu que havia, sim, e confirmou com a cabeça. "Precisamos voltar lá. Para olhar mais de perto", falei, com mais coragem do que sentia de fato.

Sharon balançou a cabeça. "Acho que não consigo, e que não é uma boa ideia também. E se ele..." Ela se interrompeu ao ouvir o som de um veículo saindo do ferro-velho e avançando pela ruazinha, e corremos para nos esconder nas árvores no entorno, deitando no chão para sumir de vista. Sem ver nada, ficamos de ouvidos atentos até o veículo passar. Só nos movemos de novo quando o silêncio foi reestabelecido. Quem quer que fosse, tinha acabado de ir embora. "Agora nós precisamos voltar", eu falei, determinada. "Não tem mais ninguém lá."

"Mas e se ele voltar?"

"Bom, então por que você não fica vigiando enquanto eu dou uma espiada? Prometo que vamos embora assim que aparecer alguém. E se for a nossa única chance?"

"Tudo bem", respondeu Sharon, dando de ombros.

Passamos de novo por baixo do portão e seguimos direto para o barracão. Estava trancado, então espiei lá dentro enquanto Sharon ficava de vigia. O lugar estava apinhado de coisas. Havia roupas empilhadas na cadeira, e sob a mesa um saco de dormir e um travesseiro, além de um fogão portátil de acampamento e algumas latas vazias. Era óbvio que alguém estava morando ali. Curiosamente, também tinha um porta-retratos de moldura dourada com uma fotografia em preto e branco de um casal de noivos sobre um caixote virado ao lado da cama improvisada; o clima hollywoodiano da imagem contrastava com o interior desarrumado do Portakabin. Anotei tudo no meu caderno.

Voltamos para casa em silêncio, o que não era normal. Eu estava elaborando teorias sobre o porquê uma pessoa estaria vivendo num ferro-velho. Não consegui encontrar uma boa razão. Inclusive, se ele fosse mesmo o Estripador, como poderíamos provar isso e desmascará-lo em segurança? Longe do ferro-velho, eu podia ser a corajosa heroína da história.

Desconfiava que Sharon estava ocupada com pensamentos mais sensatos e, quando chegou o momento de cada uma ir para casa, ela abaixou a cabeça e falou: "Acho que precisamos contar para um adulto".

Refutei a ideia.

"Não podemos esperar mais um pouco para fazer isso? Por favor, Shaz. Por favor. Eu só quero um tempinho para ver se conseguimos descobrir quem é primeiro. Pode não dar em nada. Pode não ser ninguém." Eu não achava que isso fosse verdade, mas torci para ela não percebesse a mentira. "Prometo que, se acontecer alguma coisa assustadora, eu conto. Prometo." Juntei as mãos como se estivesse rezando, e supliquei com os olhos para ela me dar mais tempo.

"Tudo bem", ela murmurou. "Eu vou pensar."

Soltei um suspiro de alívio.

As investigações foram suspensas no dia seguinte, porque Ruby, Sharon e eu fomos nadar. Foi preciso uma grande dose de persuasão para Sharon me convencer a acompanhá-las a uma piscina pública.

"Ninguém da nossa sala vai estar lá, nem o sr. Ware gritando com a gente", ela falou. "E a minha mãe vai comprar chocolate quente para nós depois."

Quando Ruby me deixou em casa no fim daquela tarde, o meu pai já tinha voltado do trabalho e ficou conversando baixinho com ela enquanto eu juntava as minhas coisas e descia do carro. Fiquei observando os dois pelo canto do olho, o rosto deles solene e o tom preocupado. Só torci para que não estivessem falando de mim de novo.

"Passa aqui de manhã para planejarmos a próxima ida ao ferro-velho, então", falei para Sharon, ainda de olho no meu pai e em Ruby.

Nós duas trocamos olhares quando ouvimos Ruby dizer "Isso não é justo, Austin" para meu pai, uma emoção contida nas palavras que não conseguimos identificar. Meu pai a encarava com firmeza. A intensidade na expressão dela me lembrou de quando eu a vi vigiando as outras mães falando sobre Hazel Ware. Foi quando percebi que a conversa não era sobre mim, então só podia ser sobre minha mãe. O olhar do meu pai era do tipo que eu só via quando ele estava desprevenido observando minha mãe, provavelmente à procura da mulher que ela tinha sido um dia. Sharon tossiu, e nesse momento o encanto se desfez. Eles se voltaram para nós e se recompuseram em sorrisos antes que Ruby fosse embora com Sharon.

Na manhã seguinte, Sharon veio me encontrar, e decidimos ir até o ferro-velho de novo. Quando chegamos à rua do mercadinho do sr. Bashir, ouvimos um grito conhecido:

"SUUUUCATEEEEEIROOOO!"

"SUUUUCATEEEEEIROOOO!"

Segurei o braço de Sharon no exato momento em que ela ofegou de susto. Nós sabíamos exatamente onde tínhamos visto o homem do ferro-velho antes. Era o sucateiro local, Arthur, cujos gritos, enquanto percorria as ruas da cidade recolhendo coisas que as pessoas não queriam mais, eram tão familiares para nós quanto o canto dos pássaros.

Todo mundo conhecia Arthur. Era como se ele fizesse parte da cidade desde sempre. Eu não sabia quantos anos ele tinha nem seu sobrenome. Ele sempre foi só Arthur. Os nossos pais se lembravam da sua presença pelas ruas quando eram pequenos. Uma vez perguntei para a tia Jean o que um sucateiro fazia, e ela respondeu que era uma profissão "nobre", mas não entendi o que isso significava. Minha mãe explicou que ele começou coletando roupas velhas, que vendia para as tecelagens para a fabricação de tecidos de lã reaproveitada; então, quando elas fecharam, ele começou a recolher coisas que as pessoas não queriam mais em casa e também metal para vender no ferro-velho. Antes de a minha mãe deixar de ser quem era, ela saía sempre que ele aparecia na rua para dar um cubo de açúcar para o cavalo dele e um beijo no seu rosto, deixando o rosto rosado ainda mais vermelho. Um de seus principais clientes eram os Howden.

Ele ainda andava a cavalo numa carroça e era amado por todas as crianças, inclusive Sharon e eu, já que nos deixava fazer carinho em Mungo e alimentá-lo com as cenouras que levava na sacola. Arthur e Mungo eram parte do tecido social da cidade — a tia Jean o chamava de "um homem de Yorkshire com a lã entranhada na pele" —, então ele não poderia ser o Estripador, certo? Com certeza não era a voz dele naquela fita. Mas e se ele estivesse fingindo o sotaque?

Sem pensar nem discutir, nós fomos até ele, esperando pacientemente enquanto fazia suas transações com as pessoas na rua. "Olá, mocinhas", ele disse. "Como estão as senhoritas neste belo dia?" Gesticulou para o céu azul. Arthur sempre falava desse jeito. Como se fosse uma pessoa de antigamente, o que de fato era. Seu sotaque era tão carregado que às vezes era até difícil entendê-lo. Eu não conseguia imaginá-lo falando como alguém de lá de Tyneside, mas nunca dava para ter certeza de nada.

"Estamos bem, obrigada, Arthur", respondeu Sharon. "É a época de férias de verão", ela acrescentou, explicando melhor.

"Sim, eu sei, e o tempo está perfeito para isso", ele falou, sorrindo para nós.

"Nós fomos até o ferro-velho dos Howden um dia desses", deixei escapar de uma vez. Sharon me encarou, perplexa com minha ousadia. "Vimos você lá."

Arthur continuou com o sorriso no rosto, mas sua expressão mudou. Ele fez uma pausa antes de responder: "Não é seguro brincar por lá. É um lugar perigoso".

"Sim, mas por que você está ficando lá?"

"Ah..." Arthur hesitou, claramente pensando em como responder, e abriu um sorriso complacente. "Decidi que precisava de uma mudança de ares. É como dizem, uma mudança vale como um descanso." Nisso, ele deu as costas para nós e se preparou para ir. "Agora podem se despedir de Mungo que eu vejo vocês mais tarde."

Enquanto o observávamos partir, senti a mão de Sharon segurando meu braço de novo. "Olha só quem vem aí", ela murmurou, como se não quisesse que ninguém visse que estava falando, "lá na frente." Eu me virei para olhar, e o homem de macacão estava na frente do mercadinho da esquina, primeiro observando o estabelecimento do sr. Bashir, depois Arthur e Mungo, com o pompom amarelo no topo do gorro quicando como uma bola de tênis a cada movimento da cabeça. Era como se ele não conseguisse decidir no que ficar de olho. No fim, Mungo conquistou sua atenção e, enquanto Arthur o conduzia, o homem de macacão acariciou o focinho do cavalo com um gesto hesitante. A expressão dele se amenizou e se tornou quase infantil. Eu me virei para Sharon.

"Vamos voltar ao ferro-velho amanhã logo cedo", falei. "Mesmo que seja só para descartar o Arthur como suspeito." Eu ainda não me sentia pronta para investigar mais a fundo o homem de macacão.

Naquela noite, sonhei que fui perseguida e colocada numa van pelo vulto de um desconhecido. A van se transformou na carroça de Arthur, mas a figura do homem que me perseguia não tinha o rosto dele. Nem nos meus pesadelos eu conseguia vê-lo como um vilão.

Quando chegamos ao ferro-velho no dia seguinte, percorremos a ruazinha com certa apreensão, sem saber se Arthur estaria lá e, se estivesse, o que íamos fazer. Eu oscilava entre achar que não havia a menor chance dele ser uma pessoa má e entender cada vez mais que, por trás de cada adulto, havia uma história que eu não sabia nada sobre. Quem poderia afirmar que Arthur não era um criminoso? Quando passamos por baixo do portão, o cheiro de bacon se espalhava pelo terreno e um radinho tocava "Waterloo", do Abba. Arthur estava sentado em uma cadeira de praia diante de um fogão portátil. Meu estômago roncou alto, e Sharon e eu tentamos segurar o riso, mas não conseguimos.

"Olá, vocês duas. Querem um sanduíche de bacon feito pelas minhas próprias mãos?" Arthur não pareceu surpreso com nossa presença ali. Nossa curiosidade muito mal disfarçada no dia anterior claramente depôs contra nós.

"Sim, por favor", Sharon disse sem hesitação.

Eu não sabia se deveríamos aceitar comida dele, que poderia ser um criminoso, mas a visão dos pães brancos macios e do molho marrom foi suficiente para me convencer, então assenti. Arthur montou de forma metódica três sanduíches de bacon.

"Não tenho mais pratos, então vamos ter que improvisar", ele falou, virando um barril velho de óleo, além de trazer um tapete do Portakabin, gesticulando para nos sentarmos antes de entregar os sanduíches. Nós ficamos em silêncio, comendo contentes por um tempo, até que, ainda com a boca cheia, Sharon repetiu a pergunta do dia anterior.

"Então, por que você está ficando aqui?"

Arthur respirou fundo. "Não é nada definitivo. É só por um tempo, enquanto o ferro-velho está fechado e os Howden estão fora. Eles estão tendo problemas com gatunos invadindo para roubar e essas coisas", ele explicou.

O alívio tomou conta de mim, como uma onda suave.

"Ah, então é só por isso?", falei. Sharon fez careta para que eu me calasse, percebendo que ele tinha mais a dizer.

"Bom, e também... é que..." Ele se interrompeu e olhou para cima, como se estivesse tentando arranjar forças de alguma entidade invisível. "Vocês chegaram a conhecer Doreen, minha esposa?" Ficamos só olhando para ele, aturdidas pela mudança de assunto. Não conhecíamos a esposa dele, sabíamos apenas que se tratava de uma presença tão constante quanto a de Arthur na cidade: uma mulher roliça de cabelos brancos que parecia estar sempre limpando a entrada da casa deles com um escovão. Assim como o marido, era a reminiscência de um tempo que em breve seria só história. "Então", ele continuou, "ela... ela faleceu." A voz dele ficou tão baixa que, para ouvi-lo, precisamos nos inclinar para a frente e parar de mastigar. "Já faz uns meses." Ele levantou com gestos lentos e desapareceu dentro do barracão. Nós ficamos em silêncio.

Arthur voltou trazendo a foto em preto e branco dos noivos que eu tinha visto, e a estendeu para olharmos. A beldade de cabelos pretos na foto não lembrava em nada a Doreen que eu via na rua, mas havia algo no homem orgulhoso e de postura impecável ao seu lado que dizia que aquele era Arthur sem dúvidas. "Quando acabou o funeral, voltei para casa e não parecia mais o lugar que eu conhecia. As crianças não moravam mais lá, tinham saído de casa ou têm a própria família, então fiquei só eu, e isso não me pareceu certo. Eu só, sabe, eu só não queria mais ficar lá."

"Por que você não foi ficar na casa de alguém?", perguntou Sharon, com os olhos marejados.

Arthur a olhou com uma gentileza carregada de melancolia. "Ah, mocinha, eu não quero ser um peso para ninguém. Então pensei em vir para cá. Tenho a chave do ferro-velho e da van, então posso continuar trazendo sucata, e consigo cuidar do Mungo aqui. Decidi montar um acampamento durante o feriado, até vocês duas aparecerem." Ele sorriu para nós.

Um soluço alto atraiu a nossa atenção para Sharon.

"O que foi?", perguntei, intrigada.

Arthur pôs a mão no meu braço. "Deixe-a chorar", ele disse baixinho.

Nós ficamos sentados em silêncio, a não ser pelo choro de Sharon. Arthur balançava a cabeça ao som do rádio, e eu terminei o meu sanduíche de bacon. Quando as lágrimas dela finalmente cessaram, Arthur ofereceu para ela um lenço que tirou do bolso.

"Tome aqui. Assoe esse nariz, florzinha."

Sharon olhou para ele e fungou antes de assoar o nariz, fazendo um barulhão.

"Minha avó morreu, e eu sinto muito a falta dela", ela explicou, com a voz falhando e os soluços ameaçando recomeçar. "Já faz um tempão, mas mesmo assim eu sinto falta dela quase todo dia."

Arthur estendeu o braço para segurar a mão dela, e eu observei o luto que os dois compartilhavam, torcendo para nunca me sentir assim. Mas então lembrei da minha mãe.

No caminho de volta, fomos andando em silêncio até chegar a hora de dizer tchau.

"Eu... eu não sabia da sua avó", comentei, sentindo meu estômago se revirar. Como eu não sabia disso?

Sharon soltou um suspiro. "Eu sei. Aconteceu bem na época em que a sua mãe ficou mal. Um pouco antes de virarmos amigas", ela contou. Não consegui responder. Nós nunca conversávamos sobre o que aconteceu com a minha mãe.

Precisei lidar com sentimentos profundamente incômodos enquanto ia para casa. Na igreja, diziam que precisávamos pensar nos outros em tudo o que fazíamos e "ter bondade para com o próximo". Eu queria muito ser uma boa pessoa, e não saber da tristeza que Sharon sentia me fez questionar se eu de fato era uma. Seria por causa disso que minha mãe e meu pai precisavam desses dias de "descanso" de mim? Sharon parecia saber por instinto como mostrar que se importava com as pessoas. Fazia isso comigo, com Stephen Crowther, com Ishtiaq. Decidi observá-la com mais atenção, para aprender a ser uma boa pessoa. Ela era a melhor pessoa que eu conhecia.

Durante o restante da semana de férias coletivas, fomos visitar Arthur quase todos os dias. Ficar com ele preencheu nosso tempo com ocupações mais inocentes. Tomávamos chá da garrafa dele, e o escutávamos falar sobre Doreen e seus filhos, e contávamos sobre a nossa rotina, deixando de fora a parte da caçada ao Estripador. Pensamos em levar Ishtiaq para conhecê-lo quando voltasse de Bradford, mas ainda estávamos receosas de contar para os adultos que éramos amigos de um menino de pele marrom.

Certa manhã, quando chegamos, ficamos em choque ao ver as coisas de Arthur espalhadas pelo terreno, com a porta do barracão quase arrancada do batente. Arthur estava sentado na cadeira de praia, de olhos fechados e o rosto pálido. Em suas mãos estava a foto dele com Doreen.

Estendi o braço para impedir que Sharon se aproximasse ainda mais.

Nós olhamos uma para a outra.

"Ele está morto?", Sharon sussurrou.

Fomos andando até ele na ponta dos pés, com o coração na garganta, e para nosso alívio o vimos se mexer, ainda que só um pouquinho. "Arthur?", chamei, num tom inseguro.

"Bom dia", ele gemeu, com os olhos semicerrados.

"O que aconteceu?", Sharon perguntou, sua voz aguda e trêmula.

"Aqueles gatunos", ele contou. "Eles apareceram..." As palavras pareciam entaladas na garganta.

Olhei ao redor, para a bagunça que eles tinham feito, enquanto ele levantava devagar da cadeira, fazendo uma careta a cada movimento. "Você está bem?", perguntei, correndo até ele para segurá-lo pelo braço.

"Estou, sim, mocinha." Ele espanou a sujeira do corpo. "Eles não me machucaram. Só tiraram vantagem de um velho. Agora vamos ver se encontramos o fogão para esquentar a água, está bem?"

"Eles não levaram nada?", perguntei.

"Quase nada", ele falou. "Só uns canos e coisas do tipo."

"Você reconheceu algum deles?", Sharon quis saber, mais forte e determinada agora. Arthur, porém, simplesmente deu de ombros e se recusou a falar qualquer outra coisa sobre o assunto, então nós o ajudamos a arrumar tudo em silêncio enquanto ele aparafusava a porta de volta no batente.

Sharon foi a primeira a ver o mostruário de jornais do lado de fora do mercadinho da esquina.

"Eles voltaram!", ela falou, abrindo o primeiro sorriso de verdade naquele dia. Entramos sem pensar duas vezes e pedimos vinte centavos em doces variados.

"É para o Arthur", Sharon explicou para o sr. Bashir. "Você sabe de quais doces ele gosta?"

"Claro que sei", respondeu o sr. Bashir, juntando algumas balas de hortelã, balas de goma e alcaçuz. "Doces de velhos", como Sharon e eu chamamos.

"É muita gentileza de vocês gastarem dinheiro do seu próprio bolso para isso", o sr. Bashir comentou.

Antes que eu pudesse impedi-la, Sharon contou para o sr. Bashir tudo o que havia acontecido com Arthur, sobre o ferro-velho e até o ataque. Eu não achava que Arthur ia querer que alguém soubesse de tudo aquilo, mas senti um alívio por não estarmos mais carregando o fardo daquela informação sozinhas. O sr. Bashir concordava ouvindo com toda a atenção.

"Ishtiaq está lá nos fundos", disse ele, abrindo a passagem para o outro lado do balcão para nós. "Ele vai ficar contente de ver vocês."

Fomos para os fundos e encontramos Ishtiaq lendo um livro com tanta atenção que sua cabeça quase desaparecia entre as páginas. Ele não nos viu entrar, então cutuquei Sharon e nós dissemos juntas "E aí, Ishtiaq" bem alto. O livro caiu de suas mãos do susto que ele levou, mas um sorriso logo surgiu em seu rosto.

"Como foi a viagem para Bradford?", perguntei.

Ishtiaq deu de ombros. "Um monte de tias no meu pé o tempo todo", ele contou, visivelmente incomodado. "Ainda bem que estou de volta."

"Ainda bem mesmo", Sharon falou, com um tom de voz mais baixo que o normal. Eu me virei para ela para ver se estava tudo bem, mas seus olhos continuavam fixos em Ishtiaq.

"Operando, baralho ou xadrez?", eu perguntei, e passamos o resto da tarde jogando cartas e gritando tão alto uns com os outros que o sr. Bashir precisou vir pedir para diminuirmos o volume.

"Os clientes não precisam saber quem ganhou ou perdeu cada rodada", ele falou, mas seu sorriso denunciava que estava adorando ver nossa diversão.

# 14

## OMAR

Omar deixou as meninas entrarem em casa e então voltou para o balcão, ainda com a história que elas haviam contado sobre Arthur na cabeça. Seu primeiro pensamento foi se os agressores seriam os mesmos moleques que vinham lhe causando problemas. Ele tinha certeza de que eram eles os responsáveis pelos estragos provocados no estabelecimento, principalmente depois que um deles "sem querer" esbarrou em Omar enquanto ele limpava a pichação, derrubando-o no chão junto com o balde e fazendo a água ensaboada se espalhar pela calçada. Chegou a correr atrás deles, mas os garotos tinham a juventude a seu favor, além da distância de vantagem, e ele foi obrigado a parar, ofegante, vendo aquelas jaquetas verdes e calças jeans dobradas nas barras desaparecerem à distância.

Quando começou a abrir as caixas recém-chegadas de latas de feijão e a ajeitá-las nas prateleiras com o rótulo virado para a frente no mesmo ângulo, ficou se perguntando se deveria fazer alguma coisa por Arthur. Como todos os moradores da vizinhança, Arthur era um freguês regular seu, mas não do tipo que parava para conversar. Mas também não era daqueles que o ignoravam ou que não faziam contato visual. Isso ainda acontecia, mas Arthur lhe transmitia a impressão de ser alguém da Yorkshire dos "velhos tempos" — um homem reservado que não saía por aí reclamando da vida, e para quem pedir ajuda não era uma coisa das mais fáceis. Sobretudo para alguém como Omar.

Então ele se deu conta de que na verdade não o via desde a morte de Doreen, e a lata que estava segurando foi ao chão. Como pôde não perceber isso? Quando ficou sabendo da morte de Doreen, isso provocou uma reação no seu corpo todo, e ele precisou se esforçar para não desmoronar sob o peso da empatia que sentiu. Ele e Rizwana foram casados por quinze anos, e sua perda havia aberto nele um buraco que parecia que jamais seria preenchido. Arthur e Doreen foram casados por trinta e cinco anos.

A porta do mercadinho se abriu, e a sra. Spencer, a esposa do pároco da cidade, entrou e começou a pegar coisas nas prateleiras com ares de impaciência.

"Boa tarde, sra. Spencer", ele cumprimentou enquanto recolhia a lata no chão, aproveitando a ocasião para respirar fundo e se recompor.

"Boa tarde", ela respondeu, sem se desconcentrar nem olhar em sua direção, com as unhas feitas de uma mão no colar de pérolas que sempre usava. Ele cogitou se, por ela ser quem era, deveria contar sobre Arthur. Talvez o sucateiro lidasse melhor com a preocupação e a oferta de ajuda por parte da mulher do pároco, em vez do dono do mercadinho da esquina, já que a função dela era zelar pelo bem-estar da comunidade.

"Não tem manteiga fresca?", ela perguntou.

"Ah, não, desculpe. Mas tem margarina."

Ele a flagrou fazendo uma careta, deu uma boa olhada em seu rosto de ângulos agudos e olhos estreitos e decidiu ficar quieto. A sra. Spencer não era exatamente do tipo que exalava compreensão e gentileza. Era áspera e cheia de julgamentos. Omar resolveu então esperar a filha de Arthur aparecer no mercadinho e conversar com ela. A sra. Spencer foi até o balcão para pagar, despejando os produtos que equilibrava no braço, além de um jornal. Omar apontou para a manchete enquanto somava o restante da compra.

"Ele precisa ser pego", comentou, apontando para a manchete principal: AJUDE A ENCONTRAR ESSE HOMEM. JÁ OUVIU A FITA?

A sra. Spencer fez um "humpf". "Ele é só mais um símbolo de um país cada vez menos cristão", ela disse em alto e bom som, com a convicção de alguém acostumada a fazer declarações sem ser contestada. E olhou direito para Omar pela primeira vez desde que entrou.

"Sem ofensas, claro."

Enquanto a sra. Spencer remexia na bolsa para pagar, Omar trocou a lata de feijão que ela comprou pela amassada que tinha derrubado, e depois abriu a porta para ela sair — batendo-a com força atrás dela, e com gosto.

Mais tarde, enquanto fazia o jantar para ele e Ishtiaq, percebeu que estava preparando mais do que o necessário. Tanto que sobrou uma porção inteira, que ele guardou num Tupperware que Rizwana sempre usava e ele nunca jogaria fora. Depois de comer, ele avisou Ishtiaq para não atender à porta se alguém aparecesse, pegou o carro e foi até o ferro--velho, com o pote no assento do passageiro com alguns *chapatis* enrolados em papel-alumínio equilibrados em cima. Enquanto dirigia pela ruazinha que levava ao ferro-velho com uma das mãos no volante e a outra impedindo o Tupperware de cair, pensou em falar com Arthur para ver se estava tudo bem. Parou diante do portão trancado e esquadrinhou a escuridão do terreno, iluminado apenas por uma lâmpada solitária no barracão. Só conseguiu discernir a sombra de Arthur se movendo lá dentro antes que a luz fosse apagada. Deixou o Tupperware na guarita, piscou o farol alto três vezes até a lâmpada do Portakabin se acender de novo e foi embora.

## 15

### MIV

No dia seguinte ao ataque fomos ajudar Arthur a juntar as coisas e a voltar para a casa onde vivia com Doreen. Como recompensa, ele nos deixou sentar na carroça, e percorremos as ruas da cidade acenando para todo mundo que cruzava nosso caminho, como a rainha da Inglaterra. Quando passamos pela feira, entre as barracas lotadas de mercadorias montadas sobre o calçamento de pedra e os gritos dos feirantes oferecendo frutas e legumes, vi um rosto conhecido, com seus cabelos loiros brilhando sob o sol.

"Olha, Shaz, é a sra. Ware. Hazel."

Nós duas ficamos só olhando, hipnotizadas, como se ela fosse uma estrela de cinema comprando meio quilo de tomates. Virei o pescoço para continuar observando enquanto nos afastávamos, e vimos que ela estava rindo com alguém logo atrás dela, alguém que segurava sua mão. Não era o sr. Ware. Eles pareciam um casal de ouro, cercado por uma aura que os distinguia como pessoas mais bonitas e diferentes de todas ao redor. Ela: elegante, loira. Ele: alto, cabelos escuros, com um visual rústico, mas bonitão. Eu me senti consumida por sentimentos indecifráveis enquanto os observava, uma mistura de atração profunda e uma inveja por saber que eu nunca seria como ela, que era comum demais.

Um pouco atrás deles estava Paul Ware. Olhava para o chão, com a franja escondendo os olhos. Eu me perguntei como ele devia estar se sentindo vendo a mãe de mãos dadas com um homem que não o seu pai.

Sharon saltou da carroça quando chegamos à casa, com suas cortinas de tecido leve e transparente nas janelas, e disse para o pálido e calado Arthur: "Se você me der a chave, eu posso abrir a porta".

O rosto dele se contorceu em um sorriso lento e triste. Como ela sabia que precisaria entrar primeiro?

Ele engoliu em seco. "Obrigado, florzinha."

Nós continuamos a visitar Arthur com regularidade, nos sábados à tarde, enquanto ele retomava as rédeas da vida e saía do luto. Na maioria das vezes, o encontrávamos no quintal dos fundos, cuidando dos pombos que passou a criar.

— Doreen jamais me deixaria criá-los. Achava que pombos eram pássaros nojentos — ele explicou.

Ele vivia nos recomendando cuidado e prudência, então decidimos não contar sobre a nossa busca pelo Estripador; um dia, porém, quando chegamos, Arthur estava lendo o jornal em uma cadeira de praia listrada no quintal. Dava para ver pela primeira página que o Estripador era o assunto principal. Cutuquei Sharon.

"O que você acha sobre ele, Arthur?", perguntei, apontando para a primeira página.

Arthur voltou à página anterior e deu uma olhada na matéria.

"Ele não é motivo de preocupação para vocês", ele disse, com uma voz firme e a cara fechada.

"Mas por que não?", insisti. "Ele é 'um perigo para todas as mulheres e meninas'." Eu apontei para a manchete.

"Sim, mas não para meninas como *vocês*." Ele levantou devagar da cadeira. "Ok, vou pôr a chaleira no fogo."

Com isso, entendi que o assunto estava mais uma vez encerrado. Ninguém parecia estar interessado em conversar com a gente sobre o Estripador.

# 16

## HELEN

Helen era capaz de jurar que tinha contado para Gary que pretendia visitar o pai naquele fim de tarde. Não ia vê-lo fazia tempos, um fato que a incomodava havia semanas, e, depois que Omar do mercadinho da esquina contou aquela história esquisita sobre o ferro-velho dos Howden, ela sabia que isso era necessário. Disse a si mesma que não tinha ido ainda porque estava ocupada demais com o novo emprego, mas sabia que não era só isso.

Ela estava na cozinha de sua quitinete, colocando papel-alumínio sobre o jantar de Gary, quando ele chegou do trabalho.

"O que você está fazendo?", ele perguntou, apontando com o queixo para o prato na mesa. "Ah", Gary disse quando ela o lembrou da visita ao pai, com uma voz e expressão chorosas, como uma criancinha.

Helen sabia o que viria a seguir, que ele não ia querer que ela fosse; e já tinha pensado nisso de antemão. "Você pode pôr direto no forno para esquentar, não precisa fazer mais nada", ela disse, tentando não soar condescendente, uma coisa que ele já havia reclamado sobre ela antes.

"Não é isso", Gary falou, e ela percebeu que ele estava apelando para sua expressão charmosa, que todo mundo adorava e para a qual ninguém conseguia dizer não, principalmente Helen. "É que eu queria ir com você no pub. O pessoal do trabalho vai sair para beber uma cerveja, e eu queria mostrar minha mulher linda." Ele estava mais perto agora, e empurrou o ombro dela com o seu de leve, lisonjeiro.

Mesmo sem querer, Helen ficou extasiada com o elogio. Era como um reflexo impossível de conter. Olhou para a expressão de tristeza dele e deu risada. "Tudo bem, então", ela falou, sem pensar duas vezes. Ela poderia visitar o pai no dia seguinte.

* * *

Mais tarde, ela estava no banheiro aplicando o pouco de maquiagem que tinha, e esfregava um pouco de batom nas bochechas pálidas quando as palavras "Na verdade faz um tempão que não saímos juntos" escaparam de sua boca antes que pudesse pensar no que estava falando. Imediatamente sentiu o ar se carregar de tensão e percebeu que havia dito a coisa errada. Ficou paralisada, com a mão a meio caminho entre a pia e a boca, mas nesse momento as primeiras notas de "When You're in Love with a Beautiful Woman", de Dr. Hook, começou a tocar no rádio. Gary adorava essa banda. O momento passou.

Ela saiu do banheiro com trejeitos quase coquetes, parecendo uma adolescente indo a um baile pela primeira vez. Helen havia caprichado, e usava uma camisa que sabia que ele gostava: rosa-claro com um laço ao redor do colarinho, bem mais elegante do que as coisas que normalmente usava. Gary abriu um sorriso de aprovação. "Nós formamos um belo casal", ele falou, orgulhoso, estendendo o braço para ela pegar, prontos para ir ao pub juntos como se fossem um casal normal e apaixonado.

Era tarde quando saíram, e o Red Lion estava cheio enquanto eles abriam caminho pelas pessoas até o balcão, se esgueirando entre os grupinhos como se estivessem em um labirinto. Gary conhecia todo mundo pelo nome, claro, e seu avanço se tornou ainda mais lento à medida que ele parava para cumprimentar e conversar com vários homens, dando tapinhas nas costas deles, piscando para as esposas e rindo escandalosamente sempre que surgia uma brecha. Helen, atrás dele segurando sua mão, observava seu rosto e seu tom de voz se alterar dependendo do interlocutor, como um camaleão, com comentários mais grosseiros e um tom mais elevado quando alcançou o grupo de amigos do trabalho e suas esposas e namoradas, que estavam junto ao balcão.

"Vocês já conhecem a minha linda esposa", ele falou ao puxá-la para perto de si e passando o braço ao seu redor. Helen ficou vermelha e cumprimentou com um aceno de cabeça aquele mar de rostos. Os homens ela já tinha visto antes, mas as mulheres não.

Gary se inclinou sobre o balcão e pediu de forma barulhenta uma rodada de bebidas para o barman, Pat. Ela sabia que isso se repetiria várias vezes, que ele pagaria rodadas e mais rodadas para os amigos, se deleitando com sua imagem de homem generoso, apesar de não ter dinheiro para isso. Helen ficou um pouco incomodada, mas os rapazes o adoravam.

"E aí, cara", Gary gritou para um homem sentado junto ao balcão, dando um tapa tão forte em suas costas que ele cuspiu a bebida que tinha na boca e começou a tossir. Os rapazes caíram na risada — por um motivo que ela não entendeu —, e o homem virou seu rosto de menino para Gary, sorrindo para ele; tolerando esse comportamento para agradá-lo, Helen pensou. Enquanto Pat enchia de novo o copo do homem, Gary olhou para a expressão confusa no rosto da esposa e falou: "Jim é lá dos lados de Tyneside. Que nem o Estripador, sabe", como se isso fizesse alguma diferença. Ela olhou na direção do balcão e viu Pat e Jim levantando as sobrancelhas um para o outro. Pat viu que ela os observava e Jim seguiu seu olhar. Quando os dois abriram um sorriso gentil para ela, Helen ficou imediatamente constrangida, porque notou a expressão de pena no rosto deles. Pat acenou com a cabeça e gesticulou um "olá" com a boca. Helen ficou surpresa por ele se lembrar dela; afinal, não ia ao pub com o marido com tanta frequência. Estava prestes a retribuir o cumprimento quando notou que Gary também tinha visto a troca de olhares. Ela abriu um sorrisinho rápido e discreto, torcendo para que Pat visse, e se virou de novo para o grupo, se juntando à idolatria a Gary com o maior entusiasmo que podia, rindo de suas histórias e prestando atenção a cada palavra que ele dizia.

Enquanto saíam mais tarde, ela foi entrelaçar seus dedos com os dele. Ele pegou sua mão e a segurou com força, tanta que começou a machucá-la, esmagando seus dedos.

"Gary?", ela falou num tom gentil, de questionamento, para que seu medo não transparecesse.

Porém, o homem agradável e carismático de poucos momentos antes não estava mais lá.

# 17

## MIV

### NÚMERO CINCO

"Eu não posso sair para brincar amanhã", Sharon avisou em uma tarde de agosto quando nos despedimos. "Vou sair para comprar coisas para a escola... sabe como é, roupas novas, essas coisas", ela acrescentou, revirando os olhos em um gesto dramático. Só então percebi o quão perto as férias estavam de acabar.

Andando para casa enquanto chutava pedras no caminho e estragava ainda mais os meus sapatos já gastos, olhei para a minha calça jeans puída e desbotada. A barra estava acima dos tornozelos, claramente já curta demais. Como eu não tinha notado isso? Quando cheguei em casa, entrei com a chave que levava pendurada em um cordão no pescoço, corri lá para cima e peguei o meu uniforme da escola do guarda-roupa. Tirei a camiseta e a calça jeans, vesti a camisa da escola e me abaixei para me olhar no espelho da penteadeira.

Como eu desconfiava, os botões da camisa ficavam um pouco abertos no meio. Eu tinha preferido ignorar quando os contornos do meu corpo antes reto como uma tábua se tornaram mais fluidos, mesmo depois de alguém, imagino a tia Jean, ter deixado um "sutiã infantil" na minha cama algumas semanas antes. Eu enfiei na gaveta sem nem experimentar, mas percebi que não dava mais para ignorar aquilo. Tirei os sapatos da escola de baixo da cama, os calcei e, depois de sentir o aperto nos dedos, os tirei e me joguei na cama.

Ao ouvir o som de outra chave na porta, me levantei em um pulo, vesti de novo a camiseta e a calça jeans e desci a escada. A tia Jean já estava começando a fazer as coisas na cozinha. Tinha colocado a chaleira no fogo e já tinha tirado latas, uma panela e uma colher de pau das gavetas e dos armários. Fiquei parada na porta a observando, tentando pensar em uma forma de tocar no assunto do uniforme e dos sapatos da escola.

"Por que você está me rodeando?", a tia Jean perguntou sem nem me olhar.

Apertei bem os olhos, como se assim fosse evitar o impacto de algo pesado caindo na minha cabeça. "É que está quase na hora de voltar às aulas e, bom, as minhas coisas não servem mais", falei, já me preparando para um sermão do tipo "quando eu era mocinha", que provavelmente envolveria não usar sapatos, ou ter que vestir roupas que eram herdadas de parentes desde a era eduardiana. Mas a reação dela foi um breve aceno de cabeça e um longo silêncio.

"Pode deixar comigo", a tia Jean falou bem séria e seca, ainda sem olhar para mim, e notei seu constrangimento ao vê-la ali parada, com uma postura toda tensa, até eu sair do cômodo.

Quanto mais tempo minha mãe ficava fora, mais as conversas fluíam na mesa da cozinha.

"Aquele motorista que eu comentei com você, Jim Jameson, apareceu lá no galpão hoje", meu pai contou naquela noite para a tia Jean, entre uma garfada e outra de carne moída com batatas. Apesar de a tia Jean estar sentada de lado para mim, percebi que Jim Jameson não tinha sua aprovação — alguma coisa na forma como ela mexeu o ombro —, mas não sabia por quê. Eu sempre ficava impressionada com o nível de desaprovação que a tia Jean era capaz de transmitir com movimentos ínfimos do corpo ou do rosto. Uma sobrancelha erguida dela equivalia a um assassinato de reputação.

"A gente pegou pesado com ele. Um dos rapazes ficava citando frases da fita o tempo todo. Teve uma hora que eu pensei que ele fosse até chorar." Enquanto ele dava um gole no chá, eu criei coragem para perguntar.

"Quem é Jim Jameson?"

"Ah. É um dos caminhoneiros lá do trabalho."

"E você está falando da fita do Estripador?", perguntei, dizendo o nome com hesitação, torcendo para não levar um cala-boca. O meu pai quase se engasgou com o chá antes de colocar a caneca de novo da mesa e me lançar um olhar preocupado.

"Como é que você sabe da fita do Estripador, mocinha?"

"Todo mundo sabe da fita do Estripador", respondi, confiante no fato de que todo mundo sabia mesmo.

"Ah, é. Verdade." Ele fez uma pausa, pensando a respeito e concluindo que eu devia estar certa. "Pois é, sim, estou falando da fita. Jim é de Newcastle, então além da vergonha que ele tem por ser de lá daquelas bandas, agora tem mais isso." Quando viu a maneira como arregalei os olhos, ele deu risada e acrescentou: "Não se preocupe, querida. Ele não é o Estripador. O rapaz é um coração mole feito uma garotinha como você".

Mas a semente da desconfiança estava plantada, e nos dias seguintes só cresceria.

O meu pai monitorava o processo de carregamento e descarregamento dos veículos, além dos trabalhadores do depósito. Tinha orgulho daquele trabalho, que conseguiu depois de anos de desemprego, quando fazia bicos ocasionais. Começou como carregador também, e ainda se considerava um dos rapazes, apesar de agora ter o título pomposo de "supervisor". Sempre fazia questão de dizer que tinha "começado de baixo". Eu nunca tinha ido ao galpão de cargas, mas depois dessa conversa passei a tentar encontrar motivos para fazer uma visita a ele e dar uma olhada nesse Jim Jameson de Newcastle; só que pensar no trabalho do meu pai fazia imagens indesejadas aparecerem na minha mente. Imagens daquele dia. Do dia em que eu tentava nunca pensar. O dia em que tudo mudou.

Foi durante as férias de verão, e o meu pai tinha ido trabalhar normalmente, apesar dos acontecimentos da noite anterior — que eu só tinha ouvido do meu quarto, porque não me deixaram sair. "Fica no seu quarto, Miv", meu pai tinha gritado quando abri um pouco a porta ao ouvir minha mãe chegar do bingo. No meio do dia seguinte, ao voltar para casa depois de ter saído para brincar na rua, encontrei minha mãe caída no chão de banheiro, com uma trilha de vômito saindo da boca. Tentei acordá-la, mas não consegui, sentindo o meu estômago se revirando como se eu fosse vomitar também.

Por sorte, o número do trabalho do meu pai estava preso na parede ao lado do telefone, então eu disquei e disse para a pessoa que atendeu: "Você pode falar para o meu papai vir para casa? A mamãe está mal".

Apareceu ambulância e tudo. A tia Jean veio cuidar de mim, o meu pai foi com minha mãe e ela nunca mais voltou para casa.

Essa foi a primeira vez que minha mãe saiu de casa para um período de "descanso", um termo que evocava a ideia de uma viagem a Bridlington ou Whitby, mas de alguma forma eu sabia, mesmo naquela época, que não era bem do que se tratava. Nunca mais ouvi minha mãe falar depois disso. Foi nesse dia que percebi que a vida pode mudar de uma hora para a outra, que era preciso estar sempre atenta ao perigo. Ser vigilante.

Enquanto terminava de comer, fiquei pensando em um pretexto para ir ao depósito de cargas investigar Jim Jameson. Estava começando a tirar os pratos da mesa quando percebi que a tia Jean levantava as sobrancelhas e apontava com o queixo para mim, tentando chamar a minha atenção. Com um rápido movimento de cabeça, ela me mandou sair da cozinha e, apesar de não entender o motivo, eu obedeci, mas indo só até o sofá, de onde dava para ouvir o que estava sendo falado sem ser vista.

"Você não pode fazer isso?", ouvi meu pai perguntar.

E a tia Jean respondeu: "Ela precisa que pelo menos um dos pais mostre algum interesse na vida dela. E eu não sirvo para ser mãe de ninguém".

"E quem disse que eu sirvo?"

"Se você prestasse atenção no que acontece dentro da sua própria casa em vez de se concentrar em *outras* coisas, poderia perceber esse tipo de coisa sozinho", a tia Jean falou, seu tom tão frio que gelou até o meu sangue, apesar de as palavras não terem sido dirigidas a mim.

"Do que você está falando?", meu pai perguntou, com uma voz que eu nunca tinha ouvido antes.

"Não pense que eu não sei onde tem andado a sua atenção, Austin", a tia Jean retrucou.

Senti um nó na garganta, que serviu para trancar dentro de mim todos os sentimentos que se reviravam no meu corpo e que eu não estava nem um pouco disposta a encarar. Tentei me concentrar no Estripador e na lista. Quando saiu para ir ao pub, meu pai passou por mim no sofá.

"Parece que vamos sair para fazer compras no fim de semana", ele falou.

\* \* \*

Foi com o coração apertado que eu me arrumei para ir fazer compras naquele sábado. Não só porque aquilo estava ocupando um dos poucos dias de férias que ainda me restavam, mas também porque ficou óbvio pela maneira como meu pai bufava e revirava os olhos enquanto me esperava que estava fazendo aquilo de muita má vontade.

"Vamos andando ou de ônibus?", meu pai me perguntou, para minha surpresa. Pensei que ele quisesse se livrar daquilo o mais depressa possível.

"Andando", respondi sem titubear, e fomos na direção de onde ficavam as lojas.

No caminho, fomos passando por fileiras infindáveis de casas idênticas, em ruas com bifurcações e entroncamentos que eram como os nervos e as veias que estudamos nas aulas de biologia, andando sem pressa sob o sol do verão. Em determinado ponto, alcançamos uma rua sem saída, mas que tinha um atalho que dava diretamente na High Street. Era um caminho espremido entre portas de entrega e vagas de garagem, e foi onde o meu pai parou e ficou olhando para o caminhãozinho estacionado na esquina.

"Humm, interessante", ele comentou.

Fiquei com a sensação de que estava falando sozinho, mas, decidida a manter as coisas num clima bom, escolhi ser educada e mostrar que estava escutando. "O que é interessante?"

"Esse é o caminhão do Jim Jameson", ele falou. "Achei que ele estivesse de folga no fim de semana. O que será que está fazendo aqui?" Meu pai se aproximou mais um pouco de mim antes de continuar. "Ele foi parado e interrogado enquanto fazia entregas essa semana, ao que parece. Parece que estão achando que o Estripador pode ser um caminhoneiro."

Isso me deixou em alerta máximo. "Quem está achando, a polícia?"

"É", ele falou, distraído, e então olhou para mim como se tivesse lembrado de repente que eu estava lá.

Desesperada por uma oportunidade para anotar a placa no meu caderno, eu sugeri: "Por que você não vai ver se ele está lá dentro e se está tudo bem?".

"É, vou mesmo. Me espere aqui."

Enquanto ele se aproximava do caminhão, dizendo "olá" em voz alta, anotei a placa às pressas. Nenhuma pessoa respondeu ao chamado dele, e não parecia haver ninguém por perto, então seguimos para as lojas. Meu pai parecia distraído, mas fiquei tão empolgada pela descoberta do próximo item da minha lista que, depois de comprarmos meu uniforme, aceitei o primeiro sapato feio e funcional que o meu pai sugeriu, para o alívio visível dele.

Mal cheguei em casa e saí de novo para contar a Sharon sobre Jim Jameson, o caminhão e a polícia, e para ver se ela topava colocar o nome dele na lista. No caminho, decidi passar no mercadinho do sr. Bashir e dar uma olhada nos jornais para ver se encontrava alguma coisa sobre essa teoria do caminhoneiro. A porta estava aberta, provavelmente para deixar entrar a brisa que soprava, e quando espiei lá dentro, com o caderno na mão, abri um sorriso ao ouvir a voz desafinada do sr. Bashir cantando "Saturday Night's Alright for Fighting" por detrás das prateleiras. Prestes a entrar, detive o passo de repente. "Shaz?" Sharon apareceu, vinda da porta dos fundos, a caminho da saída. Ela ficou paralisada.

"Ah, oi, eu só vim..."

"Brincar com o Ishtiaq?", terminei a frase para ela, vendo que se embananava com as palavras.

"Isso", ela murmurou, olhando para o chão. Seguindo seu olhar, reparei que ela estava usando suas melhores sandálias, a de tiras azul-bebê, normalmente reservadas para festas de aniversário e bailes na escola. Peguei um jornal, paguei e disse para Sharon: "Vejo você amanhã", com uma voz hesitante como a dela. Seguindo na direção de casa, me virei rapidinho e vi Sharon me observando, Ishtiaq um passo atrás dela, o rosto acima do seu ombro. Não parei nem para contar sobre Jim Jameson. Sempre tinha visto Sharon como uma parte de mim e, percebi de súbito que éramos pessoas diferentes, algo de que não gostei nem um pouco.

Sharon estava na minha porta logo cedo no dia seguinte.

"Sei que é domingo, e que vou ver você na igreja, mas eu queria vir aqui me explicar", ela falou.

"Não tem problema. Você não precisa se explicar por ter ido ver o Ishtiaq sem mim", respondi, me sentindo vermelha de vergonha por causa da minha reação no dia anterior. Era melhor Sharon não saber o quanto eu precisava dela.

"Tem problema, sim", ela retrucou, com convicção. "Eu vim ver você, mas não tinha ninguém, então fui até a casa do Ishtiaq." Os olhos dela buscaram os meus.

Eu assenti com um gesto lento, reconhecendo a possibilidade de que aquilo fosse verdade e a confirmação de que ela não preferia Ishtiaq a mim. Com isso, voltei a respirar aliviada.

"Quer saber qual é o próximo item da lista?", perguntei, pegando-a pelo braço para irmos juntas à igreja. O aceno que fez com a cabeça foi quase imperceptível, mas insisti mesmo assim, sacando meu caderno e contando sobre Jim Jameson e seu caminhão e ignorando a incômoda sensação de que o silêncio dela era uma indicação de que talvez seu interesse pela lista estivesse se esvaindo.

5. O caminhoneiro
    - Ele é de Tyneside
    - Ele dirige um caminhão
    - Ele foi parado pela polícia
    - Até o meu pai parece estar preocupado com ele

# 18

## MIV

"Eu falei para o Jim Jameson que nós vimos o caminhão dele", meu pai comentou mais tarde naquela semana durante o jantar, apontando com o queixo para mim. "Falei que era melhor estacionar em um lugar menos movimentado, se é para passar o tempo todo lá dentro."

Apesar de não saber ao certo o que tinha mudado desde que saí para fazer aquelas compras com ele, era nítido que alguma coisa havia acontecido. Meu pai começou a me tratar mais como se eu fosse uma adulta.

"Como assim, ele está morando no caminhão?", perguntei, incapaz de esconder o interesse.

Ao ouvir isso, a tia Jean quase engasgou. "Por que ele faria uma coisa dessas? Quer dizer, eu admiro quem pega no batente, e Deus é testemunha de que não existem bons trabalhadores hoje em dia, mas é isso mesmo?"

"Pois é, pois é", meu pai respondeu, balançando a cabeça, perplexo. "Pelo que eu sei, ele foi chutado para fora de casa pela mulher. Ele disse que é temporário, então falei que era melhor estacionar na viela perto da Wilberforce Street, em vez daquela rua lá."

Isso só fez o meu interesse crescer ainda mais. A Wilberforce Street era onde Arthur morava.

O que começou como um dia frio e ensolarado acabou virando uma tarde de calor quando fomos até a Wilberforce Street no sábado seguinte, com nossos cardigãs amarrados na cintura.

"Ah, está quente como em 1976", comentei, em uma imitação da tia Jean que fez Sharon dar risada e responder: "Existe calor e existe *calor*".

Todos os adultos que conhecíamos mencionavam o verão de 1976 como a referência para qualquer dia de clima quente, e ficavam comentando a respeito sem parar. Isso virou uma piada interna entre nós.

Ao chegarmos, Arthur estava no quintal com seus pombos. Enquanto atravessávamos o caminho até lá, gritamos nossos cumprimentos para ele, que ergueu os olhos para nós e sorriu.

"Ora, ora, ora. Veja só quem é."

Nossa visita teve o clima amigável de costume. Arthur mostrou as mais recentes adições a seus canteiros de flores, conversamos com os pombos e ele contou sobre seus filhos e netos. Ele tinha dois filhos, que "moravam fora" — ou seja, que tinham se mudado de Yorkshire —, e uma filha recém-casada, que quase nunca via.

"É por causa daquele marido dela. Um traste", ele comentou, apontando para uma foto de casamento sobre a mesinha de canto perto da porta da cozinha. O retrato mostrava um homem alto e bonito com uma cabeleira cacheada ao lado de uma mulher miudinha, quase uma menina, com um chapelão que praticamente cobria o seu rosto. Pelo pouco que consegui ver, ela me pareceu um tanto familiar.

"Esses são eles?", perguntei.

"São", disse Arthur, com uma expressão magoada.

Quando fomos embora, prometendo voltar em breve, nossa ideia era percorrer as ruas dos arredores procurando o caminhão de Jim Jameson, na esperança de dar uma olhada no sujeito. Enquanto andávamos, eu tinha acabado de abrir o caderno para verificar o número da placa quando ouvi Sharon dizer: "Oi, moça".

Eu ergui os olhos e vi a sra. Andrews, a bibliotecária.

"Olá, meninas", ela respondeu com um sorriso.

# 19

## HELEN

Ela continuou sorrindo mesmo depois de ter passado pelas meninas. A expressão séria das duas — Sharon olhando ao redor, sempre atenta, e Miv toda concentrada em um caderno — a fez lembrar de si mesma naquela idade: intensa e fanática por livros. Ficou contente pelas duas, por terem a companhia uma da outra. Helen era a única menina da casa, e tinha dificuldade de fazer amigos na época de escola, sempre muito grata quando alguém demonstrava qualquer interesse nela, o que acabou virando um problema.

Respirou fundo quando se aproximou da casa, e se perguntou por um instante se deveria usar a própria chave ou bater na porta. Fazia tanto tempo que não ia até lá que se sentia uma visita. No fim, usou a chave — sabia que, se não fizesse isso, seu pai ficaria incomodado e magoado. Ele estava lavando a louça na cozinha, e se virou na direção da porta ao ouvi-la entrando com uma expressão de alegria estampada no rosto que a fez se sentir mal de tanta culpa. Ela precisou se esforçar para parecer casual, como se sua visita fosse algo frequente e cotidiano.

Na verdade, ela percebeu com um sobressalto horrorizado, que não ia lá desde após o funeral, quando pareceu que a cidade inteira e até a cidade vizinha estavam espremidas na sua casa de infância para prestar condolências. Os cômodos estavam todos apinhados, assim como o quintal, além de uma fila de gente com os sapatos enlameados na soleira que sua mãe passava tanto tempo limpando e esfregando. Seu pai recebia todos na sala de estar, contava histórias e fazia o papel de bom anfitrião, como de costume, mas, assim que todos se foram, ele afundou no sofá e o peso da perda recaiu de uma vez. Ele pareceu até diminuir de tamanho naquele momento. O homem enérgico e cheio de vida que ela conhecia de repente lhe pareceu um velho.

Logo em seguida, Gary apareceu ao seu lado, ansioso para ir embora de uma vez. Ela tentou mostrar para ele que precisava ficar mais um pouco para ajudar a pôr ordem na casa, mas ele argumentou que era hora dos irmãos dela "assumirem a bronca", segundo suas palavras, e que Helen não podia continuar fazendo tudo pelo pai agora que era uma mulher casada.

"Oi, pai. Só vim ver como você está."

Ela havia decidido que esperaria que ele tocasse no assunto sobre o que aconteceu no ferro-velho, em vez de perguntar.

"Eu até que vou bem. Sem nenhuma notícia para dar", ele falou, se virando para a pia e colocando a água para esquentar. "Muito bem, vou fazer um chá. Que tal uns biscoitos?"

Ele se ocupou com o chá, e Helen se acomodou em uma poltrona, se recusando a sentar no sofá, o espaço que sua mãe ocupava e que ainda guardava seus contornos no estofado desgastado. Não suportava olhar para a sala e ver a camada grossa de poeira acumulada em todas as superfícies ornamentadas. Então, voltou a atenção para as fotografias ao seu lado, evitando o retrato do seu casamento. Em nenhum momento se sentiu muito à vontade com aquele chapelão — queria usar um véu mais tradicional —, mas Gary a convenceu de que ficaria bem com aquilo. Ele era bom nisso. Em convencer as pessoas.

Ela se lembrou do dia em que o conheceu. Ambos frequentavam a faculdade local, ele para aprender sobre sistemas de encanamento, e ela para se qualificar para entrar numa universidade. Gary estava encostado em um muro fumando quando ela passou para ir buscar o almoço. Achou que ele parecia um James Dean e, quando ele apagou o cigarro e a alcançou, vindo caminhar ao seu lado e fazendo todas as perguntas possíveis sobre sua vida, ela se sentiu interessante e atraente como nunca antes. Quando chegou à cantina com ele, todas as garotas ficaram loucas de inveja.

No lugar daquela, pegou uma foto mais antiga, limpando com a mão o véu de poeira sobre a imagem. Ela sorriu, lembrando do dia em que foi tirada, e passou o dedo no contorno da menina que um dia tinha sido. Foi no fim do seu primeiro ano de liceu. Ela usava seu uniforme azul-marinho, grande demais para seu corpo mesmo depois de anos de uso, em que parecia perdida no meio de tanta roupa. Ela não lembrava se "logo ficou no tamanho certo", como sua mãe garantiu que ia acontecer quando se recusou a pagar por um uniforme que só lhe serviria durante um ano escolar, na melhor das hipóteses. Helen estava mostrando orgulhosamente a faixa azul brilhante que havia conquistado por ser a primeira da sala em inglês. Tinha ganhado uma de matemática também, mas a azul foi a que a deixou transbordando de emoção. Seus irmãos riram dela, chamando-a de "crânio", mas seu pai os repreendeu dando uns petelecos na orelha dos dois.

Helen queria ser professora nessa época. Parecia o tipo de coisa que uma garota como ela poderia fazer. Ela teve que tossir para esconder a onda de sentimentos que a invadiu. Suas ambições, que nunca foram muitas, tinham definhado até desaparecer dentro dela. Talvez a biblioteca pudesse ser uma chance para fazê-las crescer um pouco mais de novo.

Ela foi ver o pai e o encontrou na cozinha, com os ombros caídos e a cabeça abaixada enquanto fazia o chá. Ele também estava encolhendo.

"Pai. Quando você ia me contar sobre o ferro-velho dos Howden? E sobre o ataque?"

Ele se virou para olhá-la de novo, com uma velocidade incompatível com a idade, que só foi denunciada pelo rosto pálido, cinzento e enrugado.

"Foi o Omar do mercadinho da esquina que me contou", ela continuou, "e, antes que você diga qualquer coisa, ele estava preocupado com você."

"Ahhh", ele disse, como se tivesse acabado de encontrar a solução para uma questão confusa. "Então foi ele que deixou a comida."

"Não foi só ele que ficou preocupado." Ela respirou fundo. "Gary mandou lembranças." Ela tentou se preparar para uma explosão de temperamento relacionada ao marido, mas Arthur se limitou a um grunhido.

"E você, como está, querida?"

A mudança de assuntou foi tão óbvia que ela quase deu risada, mas decidiu deixar passar. "Estou ótima, pai. Na biblioteca está indo tudo bem, e eu vivo ocupada... você sabe como é", respondeu, esperando que ele entendesse que era um pedido de desculpas por não se fazer mais presente.

"Venha ver o jardim", ele chamou.

Arthur lhe mostrou as plantas mais recentes do seu jardim impecável e, apesar de admirar o que via, Helen estava enredada em um emaranhado de pensamentos confusos como um matagal. Alternava entre o desejo de ter uma conversa sincera com o pai — sobre o luto, sobre o ataque no ferro-velho, sobre Gary — e a consciência de que isso não era possível, porque se o fizessem precisariam encarar a realidade e tomar uma atitude.

Enquanto se preparava para ir embora, seu pai a pegou pela mão, e Helen ficou tensa quando ele tocou a parte dolorida e machucada de seu pulso. Torceu para que ele não tivesse percebido ela se encolher de dor.

"Volte sempre, querida. É sempre bom ver você."

Ela mal havia saído pela porta quando ele a chamou de novo, com um senso de urgência que a fez se virar para olhá-lo.

"Você pode ligar e deixar o telefone tocar três vezes, querida, só para eu saber que chegou bem?"

"Pai, ainda é plena luz dia", ela falou, sorrindo para ele.

"Eu sei, eu sei", Arthur respondeu. "Mas esse homem, ele está ficando cada vez mais abusado, não se importa com o horário, e nem com quem está mexendo... eu só quero que você fique segura."

Ela poderia chorar pela ironia da situação, mas só assentiu.

"Pode deixar, pai."

Helen olhou no relógio quando saiu, e começou a correr ao perceber do quanto a visita havia sido demorada. Gary tinha ido ao estádio do Leeds ver o jogo com um amigo e, embora só fosse chegar mais tarde, ela ainda precisava fazer um monte de coisas, entre elas garantir que o jantar estivesse pronto quando ele pusesse os pés em casa. Ele não se incomodaria com o fato de ela ter ido ver o pai, disso estava certa. A única questão era que seu marido não queria que ela acabasse se doando demais. Principalmente agora, que estava trabalhando fora também. Gary só estava cuidando dela, certo? Era isso o que ele sempre dizia. E era nisso que ela escolheria acreditar.

## 20

### MIV

Assim que vi aquele caminhão velho estacionado, quase soltei um berro. Me esforçando para não fazer isso, cutuquei Sharon de leve e apontei. Ela seguiu o meu olhar antes de virar de novo para mim, aos risos.

"Que foi?", questionei, me sentindo afrontada.

"É você, fingindo que não está toda empolgada como sei que está."

Eu queria parecer indignada, mas não consegui conter o sorriso.

"E então, vamos lá dar uma olhada?", ela acrescentou, revirando os olhos, e o meu sorriso se alargou ainda mais. A Wilberforce Street tinha uma paisagem mais do que conhecida com suas fileiras de casas geminadas, idêntica à de tantas outras ruas da nossa cidade. A única diferença entre essa rua e a minha era que as casas aqui foram construídas originalmente para os funcionários da administração da tecelagem, e por isso eram maiores e contavam até com jardim. A viela no fim da rua antes funcionava como acesso para outra que tinha sido demolida fazia tempo, reconstruída com casas mais modernas, que pareciam cinzentas caixas iguais enfileiradas. Essa passagem era agora um beco sem saída em estado de abandono, cheia de musgo e ervas daninhas, e as casas naquela ponta da rua eram quase todas desabitadas — com portas e janelas cobertas com tábuas e caindo aos pedaços —, o que significava que um caminhão relativamente pequeno poderia estacionar ali sem maiores problemas.

Quando chegamos mais perto, deu para ouvir o som de um rádio tocando "Don't Give Up on Us Baby", do David Soul, pela janela aberta, e instintivamente diminuímos o passo. Mas a pessoa lá dentro já tinha nos visto pelo retrovisor lateral, e a porta da boleia foi aberta. Um homem baixo com cabelos castanho-claros e um rosto redondo apareceu. Sua aparência era quase a de um duende, com bochechas rosadas e um sorriso largo. Apesar de não ter os cabelos escuros, notei que usava bigode, e mudar a cor dos cabelos era bem fácil.

"Posso ajudar?" Os tons bruscos, mas melódicos, do seu sotaque pros lados de Tyneside confirmaram que aquele era mesmo Jim Jameson. Eu já vinha pensando em como lidar com aquela situação e, para a surpresa de Sharon, antes que ela pudesse dizer uma palavra, respondi, cheia de confiança: "Você trabalha com Austin, meu pai, lá no depósito de cargas, né?".

Ele ficou olhando para nós, a testa franzida, mas sua expressão era amigável.

"Ah, sim, conheço Austin."

"Bom, nós, hã, só queríamos saber se está tudo bem", falei. Ouvi Sharon segurar uma risadinha ao meu lado; minha encenação não chegava aos pés das dela.

"Ah, sim, tudo bem", ele falou, enrugando ainda mais a testa.

"Então tá."

Depois de uma breve e constrangedora pausa, nós fomos embora. Quando virei a cabeça para trás, Jim Jameson nos observava com uma expressão ainda perplexa no rosto.

"Não é ele", falei, com firmeza.

Sharon me lançou um olhar de lado desconfiado. "Como é que você sabe?"

"Ele é... sei lá... normal demais?", tentei.

Sharon deteve o passo e se virou para me encarar. "Mas pode ser que o Estripador pareça normal e tudo o mais. Quer dizer, deve parecer, ou então já teria sido pego."

Parei de andar também e fiquei pensando a respeito, me perguntando se ela estaria certa. Se saberíamos mesmo identificá-lo ou se ele pareceria demais com alguém como nós.

"Isso não é justo. Não é justo não ter como saber", eu falei, surpreendida pela fúria que cresceu dentro de mim. A minha vontade era de chorar e espernear. "Como vamos ficar seguras assim?"

Mais tarde naquela semana, meu pai chegou em casa uma noite enquanto eu lia no meu quarto e me chamou para descer com uma cara bem séria. "Você e a Sharon foram ver o Jim Jameson?", ele questionou, claramente já sabendo a resposta.

"Bom, nós estávamos andando por lá e vimos ele." Eu precisava encontrar uma justificativa para encobrir o que realmente estávamos fazendo. "O Arthur mora lá naquela rua."

"Bom, eu não quero que você vá até lá de novo." Ele continuava sério. Apesar de seu tom de voz deixar bem claro que era uma decisão irrevogável, eu não consegui deixar de perguntar: "Por que não?".

Ele soltou um suspiro. "Escuta só, querida, a polícia apareceu de novo perguntando sobre ele. Eu só acho que é melhor você manter distância."

Fiquei dividida entre a decepção de ter a minha investigação barrada e o inesperado sentimento de alegria por me sentir notada e cuidada. Foi só mais tarde que me ocorreu que isso poderia significar que estávamos seguindo uma pista quente.

No noticiário, a fita ainda era constantemente reproduzida. Eu escutava com toda a atenção para tentar identificar qualquer indício de semelhança com a voz de Jim Jameson. Não conversamos com ele o suficiente para ter certeza, mas a voz na fita parecia mais monótona e mais grave do que a do homem que conhecemos. Eu não sabia nem se o sotaque era o mesmo.

A primeira vez que percebi que sotaques existiam foi quando fizemos uma excursão com a escola para o distrito de Peak e dormimos em um albergue da juventude. Umas meninas de outro colégio ficaram imitando o nosso modo de falar e tirando sarro de mim. Aquelas imitações faziam parecer que nós falávamos como um bando de gente chucra e burra, e foi assim que aprendi que tenho sotaque de Yorkshire. Fiquei me perguntando como Jim Jameson devia estar se sentindo por ter o seu sotaque associado para sempre ao Estripador.

O primeiro comentário de Sharon ao ficar sabendo dessa conversa com meu pai me surpreendeu. "E então, quando nós vamos voltar?"

Não foi a primeira vez que eu desconfiei que a fama de Sharon de ser a "boazinha" da nossa dupla era mais por causa dos olhos azuis e da carinha de inocente dela do que por causa do seu comportamento.

No caminho para a Wilberforce Street no dia seguinte, cruzamos com Reece Carlton encostado no poste da placa onde ficava a loja do sr. Bashir. Nós não o víamos desde o incidente na piscina e sua suspensão da escola. Ele estava cutucando as costelas de uma outra figura conhecida, um sujeito mais alto e mais velho, com o gorro amarelo torto na cabeça e que não olhava ninguém nos olhos. Desde quando o homem de macacão andava com garotos de colégio?

Por algum motivo, Reece parecia mais velho na companhia de um adulto. Seu rosto estava mais encovado que o habitual, e suas olheiras tinham manchas tão escuras que quase pareciam hematomas. Isso o fazia parecer mais interessante e bonito, apesar de mais cruel também. Ele lançou para mim um olhar desdenhoso quando passamos e se fixou em Sharon, que eu senti que fervilhava por dentro ao meu lado. Ele fungou.

"Não está indo ver o seu namoradinho paki?", ele resmungou, apontando com o queixo para o mercadinho.

O homem de macacão ficou em silêncio, seu rosto inexpressivo.

Puxei Sharon pelo braço imediatamente, forçando-a a continuar andando, sentindo seu corpo tremer de raiva.

"Não cai nesse tipo de provocação", eu falei, mantendo o tom de voz bem baixo para eles não me ouvirem. "Não vale a pena."

Ela continuou em silêncio, e sua respiração foi se estabilizando no restante do caminho.

Quando chegamos à Wilberforce Street, para nossa decepção, vimos que o caminhão não estava lá. Sem muitas expectativas, começamos a procurar por pistas pelo beco, mas havia tanto lixo que era difícil distinguir alguma coisa que pudesse ser do nosso interesse.

Estávamos quase desistindo e indo para a casa de Arthur quando o caminhão entrou no beco com Jim Jameson ao volante. Paramos e ficamos observando de um jeito nada discreto enquanto ele estacionava e descia da boleia. Estava com um curativo na testa, o nariz inchado e torto e fez uma careta quando alcançou o chão, suas bochechas antes rosadas agora pálidas e cinzentas.

"Você está bem?", Sharon perguntou.

Uma coisa chamou minha atenção na lateral do caminhão: as palavras O *Istripador teve aqui* pichadas com tinta spray vermelha. A imagem do sr. Bashir limpando manchas vermelhas na parede do mercadinho me veio à mente. E dos garotos parados na esquina.

Jim Jameson soltou um grunhido. "O que você acha?", ele retrucou, fazendo outra careta. Mas, ao nos ver mais de perto, abriu um leve sorriso. "Ah, são vocês duas."

Observei seu rosto, e aqueles olhos cheios de brilho e simpatia. Um monstro poderia mesmo ter uma aparência assim? Tomei uma decisão no calor do momento. "Nós podemos ajudar? Está precisando de alguma coisa?", perguntei enquanto Sharon me cutucava nas costelas. Eu me afastei um pouco dela.

"Não", ele respondeu, com uma expressão amargurada. "E é melhor você não vir mais aqui. O seu pai não vai ficar muito feliz, não."

"Por que não?"

O corpo dele pareceu murchar, o que o fez parecer triste e cansado.

"O pessoal lá do trabalho, eles acham que eu fiz uma coisa", ele contou. "Uma coisa horrível." Os olhos dele começaram a se encher de lágrimas, e senti um nó na garganta. Os homens não choravam. Aquilo estava muito errado. Logo em seguida, ele pareceu se controlar, e, com uma risada de quem parecia não estar achando a menor graça, falou quase para si mesmo: "E o pior é que eu não faria mal nem a uma mosca". Ele se perdeu nos próprios pensamentos por um momento, e então voltou a se concentrar em nós. "Enfim, é melhor vocês irem. Eu vou ficar bem."

Fomos embora com muita relutância, curiosas para saber de onde vieram aqueles machucados.

Descobri alguns dias depois, quando o meu pai chegou em casa com Jim Jameson a tiracolo e perguntou para a tia Jean se tinha mais um lugar na mesa para o jantar. Fiquei tensa quando ela torceu o nariz, mas, por fim, concordou com a intrusão com um aceno discreto de cabeça. O curativo tinha sido removido da testa de Jim, revelando um corte enorme e um hematoma. O inchaço no nariz havia diminuído, mas os olhos estavam inchados e fundos, o que fazia seu rosto parecer o de uma caveira. Ele sorriu e deu uma piscadinha para mim quando meu pai e a tia Jean não estavam olhando. Fiquei torcendo para que isso fosse um jeito de dizer que ele não tinha contado que fomos vê-lo de novo. Eu estava certa em confiar nele. Jim não abriu a boca sobre isso.

O jantar foi um evento animado. Nós quase nunca recebíamos alguém de fora da família em casa, e parecia que tínhamos virado pessoas diferentes. Foi como ver uma daquelas famílias da tevê. Até a tia Jean sorriu e deu risada algumas vezes, um som que chegou a me assustar de tão raro que era. De alguma forma, Jim Jameson conseguiu conquistar a simpatia dela. Ele era conversador e bem-humorado, e isso pareceu levantar o ânimo do meu pai também. A tia Jean caprichou e fez até batata frita, depois nos surpreendeu com um crumble de sobremesa.

"Fique à vontade, pode comer mais", ela falou, depois de ter servido para Jim um prato cheio de doce, com a colher na mão pronta para servir mais, enquanto o prato dela tinha um bocadinho de nada. "Para você se manter forte", ela complementou, usando uma frase que costumava repetir para meu pai. Eu achava curioso que eram os homens que recebiam esse tipo de incentivo para serem fortes, porque, segundo os jornais, eram as mulheres que estavam em perigo. Também peguei uma colherada extra de crumble quando ela não estava olhando.

Fiquei sabendo que Jim tinha dois filhos, ambos meninos. E que ele e a esposa haviam se separado, e que era por isso que ele estava morando no caminhão, mas ele achava que voltaria para casa em breve, se ela deixasse. Fui percebendo que Jim Jameson era capaz de ver o lado positivo de qualquer coisa, por pior que parecesse. Quando a tia Jean e eu começamos a limpar a mesa, a conversa entre meu pai e Jim assumiu um tom mais baixo e mais sério.

"Mais uma vez, não sei nem dizer o quanto eu sinto muito, Jim", meu pai falou.

"Ah, não se preocupa. Agora já foi, e você não tem culpa nenhuma, meu chapa."

"Não tenho, mas também não fiz nada para impedir. E deveria, porque eles jamais poderiam..."

"Olha só, não aconteceu nada... quer dizer, nada além disso", Jim interrompeu, sorrindo e apontando para o próprio nariz.

"Você é mais compreensivo do que eu seria."

"Ah, é que no fim eu me considero um sujeito de sorte, levando tudo em conta." A voz de Jim ficou um pouco trêmula. "Quer dizer, tudo bem a polícia querer fechar o cerco por todo lado. Prefiro isso do que eles não fazerem nada. Só não queria que todo mundo soubesse que me prenderam."

Ele fez uma pausa, e os dois deram um gole de chá.

"Ah, eu contei que a minha carta veio assinada pelo governador George Oldfield em pessoa?" Jim tirou um envelope do bolso e, com um floreio, desdobrou o papel de dentro para meu pai ler, como se tivesse pegado o autógrafo de uma pessoa famosa.

"Você deve ter ficado bem aliviado quando recebeu isso", meu pai comentou, devolvendo a carta depois de ler.

"Ah, sim, meu chapa. Com certeza vão me parar de novo enquanto tudo não tiver acabado, e posso mostrar isso para eles. Só espero que peguem logo o maldito. É a primeira vez na vida que fiquei contente por ter esses pés enormes." Jim deu risada. "E isso pode valer alguma coisa algum dia", ele complementou, balançando a carta no ar, como Charlie quando encontrou o Bilhete Dourado para visitar a fábrica de chocolate.

Na hora de ir embora, ele fez um carinho no meu queixo. "Até mais ver, mocinha", ele falou com um aceno de cabeça.

Meu pai me contou mais tarde que, como numa paródia macabra e às avessas da história da Cinderela, o que livrou Jim Jameson de ser considerado um suspeito foram as suas botas de trabalho, grandes demais para as pegadas encontradas no local onde Josephine Whitaker tinha sido assassinada.

Isso só aconteceu depois que ele já tinha levado uma surra dos colegas de trabalho, mas rendeu a Jim Jameson uma carta de George Oldfield confirmando que ele não era mais uma "pessoa de interesse". Fiquei sentada no sofá de olhos arregalados enquanto meu pai explicava tudo isso para mim e para a tia Jean. Eu e ele também jogamos dominó depois que Jim foi embora. Eu queria que a minha vida pudesse ser sempre assim.

Só que a minha mãe voltou no dia seguinte, e o silêncio se instalou de novo.

# 21

MIV

NÚMERO SEIS

Demorei um pouco mais do que de costume para ficar pronta para o primeiro dia de aula. Eu tinha roupas novas para usar, e resolvi fazer um esforço extra em relação à minha aparência, uma decisão que não tinha nada a ver com uma fofoca que chegou até nós pela tia Jean por meio das conversas entre as mulheres ao pé dos varais — uma linha direta bem mais eficaz que o telefone — de que Paul Ware passaria a estudar na nossa escola.

"Eles não têm mais dinheiro para pagar escolas grã-finas", a tia Jean tinha comentado na noite anterior, e não sei ao certo se ela se dirigia a mim ou a minha mãe, que havia reassumido seu lugar na poltrona, onde ficava em silêncio, olhando para o nada. O rádio tocava baixinho no aparador ao seu lado, e eu consegui discernir a melodia de "Don't Cry for Me Argentina", de Julie Covington, uma das músicas favoritas dela. Fiquei me perguntando se ela conseguia escutar, onde quer que estivesse, e se estava cantando junto, como fazia. Quase consegui vê-la como era antes, circulando pela casa, gesticulando sem parar enquanto acompanhava a letra, toda performática, com uma voz límpida e afinadíssima. As coisas nunca pareciam diferentes depois de um de seus períodos de descanso, e eu não entendia qual era o objetivo daquilo.

"Agora que estão se divorciando", complementou a tia Jean, o que atraiu a minha atenção de volta para a conversa. A notícia sobre Hazel e o sr. Ware não era inesperada, mesmo assim provocou certo choque, e eu só conseguia pensar em Paul. As palavras da tia Jean vieram acompanhadas de várias bufadas, já que "divórcio" e "escolas grã-finas" estavam na lista de coisas que ela desaprovava.

Enquanto me olhava no espelho naquela manhã, coloquei uma presilha de borboleta de plástico nos meus cabelos recém-lavados, que tinham crescido do estilo tigelinha para algo mais parecido com um chanel, e belisquei as minhas bochechas pálidas. Minha confiança diminuiu um pouquinho quando vi Sharon me esperando no final da rua dela, com seus cabelos loiros cada vez mais compridos presos em um rabo de cavalo, os cachos descendo pelas costas. Ela havia começado a pentear a franja repartida ao meio e a fixá-la com spray até ficar tão dura que nem se mexia, como uma das Panteras do seriado de tevê. Quando cheguei mais perto, notei que os lábios dela pareciam estar brilhando. Era como se estivessem cobertos com o glitter que usávamos para colar nos nossos desenhos poucos meses antes, e isso chamou a minha atenção. "O que você passou na boca?", perguntei. "É um daqueles brilhos labiais?"

A última moda eram os brilhos labiais roll-on com sabor de framboesa, morango ou cereja, que ficavam no balcão do mercadinho do sr. Bashir. Ela fez que sim com a cabeça. "A minha mãe me deixou comprar um." Senti uma onda de inveja se espalhar lentamente dentro de mim. Do bolso da mochila da escola, Sharon tirou o cilindro transparente com uma estampa cor-de-rosa do brilho labial e o estendeu para mim.

"Eu trouxe para você poder usar também."

Toda a inveja desapareceu enquanto eu abria a tampa e passava o brilho labial gosmento com sabor de morango sem a menor cerimônia. Fizemos biquinho uma para a outra e depois caímos no riso. Qualquer coisa parecia possível com o meu novo sutiã e brilho labial.

No caminho de volta para casa, o dia tomou um rumo mais sinistro. Estávamos indo sem pressa, com Sharon andando de costas para me demonstrar como tinha sido o gol da vitória que ela marcou no netbol, quando eu vi a manchete no jornal exposto em frente ao mercadinho do sr. Bashir e fiquei paralisada.

"O que foi?", Sharon perguntou, seguindo meu olhar transfixado para as palavras impressas em letras garrafais: O ESTRIPADOR ATACA NOVAMENTE.

Sem dizer nada, nós demos as mãos como crianças pequenas, para reafirmar a nossa união e tirar forças disso. Tudo pareceu ficar desbotado e sem vida, como se alguém tivesse removido todas as cores do mundo. Aquele mês de setembro havia chegado trazendo frio e vento, e fiquei observando enquanto um pacote de salgadinho azul era soprado pela rua, girando em meio a uma nuvem de poeira cinzenta que grudou na minha garganta.

Entramos com um ar solene no mercadinho para comprar o jornal. O sr. Bashir pareceu sentir a atmosfera carregada e só nos cumprimentou com um aceno de cabeça, sem o seu sorriso habitual.

Já havia quatro mulheres ao redor das prateleiras onde ficavam os jornais, e Valerie Lockwood, da rua de cima, estava debruçada sobre o *Yorkshire Chronicle*. "'Barbara Leach, de vinte anos, foi confirmada como a décima primeira vítima do famoso Estripador de Yorkshire'", ela leu em voz alta para sua plateia. "'Foram 159 dias desde o ataque anterior. Ela era estudante universitária, e foi assassinada em Bradford. No que se tornou a marca registrada dos ataques do Estripador, ela foi golpeada na parte de trás da cabeça com um martelo e depois esfaqueada. O corpo foi desovado atrás de um muro onde geralmente ficam caçambas de lixo, coberto com um pedaço de tapete velho.'"

Ao ouvir isso, uma das mulheres soltou um ofego assustado, enquanto outra levou a mão à boca e uma terceira balançou a cabeça vigorosamente.

"Não era nem uma prostituta", Valerie comentou, com a voz trêmula de raiva.

Uma de suas amigas nos viu e a cutucou. Valerie dobrou o jornal e o enfiou debaixo do braço coberto pelo casaco marrom. "Vou levar um para o Brian... ele gosta de ficar atualizado", ela falou, apontando com o queixo para a porta. Instintivamente nos viramos naquela direção e vimos a figura familiar do homem de macacão do outro lado da rua, observando o mercadinho. Senti um calafrio de desconforto. Valerie pagou pelo jornal e saiu, seguida pelas outras, e eu peguei um exemplar para mim. O sr. Bashir balançou a cabeça, olhando para a fotografia de Barbara na primeira página enquanto passava a compra na registradora.

A imagem mostrava uma mulher sorridente de cabelos curtos, usando uma boina de tweed. Parecia uma das estudantes sempre na moda que às vezes víamos saindo da faculdade de belas artes local, que minha mãe também frequentou para estudar música, embora eu não conseguisse visualizar isso hoje em dia. Barbara era o tipo de pessoa que eu gostaria de ser quando crescesse.

"Isso é muito injusto", comentou Sharon quando saímos do mercadinho, devorando cada palavra das páginas e páginas de cobertura do crime. "Ele jogou o corpo dela fora como se fosse lixo, mas não era. Ela era uma pessoa."

"Pois é", eu respondi, sem conseguir pensar em nada mais para dizer.

"Qual é o próximo item da lista, então?", ela perguntou sem hesitação. "Precisamos descobrir quem ele é. Não aguento mais isso."

Meu coração disparou quando percebi que ela poderia estar interessada de novo na lista, mas em seguida fiquei vermelha de vergonha. Como eu podia estar empolgada em um momento como aquele? Ela olhou bem para mim, seus olhos marejados e o rosto contorcido de angústia. "A polícia não está nem aí? Nem parece que estão fazendo alguma coisa."

Eu vinha me perguntando a mesma coisa. Os únicos policiais que eu tinha visto investigando o caso eram mais velhos que meu pai. Os que não estavam de uniforme usavam terno e falavam com jeito de grã-finos — e, ao que parecia, só uns com os outros praticamente. Era como se eles estivessem a milhares de quilômetros de nós, e ainda mais distantes das jovens que o Estripador estava assassinando. Eu me perguntava se essa distância significava alguma coisa, se isso impactava a importância que eles davam ao caso e a possibilidade de conseguirem pegá-lo.

"Vamos descobrir", respondi. "Podemos acompanhar a investigação da polícia, para ver o que eles estão deixando passar despercebido."

Durante o resto do caminho para casa, as ruas pareciam inquietas, como se a notícia tivesse penetrados o tijolo e a argamassa das estruturas da cidade. Os sussurros sobre o mais recente crime pareciam vir de toda parte ao nosso redor: as mulheres estavam reunidas em pequenos grupos na frente das casas, murmurando o nome dele, olhando ao redor como se pudesse aparecer a qualquer momento.

Quando eu entrei, a tia Jean estava me esperando sentada à mesa amarela de fórmica com uma caneca de chá. Não tinha nem tirado o casaco, o que só intensificou a perturbação que eu sentia no ar. A minha mãe não estava por perto, provavelmente estava lá em cima, na cama. A tia

Jean apontou com o queixo para o jornal na minha mão, e depois para a cadeira diante da sua, e eu sentei.

"Você já viu a notícia, então?", ela perguntou, parecendo quase aliviada por não precisar me explicar que outra mulher tinha sido assassinada.

Assenti.

Seus cachos grisalhos estavam rígidos e imóveis. "Acho que agora você tem idade para entender", ela disse, como se precisasse convencer a si mesma, "e acho que está na hora de conversarmos sobre você ficar um pouco mais esperta."

"Como assim?", perguntei, sentindo a garganta fechar.

"Bom, quando estiver na rua, precisa ficar atenta a qualquer homem desconhecido. Principalmente se for alguém que não é dessas bandas", a tia Jean falou. Parecia que ela estava com dificuldade em manter contato visual comigo, e eu não consegui entender por quê. "E talvez, à tarde, seja melhor você não vir sozinha para casa depois de escurecer", ela acrescentou. Houve um momento de silêncio, no qual eu fiquei em dúvida quem poderia ir me buscar ou me acompanhar até em casa, mas não perguntei nada. "Se tiver alguém atrás de você, atravesse a rua. E, se atravessarem também, saia correndo."

"Tá", respondi, com uma voz bem baixa e fininha, sem saber como me sentir em relação àquela situação.

"Muito bem, e o que você quer jantar?"

A combinação do temor inesperado da tia Jean com aquela pergunta, normalmente reservada apenas para meu aniversário, me fez cair no choro. Ela me deixou chorar sem fazer nenhum comentário enquanto tirava e pendurava o casaco e começava a mexer nas coisas dos armários da cozinha.

Mais tarde, quando meu pai chegou em casa, colocou um outro exemplar do jornal sobre o meu, na mesa. Depois que comemos, ele soltou um grunhido e perguntou: "A sua tia Jean avisou você para tomar mais cuidado?".

Eu assenti sem dizer nada.

Nós assistimos ao noticiário juntos e em silêncio.

Mais tarde naquela mesma semana em que Barbara Leach foi assassinada, o sol reapareceu por um tempinho, como uma provocação, um lembrete cruel de que o verão tinha acabado e as aulas haviam recomeçado. Também não parecia certo que o sol estivesse brilhando depois de outra mulher ser morta — a sensação era de que o céu deveria estar escuro e sombrio, para combinar com o clima na cidade.

A sra. Andrews estava atrás do balcão na biblioteca, abanando o rosto com um jornal e acenou para nós quando passamos, gesto que retribuímos. Decidimos usar a sala de leitura da biblioteca — que tinha as edições anteriores de todos os jornais nacionais e locais disponíveis de graça — para fazer o nosso levantamento das investigações policiais até então, mas nos arrependemos assim que entramos. O cheiro de falta de banho e fumaça de cigarro estava fortíssimo na sala pequena e abafada, e procuramos respirar só pela boca enquanto juntávamos exemplares do *Yorkshire Chronicle*, dos mais antigos aos mais recentes. Havia uma sensação cada vez maior de frustração a cada matéria publicada sobre a ausência de progressos na caçada ao Estripador desde que a fita foi divulgada. E nós também ficamos frustradas enquanto procurávamos os furos na investigação.

Foi então que li uma manchete que questionava: QUEM SÃO AS MULHERES QUE FAZEM PARTE DA VIDA DO ESTRIPADOR?

Levantei os olhos do jornal e o mostrei para Sharon.

"Talvez ele seja casado no fim das contas", sussurrei.

"Talvez seja melhor ficar de olho em uma mulher que esteja escondendo alguma coisa em vez de um homem. Ela pode estar acobertando o Estripador", ela cochichou de volta.

Saímos da biblioteca quando ainda era cedo. Ruby tinha começado a perguntar aonde Sharon ia e a que horas voltaria para casa. Nós achamos que era pelo mesmo motivo que eu havia recebido o alerta para tomar cuidado, mas Ruby não deu explicações. Quando me separei de Sharon para fazer o restante do caminho sozinha, lembrei das palavras da tia Jean e olhei muito bem em todas as direções enquanto andava pela rua, com os ouvidos atentos ao som de passos quando entrava em becos escuros.

Pensei nas mulheres que faziam parte da nossa vida. A não ser por Hazel Ware, todas pareciam ter a mesma vida monótona e trabalhosa, como se fossem uma espécie de pano de fundo do nosso cotidiano, sem nada que as destacasse ou fosse de interesse para nossa investigação. Era quase como se fossem de uma espécie diferente. Eu não conseguia imaginá-las tendo o mesmo tipo de vida interior secreta que eu, e que a esposa do Estripador também devia ter. Fiquei surpresa ao descobrir que me senti estranhamente triste a esse respeito. O que tínhamos a esperar quando crescêssemos?

Eu me perguntei se, olhando de fora, as mulheres da minha família poderiam parecer suspeitas. Ninguém tinha uma mãe que não falava, nem uma tia morando em casa. Balancei a cabeça para espantar esse pensamento antes que ficasse impregnado na minha mente, me recusando a seguir o raciocínio até sua conclusão lógica. Eu não queria voltar a minha atenção para minha família. Estava mais interessada na estranheza dos outros.

No dia seguinte, voltamos à biblioteca depois da escola. O dia estava bem mais frio, assim como o atendimento da sra. Andrews. Ao passarmos para ir à sala de leitura, ela mal nos olhou, e, pelo rosto pálido e as olheiras, parecia que não tinha dormido nada desde o dia anterior, quando a vimos pela última vez. Um olho estava quase roxo. Ela nem acenou para a gente. Sentamos no nosso lugar de sempre, e o olhar de Sharon era atraído o tempo todo para o balcão e a cara fechada da sra. Andrews. Não havia nenhuma novidade para a lista naquele dia, então logo fomos embora, mas antes de sairmos Sharon parou no balcão.

"Olá, sra. Andrews", ela disse, e eu voltei, surpresa. Não tinha a menor intenção de falar com ela, achando que ia querer ser deixada em paz. Era como se, em sua cabeça, a sra. Andrews estivesse em um lugar completamente diferente no tempo e espaço e, apesar da minha vontade de estender o braço e trazê-la de volta, por algum motivo eu sentia que era melhor ficar quieta.

"Sra. Andrews?", Sharon repetiu, por não ter recebido uma resposta.

A sra. Andrews estava de costas para nós, olhando para a parede. Pareceu sair do transe no segundo cumprimento e se virou para nós.

"Olá, meninas", ela falou numa voz fraca.

"Está tudo bem?", Sharon perguntou. "É só porque percebi que você parece meio fora de si." Ela olhou para mim ao dizer isso, e eu confirmei com a cabeça vigorosamente, entrando na dança. A sra. Andrews ficou vermelha, balançou a cabeça e disse: "Não, não, eu estou bem". Só que a expressão dela claramente mostrava o contrário.

"Então ok", disse Sharon, lançando um olhar significativo para mim, e nós fomos embora. Assim que pusemos os pés na rua, Sharon começou a argumentar que a sra. Andrews deveria ser incluída na lista.

"Lembra da reportagem que dizia que era para ficar de olho em mudanças de comportamento?", ela falou. "E daquilo que o policial disse, que ele devia ter uma família? Eu acho a sra. Andrews suspeita. Num dia está toda contente e falante, e no outro é como se não conhecesse a gente, além disso, ela está toda triste e, sei lá, maltratada. Você viu aquele olho? E se foi o marido dela? Com certeza ela está escondendo alguma coisa."

Essa era uma verdade impossível de negar. Incluí o nome da sra. Andrews na lista.

6. A bibliotecária
   - Mudanças de humor
   - Atitudes suspeitas
   - Possível olho roxo/hematomas
   - Ela está escondendo alguma coisa?

# 22

## OMAR

Omar abriu a porta e ficou parado sobre a soleira. Fechou os olhos, deixando o sol bater em seu rosto, e por um momento se permitiu acreditar que poderia estar em qualquer outro lugar.

O mais recente assassinato tinha exaurido as esperanças do povo da cidade. As pessoas mal tinham superado o anterior — o de Josephine Whitaker, e a preocupação e o falatório que se seguiram a sua morte, cada conversa e especulação no mercadinho sobre todos estarem em perigo agora —, e ele já atacava de novo. O terror estava se tornando uma constante. Uma parte da paisagem. Depois do choque inicial da notícia, Valerie e suas amigas haviam voltado, e ficaram conversando sobre o número de perfurações no corpo de Barbara como se falassem das cortinas encardidas de Marjorie Pearson.

Ele tinha acabado de se virar para entrar e reabastecer as prateleiras quando sentiu seu pescoço enrijecer em resposta a um grupo de vozes bem diferente e ameaçador. Omar sabia que, se olhasse para trás, veria os garotos de cabeça raspada do outro lado da rua, onde às vezes se reuniam para fumar e ficar encarando. Nunca estavam ao alcance para uma conversa nem cometiam nenhum vandalismo a olhos vistos, mas ficavam perto o suficiente para deixar Omar ciente de sua presença, para colocá-lo em estado de alerta.

Só que dessa vez eles *estavam* se aproximando, e o som das botas batendo de forma ritmada no chão dava mostras de sua agressividade. Omar se virou para ver onde eles estavam, e respirou fundo quando percebeu que Brian estava ensanduichado entre dois deles — o gorro amarelo o denunciava, ainda no topo de sua cabeça mesmo sendo um dia quente de setembro. Eles vinham pela calçada do outro lado da rua. Omar imediatamente reconheceu um deles como o garoto alto e magro que tinha derrubado seu balde mais ou menos um mês antes. Ishtiaq contou que o nome dele era Reece e que estudava na sua turma. O outro era claramente mais velho, mas tinha as mesmas feições de Reece — um irmão, talvez?

Omar observava em silêncio. Todos os seus instintos protetores estavam em alerta máxima, quase como se Brian fosse Ishtiaq, e não um jovem de vinte e três anos. Ele prestou bastante atenção em Brian, tentando descobrir se estava no meio deles por escolha própria ou coação. Brian olhava para baixo enquanto andava, seu rosto concentrado nas pedras do calçamento sob seus pés — o que não era incomum no seu caso —, mas alguma coisa ali não estava certa. Era como se eles o estivessem puxando com correntes invisíveis, e Brian se embaralhava um pouco atrás no gingado exagerado dos outros. Quando o mais velho dos garotos empurrou Brian com tanta força que ele quase caiu, a palavra saiu da boca de Omar antes mesmo que tivesse tempo de pensar no que estava fazendo.

"Ei!", ele gritou.

Eles detiveram o passo, claramente surpresos. O mais alto foi o que se recuperou primeiro.

"Ah, vai se foder", ele retrucou, aos risos, e olhou para Reece, que pareceu entender a deixa e começou a rir também. Brian continuava olhando para o chão.

"Deixem ele em paz."

Brian se virou na sua direção e, pela primeira vez, o olhar dos dois se encontrou brevemente. Em seguida ele abaixou a cabeça de novo, e as portas na rua começaram a se abrir, as pessoas espiando para ver o que era todo aquele barulho.

"Até mais, Brian", o garoto mais alto disse, e os dois o deixaram ali na calçada enquanto saíram andando como se fossem os donos da rua, parando só para cuspir na calçada.

Omar sentiu que começava a tremer. "Entre aqui", ele chamou, tentando falar da forma mais tranquila e natural possível, sentindo que era disso que Brian precisava. "A sua compra já está separada." Brian entrou com ele no mercadinho e pôs a mão no bolso para contar o dinheiro, e nesse momento Omar se virou para ele e pôs a mão em seu braço.

"Aqueles dois", ele disse, "o que eles queriam com você?"

Brian respondeu numa voz baixa. Hesitante. Omar precisou se esforçar para ouvi-lo.

"Eles querem que eu... que eu... ande com eles", foi sua resposta. "Para... fazer... coisas para eles."

"Eles não são pessoas boas, Brian." Omar tentou manter um tom firme, sem demonstrar sua raiva. "É melhor manter distância deles se puder."

Brian assentiu, e Omar percebeu que era inútil tentar afastar um homem sem nenhum amigo das únicas pessoas que mostravam interesse nele. Depois de entregar o jornal e os cigarros de Brian, e de recusar seu pagamento, Omar o viu sair da loja e ir na direção de casa. Talvez fosse bom conversar com Valerie. Avisá-la sobre aqueles garotos, caso ela ainda não soubesse. Assim teria certeza de que ela estava ciente de que estavam rondando Brian. Mas, e se Valerie pensasse que ele estava se metendo na sua vida? O pessoal de Yorkshire era especialista em fofocas, mas nunca abria a boca para falar da própria vida, por orgulho e uma determinação sem sentido de não demonstrar sentimento algum. Por um instante ele chegou a sorrir, imaginando o que suas tias fariam no seu lugar. Talvez elas tivessem razão. Talvez aquilo que ele antes considerava uma intromissão na verdade fosse uma tentativa de manter as pessoas em segurança. Talvez fosse essa a essência da vida em comunidade. Ele decidiu que conversaria com Valerie.

# 23

## MIV

Foi no dia seguinte na escola que revi Paul Ware, um dia em que, para minha tristeza, eu tinha esquecido de pegar emprestado o brilho labial de Sharon. Ele estava longe, do outro lado do corredor. Fiquei observando quando sua franja castanha comprida caiu sobre seus olhos e ele a soprou suavemente. Estava encostado na parede do lado de fora da sala de aula, provavelmente esperando para entrar, os braços e as pernas denunciando a ansiedade que, de alguma forma, eu conseguia captar por trás daquela tentativa de parecer tranquilo. Estava sozinho, cercado de gente bagunçando, os outros alunos ao seu redor sem dar a menor atenção a ele, como se fosse um objeto inanimado. Eu não conseguia parar de olhar para ele. Estava me sentindo como uma personagem das fotonovelas da revista *Jackie* que Sharon adorava, mas, em vez de "desmaiar" ao vê-lo, senti alguma coisa dentro de mim se revirar de incômodo por ele ainda não ter amigos. Até *eu* tinha uma — e até mais, se incluísse Ishtiaq, o sr. Bashir e Arthur.

Inclusive, eu vinha passando cada vez mais tempo com Ishtiaq na escola. No primeiro dia de aula, a srta. Stacey anunciou que naquele ano íamos ser separados de acordo com nosso desempenho. Ela falou para verificarmos as listas na parede para saber em que turma estávamos em inglês, matemática e ciências. Fiquei horrorizada ao ver que não faria mais essas aulas com Sharon, porque estava nas turmas avançadas.

"Mas isso é lógico", ela falou para mim, rindo da minha expressão de desânimo. "Você é muito mais inteligente que eu."

"Ah, sou?", perguntei, desconfortável com a ideia. Ela balançou a cabeça para mim, claramente sem entender a minha reação.

"É, sim, sua tonta. E nós vamos poder ficar juntas no intervalo e na aula de artes e essas coisas."

Entrei quase escondida na minha nova turma no primeiro dia, e ao espiar pela porta vi Ishtiaq indo com toda a confiança até a primeira fileira e sentando, o rosto voltado só para a frente, sem olhar ao redor para ver o que os outros estavam fazendo. Eu o segui e sentei ao seu lado, sentindo uma curiosa mistura de orgulho e medo por não ter esperado para ver o que os outros iriam pensar. Sentamos juntos e compartilhamos nossos livros, e, ao final da aula, Ishtiaq falou: "Quer ir lá em casa para fazermos a lição juntos?".

Nós estudamos na mesa da cozinha enquanto o sr. Bashir preparava o jantar e cantava "Bennie and the Jets" a plenos pulmões, até Ishtiaq interrompê-lo para dizer que precisávamos nos concentrar, e a cantoria virou um cantarolar, o que era tão distrativo quanto.

Ishtiaq parecia estar totalmente à vontade nas nossas novas turmas. Não parecia se importar que os outros pensassem que ele era um cê--dê-efe, e também nunca se gabou por isso. Percebi que muitas vezes ele passava o intervalo lendo, mas também podia jogar críquete se alguém o chamasse. Falava com meninos e meninas do mesmo jeito, e não se importava se era incluído ou excluído, o que por algum motivo o tornava ainda mais interessante aos olhos dos demais, mesmo daqueles que o xingaram.

Foi como se eu o estivesse vendo pela primeira vez.

Decidi tentar copiar algumas coisas do seu comportamento; acreditar que não era preciso ser como todo mundo para que as pessoas gostassem de mim. Estava me esforçando muito para não me importar se as poucas meninas das turmas avançadas queriam ser minhas amigas ou não. Isso foi bem útil porque não tinha muita gente interessada em fazer amizade comigo, e eu sempre sentava com Ishtiaq, de qualquer forma.

"Sorte a sua", Sharon falou, meio lamentosa, quando mencionei isso. "Eu ainda preciso aguentar Neil e Reece nas minhas aulas." Ela fez uma pausa. "Reece continua me enchendo o saco o tempo todo."

"Como assim, enchendo o saco?"

"Ah, você sabe. Num momento está rindo da minha cara e me xingando, e logo depois me chama para ficar com ele no intervalo. Mas eu sempre digo não."

Acenei com a cabeça como se soubesse como era isso, como se também precisasse dar o fora em garotos todos os dias. Percebi que a expressão de Sharon ficou mais séria.

"Eles me dão um pouco de medo, esses dois", ela comentou. "Eles são... brutos... sabe como é?"

Lembrei da última vez que tinha visto Neil e Reece, a testa deles sempre franzida em uma expressão agressiva. Essas caras fechadas viraram parte do visual deles quase como o nosso uniforme escolar de cada dia. Fiquei me perguntando o que tinha acontecido com aqueles meninos divertidos e brincalhões. O que poderia ter transformado a timidez de Reece em um silêncio hostil?

Eles me davam um pouco de medo também.

Esse medo se intensificou no sábado. Tínhamos ido à casa de Arthur e estávamos no jardim contando para ele sobre Jim Jameson e sobre nossos planos de ir fazer uma visita mais tarde. Fiquei surpresa ao ver o quanto a história pareceu o abalar. Seus olhos se encheram de lágrimas, e eu acrescentei às pressas: "Está tudo bem, Arthur. Ele já foi inocentado e tudo mais. Tem até uma carta".

"Sim, querida, eu sei. Não é isso", ele falou, sem me olhar nos olhos.

"O que foi, então? Qual é o problema?", perguntou Sharon quando as lágrimas ameaçaram escorrer pelo rosto dele.

"É que... Ele vivendo no caminhão desse jeito", Arthur tentou explicar, olhando para a nossa expressão confusa. "Não espero que vocês entendam. Sei que eu sou um velho com o coração mole. Mas ninguém deveria ficar tão sozinho assim na vida."

Na verdade, eu entendia, sim.

"Acho que vou com vocês quando forem até lá, se ele estiver estacionado no beco ainda", Arthur falou. "Oferecer um lugar para tomar banho, quando estiver precisando."

Nós três saímos não muito depois, andando mais devagar do que o normal, porque Arthur passou o tempo todo mostrando quem morava onde, e falando o nome de cada flor e pássaro no caminho. Sharon e eu fingíamos admirar um jardim da vizinhança quando percebi uma mudança na postura de Arthur, que de repente ficou paralisado e respirou fundo.

"O que foi, Arthur?" Sharon claramente tinha percebido também, e nós duas nos viramos para ele, que encarava um ponto fixo à distância. Ao olhar naquela direção, imediatamente reconhecemos Reece e Neil, junto com dois garotos mais velhos que não conhecíamos, mas que eram tão parecidos com Reece que, sem dúvida, eram da sua família.

"Não se preocupa com eles, Arthur", falei, com mais confiança do que sentia. "Nós sabemos quem são eles. São só, tipo, uns garotos lá da escola."

"Foram eles que apareceram lá no ferro-velho", ele falou de forma trêmula.

"Tem certeza?", perguntou Sharon, com uma expressão alarmada para mim. "Eles estão bem longe."

"Eu... eu acho que sim. Quer dizer, não dá para ter certeza, mas..." Ouvi a respiração dele se acelerar. "É melhor eu ir para casa", ele falou, então demos meia-volta e o acompanhamos até lá. Percebi que Sharon virava para trás toda hora para ficar de olho nos garotos. Talvez estivéssemos certas em sentir medo deles, se até Arthur, que era um adulto, também sentia.

No dia seguinte, decidimos voltar à Wilberforce Street depois da igreja para ver se Arthur estava bem. Para nossa surpresa, ele parecia ótimo, e estava dentro da casa, para variar um pouco, abrindo espaço na cozinha.

"Jim Jameson vai mudar para cá no fim de semana que vem", ele falou, para nossa indisfarçável perplexidade. "Acabei voltando lá, e nós tivemos uma boa conversa", ele acrescentou, se explicando. "E eu quero que ele se sinta em casa e tudo mais. Vocês poderiam me dar uma ajudinha, se não for pedir demais?"

Quando me virei para Sharon, vi que seus olhos brilhavam com a mesma intensidade que os meus.

Eu nunca tinha visto Arthur de tão bom humor. Fiquei no andar de baixo, espanando a poeira das toalhinhas desbotadas de seda que cobriam cada um dos móveis, enquanto Sharon foi para o quarto extra no andar de cima para colocar as coisas em caixas e guardar no depósito do quintal. Era um quarto arrumadinho e cor-de-rosa, com tudo combinando, em um contraste visível com o restante da casa e com o próprio Arthur.

"Era o quarto da nossa Helen. Ela era a caçula, e foi a última a sair de casa", ele contou, seus olhos marejados, como se já não tivéssemos ouvido aquilo uma centena de vezes. Helen era claramente sua favorita, e o marido dela, o menos querido entre todos os agregados da família.

"Ele nunca quer ficar com a família", Arthur sempre dizia, "e eu não me incomodaria com isso, desde que ele deixasse Helen ir aonde quisesse, mas ele também não gosta quando ela fica com a família. Quando a nossa Doreen se foi, ele não permitiu nem que ela fosse ao hospital se despedir." Toda vez que falava isso, os olhos dele se enchiam de lágrimas e fúria.

Eu estava prestes a me juntar a Arthur na cozinha para fazer um chá, quando ouvi Sharon me chamar lá de cima. Não dava para saber ao certo que tom de voz era aquele, mas ela parecia empolgada com alguma coisa. Quando alcancei o alto da escada, ela estava na porta do quarto, me chamando para olhar uma foto em um porta-retratos de metal ornamentado que segurava.

"Olha só", ela falou, com uma voz cheia de expectativa. "Essa foto lembra alguém?"

Olhei para a imagem em preto e branco da garota no porta-retratos. Ela tinha o rosto de fada bem familiar, e usava tranças compridas, em vez do corte mais curto de agora. Com um sorriso escancarado, mostrava aquela mesma beleza etérea, mesmo sendo só uma menina. Sem dúvida nenhuma, era a sra. Andrews. Nós descemos, Sharon levando a foto na mão.

"Arthur, a Helen trabalha na biblioteca?", ela logo perguntou.

"Ah, sim, é isso o que ela faz", ele respondeu, com o rosto resplandecendo de orgulho. "Estava sempre com o nariz enfiado em um livro, essa aí. Por quê? Vocês conhecem ela?"

"Sim!", respondi. "Nós vemos ela sempre. Não acredito que não sabíamos que ela era sua filha." Olhei ao redor para espiar as fotos do andar de baixo, me perguntando como tínhamos deixado isso passar despercebido, e então lembrei que na foto do casamento o rosto dela não aparecia direito. E o restante era das crianças quando eram muito novinhas.

Arthur me pegou olhando. "Sei que você vai me achar um tonto", ele falou, com um tom saudosista, "mas gosto de lembrar deles quando eram pequeninos, e eu e a nossa Doreen éramos jovens e recém-casados."

Quando nos despedimos naquele dia, o espaço estava pronto para receber Jim Jameson, e nós combinamos de voltar no domingo seguinte para dar as boas-vindas a ele.

"Vou ver se consigo convencer Helen a vir, para deixar o dia mais especial", Arthur prometeu, para nossa alegria. Quando estávamos prestes a sair, ele nos chamou de volta, se inclinou até o nível dos nossos olhos e falou: "E vocês, cuidado no caminho de volta, ouviram bem?".

Nós nem precisamos perguntar por quê.

Não consegui determinar se a descoberta de que Arthur era o pai dela tornava a sra. Andrews menos suspeita ou ainda mais. Por um lado, Arthur, que pelo visto gostava de todo mundo, não gostava do marido dela — então seria ele o Estripador? Ela estaria acobertando o marido? Por outro lado, ela havia perdido a mãe havia pouco tempo, então seu comportamento estranho não poderia ser só por causa do luto? Nós tínhamos testemunhado em primeira mão o efeito devastador que a perda de Doreen provocou em Arthur. Tudo poderia ser resumido a isso? De qualquer forma, estávamos torcendo para ter a chance de descobrir no fim de semana seguinte.

Ao chegarmos naquela tarde de domingo, sentimos um cheiro forte de queimado. Arthur tinha tentado fazer um bolo vitoriano para dar as boas-vindas a Jim, mas a tentativa acabou em um grande fracasso — ele nunca havia assado um bolo na vida. As janelas e a porta do forno estavam escancaradas, e Jim tinha sentado no verdejante quintal dos fundos em uma cadeira listrada de praia, apesar de o tempo não estar muito quente, para ficar do lado de fora. Arthur levou para ele uma caneca de chá preto "tão forte que dá para colocar uma colher em cima sem afundar", como a tia Jean dizia, depois sentou em uma cadeira idêntica ao seu lado. Diante de Jim havia um pequeno caixote, como aqueles que o sr. Bashir usava para colocar frutas, verduras e legumes na entrada do mercadinho, mas esse estava cheio de coisas aleatórias: um despertador, uma foto em um porta-retratos, alguns livros e tecidos dobrados, provavelmente roupas. Percebi que aquilo poderia ser tudo o que Jim tinha no mundo.

Apesar de ter tão pouca coisa, parecia que ele já morava lá fazia uma eternidade, e sua presença encheu a casa de vida. O luto e a negligência que assombravam aquelas quatro paredes se reduziram a um mero indício. Estávamos prontas para nos juntar a eles quando o som de passos na escada nos fez parar, e a sra. Andrews apareceu.

"Olá, sra. Andrews", dissemos em uníssono.

Ela abriu um sorrisão para nós.

"Olá, meninas", ela respondeu. "Que ótima surpresa descobrir que são vocês duas que vêm fazendo companhia para meu pai. É muita gentileza de vocês."

"Ah, mas nós gostamos", Sharon falou, retribuindo o sorriso. "Ele é nosso amigo."

"O sr. Andrews também veio?", falei de supetão. A sra. Andrews teve um leve sobressalto.

"Hã, não", ela disse, parecendo desconcertada com a pergunta, "mas ele vai vir me buscar daqui a pouco. Vamos lá para fora? E, aliás, podem me chamar de Helen. Acho que ainda não tenho idade para ser chamada de senhora." Depois de dizer isso, ela deu risada.

Ficamos todos no jardim sob o céu de setembro, com Arthur e Jim tentando se superar nas histórias que contavam sobre antigamente, que começavam com "Na minha época...", apesar de Jim ser pelo menos uns vinte anos mais novo do que Arthur. Eu, Sharon e a sra. Andrews — eu ainda não conseguia chamá-la de Helen — estávamos sentadas em um tapete xadrez tão áspero que parecia uma lixa, concordando a cabeça para agradá-los e bebendo um refrigerante geladinho de dente-de-leão e bardana. Foi uma tarde tranquila e agradável, e eu quase cheguei a esquecer que a sra. Andrews estava na lista. Mas então ouvimos um carro parar e estacionar do lado de fora, e a sra. Andrews ficou de pé, ajeitando os cabelos.

"Deve ser o Gary", ela falou, com uma voz trêmula. "Ultimamente ele não me deixa mais voltar sozinha para casa. É melhor eu ir." Os olhos dela se alternavam entre nós e o portão. Antes que ela pudesse se despedir de Arthur, um homem alto apareceu.

"Olá, olá, olá", disse ele.

Foi impossível não ficar encarando-o quando ele apareceu no portão lateral, e percebi que Sharon também estava se empertigando ao meu lado para espiar. Ele tinha cabelos cacheados que chegavam à altura dos ombros, usava uma calça-jeans boca de sino com a barra desfiada, e seus olhos azuis-esverdeados brilhavam intensamente. Era uma visão e tanto. Gostei dele logo de cara, ainda mais quando sorriu para nós duas. Ele abriu o portão e veio até nós.

"Gary Andrews", ele se apresentou, fingindo ares formais e estendendo a mão. Depois de nos cumprimentar, ele acenou para Arthur e Jim também.

"O piquenique parece estar ótimo", ele falou, com uma voz que exalava simpatia. "Eu deveria ter vindo mais cedo."

Arthur soltou um grunhido, e percebi que a sra. Andrews estava remexendo nervosamente na bolsa, parecendo constrangida. Continuei a observar tudo até pegar uma troca de olhares entre ela e o marido, um contato visual com uma carga de intensidade que eu não sabia definir.

"Nós vamos indo então, pai." Ela foi até Arthur e deu um beijo no rosto dele. "Tchau, Jim. Tchau, meninas."

Arthur pareceu mais calado depois que ela foi embora, e demorou um tempo para Jim alegrá-lo; no fim ele conseguiu. Nós fomos embora com a certeza de que Arthur estava em boas mãos.

"Eu não sei se ela é suspeita, não", comentei enquanto voltávamos para casa. "Acho que Arthur só não gosta do sr. Andrews, provavelmente porque tirou a filha dele de casa."

"Humm, pode ser. E faz sentido ela estar triste. A mãe dela morreu."

"E o sr. Andrews não pareceu nem um pouco suspeito", complementei, sorrindo ao lembrar dele.

"Não mesmo." Deu para perceber que Sharon estava ficando vermelha, da mesma forma que acontecia às vezes quando o nome de Ishtiaq era mencionado.

"Ele é bonitão, né?", não consegui deixar de acrescentar, soltando uma risadinha.

"É mesmo", ela falou, e nós sorrimos uma para a outra.

Passamos o resto da volta em silêncio. Não tenho ideia do que se passava na cabeça de Sharon, mas eu com certeza estava pensando no sr. Andrews.

No dia seguinte, Sharon avisou que precisava ir direto para casa depois da escola porque Ruby precisava dela para alguma coisa. Fui à biblioteca sozinha, na esperança de que a sra. Andrews estivesse por lá e a fim de conversar. Ela estava de perfil atrás do balcão, carimbando livros com a mesma expressão distante que vimos na outra semana. Não parecia disposta a conversar, mas decidi ir até o balcão mesmo assim. Nisso, ela se virou para mim, e quando vi seu rosto por inteiro dei um passo para trás. O lado direto estava inchado, e havia um hematoma bem grande debaixo do olho.

"Ah, não, você se machucou?", perguntei, ficando vermelha logo em seguida por ter falado algo tão óbvio.

"Não se preocupe", ela disse com um sorriso que pareceu exigir muito esforço. "Eu tropecei e não consegui apoiar as mãos a tempo de não bater no rosto. Sei que está feio agora, mas daqui alguns dias já vai ter sarado."

"Você chorou quando aconteceu?", eu quis saber.

Ela olhou ao redor, como se estivesse prestes a me contar um segredo.

"Não conte para ninguém, mas, sim, eu chorei." Ela tentou sorrir de novo, mas pelo visto doía fazê-lo.

"Enfim, como é que você está?", a sra. Andrews perguntou, e apenas a encarei sem dizer nada. Nenhum adulto tinha perguntado isso para mim antes, e eu não sabia ao certo como responder. Seu rosto, apesar dos machucados, se suavizou enquanto me observava. Senti o choro se formando na minha garganta, mas não consegui entender por quê.

"Miv, se você precisar conversar com alguém sobre qualquer coisa, eu estou aqui", ela disse, tão baixinho que pareceu um sussurro.

Ela olhou no relógio na parede atrás de mim e levou a mão ao rosto. "Ah, eu preciso pegar as minhas coisas para sair. Gary deve estar me esperando."

Quando saí, vi o sr. Andrews em um carro estacionado na frente da biblioteca. Ele estava fumando um cigarro com a janela aberta, e a fumaça saía primeiro em uma linha fina e depois se dispersava em uma nuvem que encobria seu rosto. Eu me perguntei se ele tinha limpado as lágrimas da sra. Andrews quando ela caiu, e o imaginei enxugando as minhas quando chorava à noite de saudade da minha mãe.

# 24

## OMAR

Omar abriu o balcão para deixar Sharon passar para os fundos, onde Ishtiaq acenava para ela, depois de pegar o óleo de coco do pai emprestado para pentear bem os cabelos para o lado. O cheiro do óleo, misturado ao do desodorante barato que Ishtiaq espirrava em abundância por todo o corpo, preenchia o mercadinho com seu aroma doce e enjoativo, e Omar abriu a porta por temer que seus clientes acabassem sufocando lá dentro.

Ele reparou que as visitas de Sharon sozinha vinham sendo mais frequentes, e se perguntou o que a amiga dela estaria achando disso. Ela e Sharon antes viviam grudadas, e Miv sempre lhe pareceu uma criança sensível, com seus olhos atentos que observavam tudo e seu rosto expressivo refletindo cada mudança na atmosfera do ambiente. Ele sentia uma afinidade com aquela menina magrinha e de semblante sério.

Já Omar sentia um misto de aflição e alegria ao ver o relacionamento que surgia entre Sharon e Ishtiaq. Adorava ver seu filho sorrir sempre que dizia o nome dela, o que acontecia bastante, já que Ishtiaq dava um jeito de mencioná-la em qualquer conversa. Ele, porém, também tinha consciência de que o único desfecho possível seria um sofrimento tão intenso quanto a felicidade que Ishtiaq estava sentindo agora. Era assim que as coisas aconteciam nessa idade, principalmente considerando a cor da pele dele. Omar revolveu a própria memória em busca da angústia e do êxtase que acompanharam sua primeira paixão, muitos anos antes de se estabelecer com Rizwana.

Era diferente com Ishtiaq e Sharon, claro. Pelo menos eles podiam passar um tempo juntos, de se conhecerem como dois indivíduos. Houve um tempo em que Omar não aprovaria. Uma época em que suas preocupações eram outras, e o fato de Sharon ser branca teria influência na maneira como ele lidaria com o primeiro amor do filho. Mas Rizwana e ele tinham conversado sobre isso. Era inevitável que Ishtiaq quisesse experimentar coisas novas, o que incluía relacionamentos. O casal teve tempo de sobra no hospital para essas discussões, com ele sentado em uma cadeira de plástico ao lado do leito, mantendo a cabeça próxima à de Rizwana para que ela não precisasse falar alto demais enquanto conversavam sobre o futuro do filho.

"Ele precisa viver um pouco, sentir como é a vida. E precisa seguir a tradição por *escolha*, não como algo forçado", foi que ela disse, e Omar concordou, principalmente porque a essa altura atenderia a qualquer pedido da esposa; refletindo mais tarde, ele percebeu que Rizwana estava certa. Era preciso permitir ao filho que vivesse a alegria de um primeiro amor. Não era um compromisso de casamento, nem nada do tipo. Sua única preocupação era se os pais dela sabiam. Ele tinha quase certeza que não.

Omar aumentou o volume do toca-fitas, mas a melodia triste de "Rocket Man" trouxe de volta a lembrança da sua mulher, dançando com ele na cozinha fria e úmida da casinha deles em Bradford ao som daquela mesma canção. Ele usava a música geralmente para reviver esses momentos, mas a parte sobre a saudade da esposa acabou soando tão dolorosa que ele pegou o *Post* e tentou usar as palavras que lia para trazê-lo de volta ao presente, para afastá-lo das feridas dolorosas do passado.

Eram páginas e mais páginas sobre o Estripador. Toda vez que havia uma nova morte, cada fato, fotografia e declaração relacionados aos assassinatos anteriores eram repetidos em looping. Mas então seus olhos foram atraídos por uma matéria ao pé da página cinco. Apenas dois parágrafos sobre uma grande manifestação do National Front.*

Ele balançou a cabeça, sentindo a raiva se acender. Uma pequena fotografia mostrava as ruas lotadas de bandeiras britânicas e um cartaz que clamava *Detenham os Invasores*, ou seja, pessoas como ele, não brancas, o que era bastante irônico, considerando que o país inteiro estava em pânico por causa do Estripador, um homem branco. No centro da

---

* O National Front é um partido britânico de extrema-direita, frequentemente associado ao fascismo, cuja atividade política chegou ao ápice nas décadas de 1970 e 1980. (N. T.)

fotografia havia um careca berrando e brandindo o punho para a câmera. Seus pensamentos sobre o relacionamento entre Ishtiaq e Sharon imediatamente ficaram contaminados por algo mais que um simples temor.

O toque da sineta da porta tirou Omar de seu transe com algum alívio, e ele ficou contente ao ver Helen, o que lhe daria uma oportunidade de perguntar sobre Arthur, mas então ele reparou no que ela estava vestindo. Considerando o calor atípico para setembro, o gorro que ela usava, puxado para baixo até esconder um olho, e a blusa de gola alta deviam provocar uma sensação sufocante. Helen olhou ao redor como se nunca tivesse ido ao mercadinho, com uma expressão confusa enquanto tentava descobrir onde estavam as coisas que precisava comprar.

"Posso ajudar?", ele falou, se surpreendendo com o próprio tom formal. Ela o olhou, claramente surpreendida também, proporcionando um breve vislumbre do rosto machucado. Omar conseguiu por muito pouco não fazer uma careta horrorizada, e se perguntou o que Rizwana faria no seu lugar.

Paralisado pela indecisão, ele reparou quando Helen olhou para a porta dos fundos e notou o marido dela do outro lado da rua observando a loja, com uma expressão gélida e intensa no rosto. Ele já tinha ouvido falar de Gary Andrews. Ele ouvia falar de um monte de gente no mercadinho, e com tanta frequência que chegava a se perguntar se as pessoas sabiam que ele entendia inglês, pelas coisas que diziam na sua frente. Gary era descrito na maioria das vezes como o "senhor simpatia", um comentário que costumava vir acompanhado de um sorriso malicioso e um revirar de olhos indulgente. Omar nunca tinha visto essa simpatia toda. Sempre o achou um homem frio. Sempre que Gary vinha à sua loja, caso raro, punha o que estava comprando no balcão sem falar nada e contava o dinheiro certinho sem pressa, enquanto ficava encarando Omar.

Quando seus olhares se cruzaram, Omar pensou ter visto algo a mais no rosto pálido de Gary. Helen logo pegou as coisas de que precisava, foi até o balcão, pagou e foi embora.

# 25

## MIV

Naquela noite, Jim Jameson passou lá em casa para ver meu pai. Era uma visita inesperada, e senti a tensão no ar quando a campainha tocou. Na nossa rua, todo mundo "aparecia" na casa um dos outros a qualquer hora, a não ser na nossa. Quando minha mãe estava em casa, as visitas se restringiam a pessoas da família, ou seja, ninguém, a não ser quem já morasse lá. Minha mãe se levantou da poltrona em silêncio e subiu para o quarto enquanto meu pai convidava Jim Jameson para entrar, e a tia Jean corria para a cozinha para preparar um chá, fazendo mais barulho do que o habitual ou necessário. Ela estava toda sem jeito, e sua pele ficou tão corada que imaginei que a vermelhidão fosse chegar até os cachos grisalhos, transformando-os naquele tom estranho de lilás que todas as amigas dela passavam nos cabelos uma vez por mês. Por um breve instante, cheguei a me perguntar se ela não teria uma quedinha por Jim Jameson, mas depois pensei melhor, horrorizada pela ideia de que a tia Jean pudesse ter esse tipo de sentimentos.

"Está precisando de alguma coisa?", meu pai perguntou, um tanto ríspido por ter sido surpreendido pela visita inesperada.

"Eu estava só passando por perto", Jim falou, todo animado. "Pensei da gente ir tomar uma cerveja."

"Eu não sou muito de ir ao pub", meu pai falou.

Dei uma boa encarada nele, sabendo que não era verdade. Meu pai olhou para a escada e apontou com o queixo lá para cima.

Jim ficou vermelho, e começou a tropeçar nas palavras. "Ah, é, o Arthur me falou. Eu devia ter pensado melhor antes de aparecer assim de repente. Bom, fica para a próxima, então?"

Vi que a tia Jean estava parada na porta da cozinha. Reparei que havia tirado o avental e que o botão de cima do cardigã estava aberto. Senti vontade de rir — aquilo era tão chocante quanto se ela tivesse entrado na sala só com a roupa de baixo.

"Como vai, Jean?", Jim falou enquanto saía, ficando vermelho também, provavelmente pelo constrangimento da visita inesperada. Eu o segui até a porta e tive a chance de perguntar: "Arthur teve alguma notícia da sra. Andrews?".

Ele franziu a testa. "Não, desde ontem, não. Por que, tem alguma coisa que ele precisa saber? Ela está bem?"

"Ah, é que ela caiu", eu falei, sem saber ao certo por que estava contando aquilo. "Ela está bem, mas ficou machucada."

Ele pareceu pensativo por um instante. "Melhor avisar para ele. Arthur se preocupa muito com ela."

Curiosamente, o meu pai saiu logo depois de Jim ter ido embora, apesar de dizer que não era muito de ir ao pub. A impressão que me deu foi que ele saiu de fininho e desapareceu no beco dos fundos da casa, sem nenhuma explicação, quando ninguém estava olhando.

Comentei sobre a sra. Andrews com Sharon no dia seguinte depois da escola, mas não mencionei sobre os acontecimentos da noite. Estávamos folheando revistas no quarto dela.

"Não sei o que é, mas com certeza tem alguma coisa ali."

"Você acha que ela pode estar doente? E é daí que vêm esses hematomas e tudo mais? Quando minha avó morreu, ficou cheia de machucados por causa do câncer. Ninguém me falou que ela estava mal. Disseram que era para me proteger. Ela pode estar querendo proteger o Arthur."

Pensei a respeito por um instante. "Você pode ter razão. Que tal ir lá? Ainda dá tempo antes do jantar. Aí você vê o que acha dos machucados e tudo mais."

Quando entramos na biblioteca, deu para ver que a sra. Andrews não ficou nem um pouco contente com a nossa presença. Pareceu bufar ao virar de costas para o que quer que estivesse fazendo, como se esperasse que fôssemos direto para a sala de leitura. Dei um cutucão em Sharon, tentando mostrar os machucados, e notei que eles pareciam ter desaparecido. Sharon foi até o balcão mesmo assim.

"Sra. Andrews", ela falou com uma voz clara e confiante, "pode nos mostrar onde ficam as enciclopédias médicas?"

A sra. Andrews levantou a cabeça e nos mostrou onde encontrar o que precisávamos, e nisso acabou se aproximando de nós. Foi então que eu vi que o hematoma ainda estava lá, só que muito mal disfarçado com maquiagem.

"Só mais uma coisa", ela falou com um tom de voz baixo, mas bem firme. "Eu sei que vocês contaram para o Jim sobre o meu acidente." Sem perceber ela levou a mão à parte inchada do rosto. "E ele contou para meu pai, que agora está todo preocupado comigo." Ela tentou sorrir, mas acabou fazendo uma careta de dor perceptível. "E, vocês sabem como é, eu não quero que meu pai se preocupe comigo. Já sou uma mulher adulta." Ela voltou a esboçar um leve sorriso, como se quisesse mostrar que não estava tão contrariada, sendo que claramente estava.

Eu me peguei pensando em quantos anos ela teria.

"Desculpe", respondi, no mesmo tom baixo e discreto. "Fui eu. Falei sem pensar." Baixei os olhos para o chão.

"Ah, não, por favor, não precisa pedir desculpas", ela se apressou em dizer quando viu a minha expressão arrependida. "Não ligue para o que falei. Não quero que você fique se sentindo mal, é que..." Ela parou de falar e respirou fundo. "Esqueçam o que eu disse. Claramente levei uma pancada na cabeça quando caí e fiquei meio desparafusada." Ela levou o dedo à lateral da cabeça e fez um movimento circular, e todas nós demos risada e depois fizemos shiu umas às outras quando lembramos onde estávamos.

Na saída, Sharon ficou calada. Ela parecia irritada com algo, seus lábios franzidos em uma linha reta. E, quando fez menção de dizer alguma coisa, eu vi o mesmo carro do dia anterior parado do lado de fora. Dessa vez o sr. Andrews estava encostado na lataria, fumando. Cutuquei Sharon. Quando ele nos viu, jogou o cigarro no chão em um gesto casual, apagou com o pé e veio na nossa direção.

"Olá, olá, olá", ele nos cumprimentou do mesmo jeito de domingo, quando o vi pela primeira vez. "Vocês vieram ver minha linda mulher?

Eu vim levar ela para casa", o sr. Andrews acrescentou. Parecia que estava explicando sua presença para nós, o que achei bem estranho. Por que ele precisaria fazer isso para duas crianças? Nós assentimos.

"Vocês ficaram sabendo da queda dela, então?", ele continuou, olhando bem para nós. Os olhos que eu tinha achado tão cheios de brilho agora pareciam afiados como navalhas. "Foram vocês que deixaram o pai dela todo preocupado?" O sr. Andrews sorriu, mas reparei que havia alguma coisa diferente nele. "É melhor não alarmar o nosso Arthur. Ele está passando por poucas e boas, e isso não faz bem para ele." Mais uma vez, nós só concordamos em silêncio.

"Estamos combinados, então?" Ele parecia achar que tínhamos chegado a alguma espécie de acordo. Eu não sabia ao certo qual era, mas concordamos mesmo assim.

Enquanto nos afastávamos, com uma simples troca de olhar chegamos à conclusão de que havia algo errado ali. A sra. Andrews continuaria na lista.

# 26

### MIV

### NÚMERO SETE

Eu estava atrasada para a missa no domingo seguinte. O tempo tinha começado a mudar, e a chuva incessante que parecia cobrir as ruas de tinta spray prateada me atrasou enquanto eu me apressava até lá, tirando o casaco impermeável assim que pus os pés na igreja. O vapor dos melhores perfumes de domingo das pessoas pairava no ar, e me esgueirei até o meu lugar em meio àquela atmosfera sufocante. Sentei ao lado de Stephen Crowther, que, como eu, tinha encontrado um refúgio no coral da igreja.

Olhei ao redor da congregação. Todos os bancos rangentes de madeira estavam lotados, o que vinha acontecendo desde o último assassinato. Observei o rosto dos meus vizinhos, seus olhos grudados no sr. Spencer, o pároco. Até os Howden do ferro-velho estavam lá, na primeira fila, parecendo limpos e asseados, como se todos tivessem tomado banho especialmente para a ocasião.

Eu me perdi em pensamentos quando o sermão começou. Só estava lá por causa do coral. Cantar me lembrava minha mãe, como era antes, mas não só isso; toda a minha falta de jeito parecia desaparecer nesses momentos. E também havia uma nova razão para eu gostar tanto: Paul Ware agora se juntara ao coral também.

Tinha conseguido sorrir e falar um oi para ele no fim da missa do domingo anterior, quando estávamos pegando um copo de refrigerante e um biscoito doce Wagon Wheels da mesa montada nos fundos da igreja pelo tio Raymond e pela tia Sylvia. Eles eram voluntários da paróquia e na verdade não eram tios de nenhum de nós, mas era assim que os chamávamos.

Assim que falei a palavra "Oi" para Paul, meu copo plástico de refrigerante de cereja começou a tremer na minha mão e eu quase corri para longe, mas então seus olhos encontraram os meus e Paul acenou com a cabeça, e pude abrir um sorriso. Passei duas noites sem conseguir dormir direito depois disso. Esse era o lado bom de fazer parte do coral. O lado ruim era ter que comparecer à igreja todo domingo. Uma pancada seca no púlpito trouxe minha atenção de volta ao momento. O rosto do sr. Spencer estava vermelho como um pimentão. Ele parecia prestes a explodir.

"*Cuidado com os pecados da carne*", ele falou, cuspindo cada palavra. Sua esposa, sentada na primeira fileira, teve que se esquivar para não ser atingida pelos perdigotos. E tive que segurar o riso quando a vi secar o rosto com um lenço branco limpíssimo. Ela claramente não tinha sido rápida o suficiente. Tentei levar meus pensamentos para longe de novo, mas o sermão foi ficando cada vez mais intenso até o ponto de ele estar quase aos berros. Como se quisesse lembrar a todo mundo das coisas ruins que aconteciam com as pessoas ruins, ele esbravejava contra a tentação e o que chamou de as "ruas perigosas" do "antro do pecado" também conhecido como Chapeltown, em Leeds.

Foi então que me ajeitei melhor no assento e comecei a prestar atenção. Era um lugar de que ouvi falar muitas vezes quando o Estripador era mencionado. Wilma McCann, Emily Jackson, Irene Richardson e Jayne MacDonald ou eram de lá ou foram mortas lá, e duas outras mulheres sobreviveram a ataques atribuídos ao Estripador em Chapeltown. E se a melhor forma de pegá-lo fosse indo a um lugar que sabíamos que ele frequentava?

Naquela noite eu procurei uma matéria que lembrava de ter visto depois do assassinato de Josephine Whitaker, que alertava as "moças" nas ruas para não aceitar caronas de estranhos, e li tudo de novo, devorando cada palavra. Estava tão concentrada que, quando o meu pai passou para me dar boa-noite, me pegou ainda de pernas cruzadas na cama, com o jornal no colo.

"Está lendo o que aí?", ele perguntou.

"A seção de críquete", respondi, com uma voz esganiçada.

"Não fique acordada até tarde", ele falou ao me dar um beijo na testa. "Boa noite."

"Você acha que a polícia está certa e ele se enganou? Confundiu Josephine e Barbara com prostitutas?", foi a primeira coisa que perguntei para Sharon na manhã seguinte, a caminho da escola.

"Do que você está falando?", ela perguntou, franzindo o nariz, confusa. Esperei que ela mesma se desse conta. "Ah, o Estripador, é isso?" Seu rosto ficou sério por um instante. "Talvez."

"Eu estava lendo sobre isso ontem à noite", contei. "A polícia acha que ele pode ter pensado que eram prostitutas porque elas estavam na rua tarde da noite. E acho que, se ele tiver se enganado mesmo, vai querer dar um jeito de não repetir o erro da próxima vez."

"Como?", perguntou Sharon.

"Voltando para onde sabe que vai encontrar prostitutas com certeza. Já descobri o próximo item da lista."

"Humm." Ela olhou para o chão. "É melhor irmos logo ou vamos chegar atrasadas para a aula", ela falou, andando mais depressa e me deixando para trás. Preferi não perguntar para ela qual era o problema, por medo de qual seria a resposta, então me limitei a correr para alcançá-la.

Eu nunca tinha ido a Chapeltown, nem a Leeds, aliás, mas imaginava que fosse como uma floresta escura dos contos de fada que eu ainda amava em segredo, apesar de estar grande demais para isso: um lugar hostil e violento. As novidades sobre as buscas pelo Estripador na tevê na maioria das vezes eram filmadas em Chapeltown. Gravadas sempre à noite, as imagens borradas mostravam grupos de mulheres pela rua, fumando cigarros atrás do homem de rosto sério com um microfone na mão dando a notícia.

Em uma noite especialmente chuvosa e escura, o repórter até levantou o colarinho do casaco impermeável, como se estivesse se defendendo das mulheres que apareciam ao fundo. Eu não sabia o que "distrito da luz vermelha" significava, mas não parecia coisa boa. Decidi que devíamos ir ver Chapeltown com nossos próprios olhos. Enquanto pensava em como convencer Sharon a ir comigo, nos fins de tarde depois da escola eu fazia o que fosse preciso em casa, sob as ordens da tia Jean, para juntar dinheiro para pagar a viagem para Leeds.

Se a tia Jean ficou surpresa com o meu entusiasmo repentino pelo trabalho doméstico, ela não falou nada, e sempre deu um jeito de me manter ocupada. Isso significava que a minha mãe passava cada vez mais tempo no quarto, já que minhas sessões de faxina pareciam perturbar seu sossego. Mas, apesar da pontada de culpa, o meu objetivo era claro. Precisávamos ir a Chapeltown.

7. Distrito da luz vermelha
    - É onde estão as prostitutas
    - O Estripador atacou cinco mulheres lá
    - Parece um lugar assustador/suspeito no noticiário
    - O pároco chamou de "antro do pecado"

# 27

## MIV

"Eu não vou até Chapeltown", Sharon falou quando sugeri pela primeira vez. "A minha mãe ia me matar."

Fui obrigada a admitir que havia um fundo de verdade naquela afirmação. Parecia que, à medida que íamos ficando mais velhas, mais estreitos os nossos horizontes se tornavam; os adultos passaram a perguntar o tempo todo aonde estávamos indo e o que estávamos fazendo. E não só para nós — para todas as garotas. Até a tia Jean deixou de voltar a pé sozinha do trabalho. Ela pegava o micro-ônibus especial para a mulheres que passou a circular pela cidade.

Mas eu tinha muito medo de ir a Chapeltown sozinha. Alguns dias depois, estávamos no quarto de Sharon nos arrumando para ir até o centro da cidade comprar o novo disco dos Boomtown Rats, que depois eu gravaria numa fita. Enquanto Sharon estava na penteadeira, dei o mais recente comunicado da polícia para ela ler. Estava impresso em um papel com as fotos de todas as onze vítimas. Com isso, esperava lembrá-la do motivo por que começamos a lista.

ALGUMAS ERAM ABSOLUTAMENTE RESPEITÁVEIS, o texto declarava em letras garrafais. NENHUMA MERECIA UMA MORTE TÃO TERRÍVEL.

A reação dela não foi exatamente a que eu esperava. "Como é que eles fazem uma coisa dessas?", ela falou, com as mãos trêmulas de raiva.

"Ah, eu... como assim?", perguntei, confusa. "Eles quem?"

"Estão fazendo parecer que a vida de algumas valia mais que a de outras", ela explicou, apontando para as palavras em caixa-alta que iam até o fim da página. Olhei para o papel, para ela, e depois para o papel de novo.

"Eles estão se achando muito superiores. Como se elas não prestassem. Eles nem conheciam essas mulheres." Ela bufou, expirando tão forte que o papel voou da penteadeira.

Prendi a respiração, na expectativa de que isso significasse que ela toparia ir para Leeds. Sharon ficou em silêncio, ainda fervilhando de raiva, até que por fim disse: "Tudo bem. Vamos até Chapeltown, então".

Nós conhecíamos cada cantinho da nossa cidade, mas Leeds era outra história, e precisávamos aprender a andar por lá. No fim, foi Sharon quem resolveu esse problema para nós. Naquele sábado de manhã ela foi até em casa me encontrar.

"Leva o caderno", ela avisou. "Tive uma ideia para descobrirmos mais sobre Chapeltown, e ainda de quebra podemos ver a sra. Andrews."

Animada por ver que Sharon estava tomando a iniciativa, peguei o caderno e nós fomos para a biblioteca em silêncio. Ela estava com a cara fechada e determinada, combinando com o dia cinza de garoa, e eu não quis dizer nada que pudesse chateá-la ou fazê-la mudar de ideia. Fomos direto para o balcão falar com a sra. Andrews, que estava tendo um bom dia, a julgar pelo grande sorriso que abriu para nós.

"Estamos fazendo um trabalho sobre as cidades da região para a escola", disse Sharon, sem parar nem para tomar fôlego, "e a nossa parte vai ser sobre Leeds, então precisamos saber o máximo possível sobre lá, inclusive olhar os mapas e tudo mais."

Como já estava acostumada com a nossa curiosidade, a sra. Andrews mostrou para Sharon onde ficavam as obras de referência, enquanto eu fiquei imóvel e atordoada com sua história inventada e a forma perfeita como colocou o plano em ação. Era uma vergonha o quanto eu costumava subestimar a capacidade dela. Nós saímos da biblioteca munidas de um guia das ruas de Leeds.

Concordamos que era melhor não contar para ninguém que íamos para Leeds, sobretudo para Chapeltown. As coisas estavam tranquilas lá em casa havia algumas semanas, e eu não queria causar problemas. A calma, na verdade, era principalmente por causa da ausência. Minha mãe passava ainda mais tempo no quarto, meu pai passava ainda mais tempo no pub, e a tia Jane passava ainda mais tempo no trabalho.

Sharon disse para os pais que passaria o dia na minha casa, e eu falei para a tia Jean que estaria na dela. Cruzamos os dedos para que a recente curiosidade deles a nosso respeito não os levasse a querer verificar nossas histórias.

Na manhã de sábado que escolhemos para a nossa jornada, acordei às quatro, como fazia nos dias em que íamos viajar de férias. Meu pai sempre nos fazia levantar antes do amanhecer para não pegar trânsito, mas eu acordava toda empolgada de qualquer jeito e me juntava à minha mãe quando ela vinha me chamar cantando "I Do Like to Be Beside the Seaside".

Naquela manhã, no entanto, a empolgação se mesclava ao medo. Era outubro, e o frio de outono começava a apertar. Era uma manhã úmida e gelada, que exigiu tirarmos os casacos e cachecóis do armário pela primeira vez desde o inverno anterior. Nossa respiração saía em nuvens de vapor pela boca, então quando andamos até o terminal de ônibus, fingimos que estávamos fumando como as mulheres faziam em segundo plano nas reportagens sobre o Estripador em Chapeltown, já nos preparando para nos misturar à paisagem.

O terminal era sempre um lugar movimentado, e nós conseguimos passar despercebidas. Havia filas de pessoas que esperavam pacientemente sob os abrigos, algumas carregando sacolas de compras do mercado próximo ou arrastando carrinhos de feira cobertos com capa de lona, como o que a tia Jean tinha. O único toque de cor naquele dia vinha dos ônibus vermelhos de dois andares estacionados junto ao meio-fio.

Paguei minha passagem primeiro e fui direto para o segundo andar do ônibus, nosso lugar favorito para sentar, exceto pelo cheiro de tabaco que ficava impregnado nas roupas por causa dos fumantes que ali sentavam também. Sharon veio logo em seguida e, quando ela sentou, percebi que o brilho nos seus olhos parecia ter diminuído.

"Está tudo bem?", perguntei com a voz trêmula, receosa da resposta que viria.

Sharon olhou pela janela quando respondeu. "Eu só não sei se essa é a coisa certa a fazer", ela falou, com uma voz tão baixa que precisei me inclinar mais para perto para ouvir.

"O quê? Ir até Chapeltown?"

"É. Bom, não só isso. Quer dizer, a lista. Tudo o que estamos fazendo. Estamos mesmo investigando o Estripador ou...?"

Ela se virou para me olhar bem nos olhos quando disse isso. Eu quis interrompê-la, falar sobre a lista, a escola, os brilhos labiais ou qualquer outro assunto que impedisse que suas palavras me perfurassem como agulhas quentes. Era como se ela estivesse quebrando uma das regras tácitas da nossa amizade ao falar sobre as coisas, as questionando, as testando. Não era isso o que fazíamos, e eu ainda não estava pronta para dar esse passo.

"Eu só estou preocupada com o que nós estamos fazendo aqui, e com o motivo também", ela explicou. "Está parecendo, sei lá, um jogo. E o que aconteceu com essas mulheres não é brincadeira. Não mesmo."

Fiquei tão horrorizada que não consegui dizer nada. Aquilo era só um jogo para mim? Não era o que me parecia. Eu fiz menção de protestar, mas Sharon levantou a mão para me silenciar.

"Escuta só, eu estou aqui, e não vou voltar atrás, mas preciso saber se isso é certo. Se estamos fazendo a coisa certa."

"Ok", sussurrei.

Sharon se virou de novo para a janela, e eu fiquei calada, tentando ignorar o desconforto que fervilhava dentro de mim. E se ela não quisesse mais continuar com a lista? Como seria a nossa relação sem isso? Eu me voltei para Sharon e a observei. Ela havia mudado bastante, estava mais calma, mais comedida. E eu, será que tinha mudado? No máximo, a minha pele tinha se tornado mais fina enquanto eu crescia, e as coisas que aconteciam pareciam ter um efeito mais forte sobre mim do que sobre ela. Se eu desistisse desse laço que nos unia, o que a manteria ao meu lado? E como eu ficaria sem a lista?

Quando nosso segundo ônibus finalmente chegou a Chapeltown, era início da tarde. Enquanto esperávamos a fila de pessoas descer, dava para sentir a ansiedade crescer a cada ruído de passos contra o metal. Mas, assim que saímos, esse sentimento deu lugar a um de anticlímax, como um refrigerante sem gás, o que quase me fez cair na risada.

Não sei o que eu esperava ver, mas as ruas ao nosso redor pareciam iguais às da nossa cidade. Fileiras e mais fileiras de casas geminadas com fachadas marrom e cinza, com crianças brincando de futebol na rua e varais de roupas penduradas nos becos até onde os olhos podiam ver. Só os sons eram diferentes. Havia o barulho do tráfego incessante, além dos ruídos um tanto indistintos do centro da cidade, não muito distante. Aquele lugar não tinha nada de assustador.

Decidimos andar até um parque ali próximo para comer o lanche que tínhamos levado e pensar no que fazer a seguir. Senti uma necessidade angustiante de fazer aquela viagem valer a pena, então me voltei para o caderno para me inspirar e, enquanto folheava as páginas, soltei um ofego de susto.

"Você reparou no nome do parque em que estamos? É o Roundhay Park?"

Olhei animada ao redor em busca de alguma placa ou evidência de que fosse esse o caso. Duas das vítimas do Estripador tinham sido atacadas no Roundhay Park. Só estar naquele parque faria a viagem valer muito a pena. Sharon estremeceu visivelmente, e percebi seu sentimento de repulsa, o que conferiu à minha empolgação um toque de vergonha. Isso era tão importante assim para mim a ponto de ficar toda animada por estar em um parque onde mulheres haviam sido atacadas por um monstro? Será que Sharon estava certa?

Usamos o mapa para nos localizar, e percebi que o Roundhay Park era um pouco mais distante, e que estávamos no Prince Philip Playing Fields, uma área verde bem menor. Sharon pareceu aliviada. Só muito mais tarde, depois que tudo aconteceu, descobri que aquela praça foi onde o corpo da primeira vítima do Estripador, Wilma McCann, uma mulher de vinte e oito anos e mãe de quatro filhos, foi encontrado. Ela tinha sido golpeada com um martelo e esfaqueada quinze vezes. Nada naquele pequeno espaço denunciava os horrores ocorridos ali.

O caderno e o guia da cidade me deram uma ideia. Havia um pub em Chapeltown chamado Gaiety, diante do qual o Estripador encontrou diversas de suas vítimas. Ficava a uma curta distância de onde estávamos, e decidimos ir lá para verificar. Dava para ver que o entusiasmo de Sharon com a viagem diminuía cada vez mais, e fomos jogando conversa fora enquanto andávamos, imaginando o tempo todo o que faríamos se víssemos o Estripador.

O tempo fechou no decorrer da tarde enquanto caminhávamos, e Chapeltown enfim revelou o tipo de luminosidade que eu esperava encontrar. O céu foi ficando mais acinzentado e, assim como as nuvens se tornaram ameaçadoramente carregadas, as expressões das pessoas com quem cruzávamos se mostravam mais fechadas, mais frias e ainda mais suspeitas para nós. Nem mesmo as fileiras de casas vitorianas bonitas daquela parte do distrito eram capazes de dispersar a atmosfera sombria.

Passamos por uma parada de ônibus, e quase sugeri que voltássemos para casa quando percebi que o homem que imaginei que estivesse olhando os horários das linhas estava, na verdade, urinando no poste de concreto. Nós começamos a andar bem coladas uma à outra quando a paisagem pareceu passar do sépia ao preto e branco. O pub, quando chegamos lá, se revelou uma construção sem graça da década de 1960 com a palavra GAIETY pintada em letras maiúsculas de um vermelho alaranjado que parecia a do sangue desbotado da série *Hammer House of Horror*. Não havia muita coisa ali que pudesse ser descrita como alegre.

Emily Jackson e Irene Richardson tinham passado por lá na noite em que foram mortas. Haviam sido descritas no jornal como "prostitutas em busca de clientes na região". O meu entendimento da palavra *prostitutas* a essa altura já estava mais claro, e eu sabia que elas vendiam sexo. Mas não sabia se deveria ter medo delas ou não, nem o que pensar sobre os homens que compravam esses serviços.

Àquela hora da tarde, o pub ainda estava fechado, mas havia dois homens sentados em uma mureta do lado de fora, bebendo de latas verdes e marrons, e havia uma porção delas em uma sacola listrada entre os dois.

"Querem se juntar a nós?", perguntou um deles, com uma gentileza fingida. Se fosse para adivinhar, ele tinha uns vinte anos, pelo rosto claro e marcado de acne e um olho que parecia ir numa direção diferente do outro.

"Estamos esperando uma pessoa", Sharon respondeu com sua voz mais polida, só um pouco mais alta e aguda que o normal. Só eu seria capaz de detectar o nervosismo por trás dessa afirmação. Fomos ensinadas a não ser mal-educadas com ninguém.

"Bom, vem água por aí. Nós logo vamos embora", ele respondeu. "Vocês também deviam ir e tudo mais."

Ele olhou para o céu escuro, e eu o imitei, percebendo que estava mesmo prestes a chover. O outro homem só nos encarava, sem nem ao menos piscar. Ele acendeu um cigarro e soltou uma lufada de fumaça devagar na nossa direção. Senti um ardor no fundo da garganta e tossi. Aproveitei para dar uma boa olhada nele. Era mais velho que o primeiro, com os cabelos claros e ralos penteados para um dos lados para tentar esconder a calvície. Quando me pegou observando, um sorriso preguiçoso apareceu em seu rosto, e notei que ele tinha um dente da frente faltando. Eu me encolhi.

Ele não tinha a pele nem os cabelos da cor do Estripador, mas isso não importava. Meus sentidos estavam em alerta máximo indicando que estávamos em perigo, e eu peguei a mão de Sharon e a apertei forte. Ela apertou de volta. Olhei ao redor. As ruas pareciam ter esvaziado.

O estalar de um trovão distante me provocou um sobressalto e nos distraiu por um momento, no que o mais jovem dos dois aproveitou para levantar e se aproximar de nós, com os olhos fixos em Sharon. Fiquei paralisada até sentir o puxão dela no meu braço. "Nós precisamos correr", ela falou, num tom de voz baixo e urgente.

Quando me virei para correr, ele começou a fazer o mesmo, e em duas passadas conseguiu agarrar meu braço. Sharon me puxava do outro lado, aos berros: "Larga! Larga!", enquanto nós duas puxávamos com força para nos livrar do aperto dele. Olhei para o rosto do homem. Não havia nenhum sorriso agora.

"Ei!", gritou uma voz vinda de trás do Gaiety, e uma mulher apareceu no espaço entre as construções.

"Trate de deixar essas meninas em paz, Ron Ainsworth."

Ele soltou o meu braço imediatamente e deu de ombros, todo sorrisos de novo, como se estivesse rindo da seriedade do que quer que estivesse prestes a fazer.

"Tudo bem, Mags. Não precisa gritar. Era só para elas não tomarem chuva nem frio."

"Ah, claro que era", rebateu a mulher enquanto se aproximava e o tirava de perto de nós. "Venham aqui, vocês duas." Ela nos pegou pela mão e saiu andando tão depressa pela Roundhay Road que precisamos correr para acompanhá-la. Quando estávamos longe do Gaiety, ela parou e se agachou para nos olhar nos olhos. Dava para sentir o cheiro de cigarro e chiclete nela.

"Que diabos vocês estão fazendo aqui?"

Ficamos só olhando para ela.

"Vocês são idiotas além de burras pra caralho?"

Ela deu um passo atrás e balançou a cabeça, pegando um cigarro no bolso do casaco. Estava usando um minivestido de nylon e botas até os joelhos, e o espaço entre o vestido e os calçados mostrava coxas roliças que estavam vermelhas por causa do frio.

"Você é prostituta?"

A pergunta repentina de Sharon me deixou tão perplexa que emudeci de novo, mas a mulher jogou a cabeça para trás e soltou uma risada alta, que vinha do fundo da garganta. Fiquei atordoada. Eu tinha uma imagem mental de como devia ser uma prostituta — em parte baseada nas fotos das vítimas do Estripador, em parte inventada na minha mente imaginativa. Achava que elas tivessem o cabelo pintado de loiro e a boca de vermelho ou fossem mulheres mais velhas sujas e desgrenhadas. Ela não era nenhuma das duas coisas.

"Onde foi que uma mocinha como você aprendeu essa palavra? Com essa carinha de inocente", ela comentou, ainda olhando para Sharon de cima a baixo. "Bom, não que isso seja da sua conta, mas sou, sim. E vocês vão virar também, se continuarem andando por aqui. Agora vão para casa."

Tudo isso foi dito sem nem um sorriso, e terminou com uma apontada com o queixo para a rua, indicando que deveríamos ir embora. O céu escolheu justamente esse momento para desabar. Pingos grandes de uma chuva pesada e gelada começaram a golpear o asfalto, e vi a mulher revirar os olhos e murmurar para si mesma um "Puta que pariu", e para nós, um "Venham comigo".

Nós corremos atrás dela quando ela levantou o colarinho para cima e avançou mais um pouco pela rua, parando na frente de uma lojinha com um toldo vermelho e branco. Havia uma cabine telefônica na calçada, coberta de cartões com silhuetas em sombras oferecendo "serviços pessoais".

"Esperem aqui", ela mandou ao entrar na cabine, tirando uma carteira da bolsa e olhando ao redor antes de abrir. Nós obedecemos a suas ordens, assustadas demais para fazer o que quer que fosse, e ficamos tremendo sob o toldo. Depois de terminar a ligação, ela nos chamou para dentro da loja, onde o homem atrás do balcão a cumprimentou com um aceno e pegou um maço de cigarros atrás de si. "E vou levar isso também", ela acrescentou, pegando um pacotinho de balas Opal Fruits, que entregou para nós. "Isso é para manter vocês quietas pelos próximos dez minutos."

"Obrigada", murmuramos, com medo de dizer qualquer coisa que a fizesse despejar palavrões em cima de nós de novo. Saímos da loja e voltamos a ficar sob o toldo, vendo a chuva cair. Os carros passavam, lançando jatos d'água na nossa direção e às vezes buzinando para nós. Um homem gritou: "Hoje são três pelo preço de duas, Mags?", e deu risada quando ela mostrou o dedo para ele.

Enquanto eu encarava a rua esperando identificar o Estripador, vi um rosto que reconheci. Não consegui lembrar de onde, a princípio. Eu me deixei ser enganada pelas roupas que ele usava — a combinação da jaqueta de pele de carneiro e a calça jeans. Parecia mais jovem, mais na moda. Eu estava prestes a pegar no braço de Sharon para apontar quando ele entrou em uma loja com a vitrine coberta com tábuas com as palavras PRIVATE SHOP escritas logo acima. Talvez a dúvida foi por vê-lo fora da segurança e da santidade do ambiente da igreja, mas com certeza absoluta era nosso pároco, o sr. Spencer. Talvez ele não fosse tão certinho assim, no fim das contas.

Antes que eu tivesse a chance de contar para Sharon, um carro de polícia se aproximou, e senti um aperto de medo no peito. O policial abaixou o vidro do lado do passageiro, e Mags se aproximou para conversar com ele.

"Tudo certo, Maggie?", ele perguntou. "Elas estão bem? Descobriu o nome delas ou alguma coisa? De onde elas são?"

"Eu não sou da polícia, porra", ela respondeu. "Esse é o seu trabalho. Eu preciso fazer o meu."

O policial suspirou e balançou a cabeça. "Você deve estar louca. Eu já disse que não é seguro por aqui até ele ser preso."

"Então você paga as minhas contas para mim?" Ela fez uma pausa, e o policial baixou os olhos. "Foi o que eu pensei."

Ela se endireitou e fez um gesto para sentarmos no banco traseiro da viatura. "Ele vai levar vocês para casa. E não quero ver as duas por aqui de novo", ela falou enquanto entrávamos. Depois saiu andando pela rua encharcada de chuva sem dizer mais nada nem olhar para trás.

Quando o carro arrancou, a gravidade da situação em que estávamos pareceu pesar sobre nós, e eu caí no choro primeiro, logo acompanhada por Sharon.

"Ora, ora", disse o policial. "Não precisam chorar. Meninas grandes e corajosas como vocês não deveriam estar chorando assim. Eu sou o policial Blakes. Que tal me dizer o nome de vocês e de onde são, e depois seguimos daí?"

Quando chegamos à delegacia, Sharon já tinha contado para o policial Blakes a mesma história, a de que estávamos visitando Leeds para um "trabalho da escola" e que acabamos no perdendo e indo parar em Chapeltown. Ela garantiu que não tinha ninguém preocupado em casa, porque todos sabiam que chegaríamos depois de anoitecer. Fiquei sentada em silêncio, receosa de que ele não fosse acreditar, mas a expressão confiante de Sharon pareceu convencê-lo de um jeito que me deixou impressionada.

Ficamos sentadas nas cadeiras de plástico desconfortáveis que ele indicou na chegada à delegacia, nos distraindo do que nos aguardava ao observar atentamente todo mundo que passava, nos questionando por que cada uma daquelas pessoas estaria ali. Apesar de todo o drama do dia, e o medo de que acabássemos encrencadas, senti que estávamos unidas de novo.

Por fim, o policial Blakes reapareceu junto com um homem alto e imponente com cabelos escuros e uma jaqueta de couro preta. Senti uma leve sensação de reconhecimento quando o policial Blakes disse: "Esse é o detetive-sargento Lister. Ele mora lá por aquelas bandas, então vocês vão ter uma escolta policial especial para casa".

No caminho de volta, Sharon recontou a história do trabalho da escola e como fomos parar em Chapeltown. Dessa vez, os questionamentos foram maiores. O detetive Lister continuava a fazer perguntas, e, em um determinado momento, precisei dar um chute na canela de Sharon para impedir que ela acabasse nos enredando em uma teia que depois não conseguiríamos desfazer. Fiquei sentada sem dizer nada até ele avisar: "Vocês sabem que eu vou precisar conversar com os pais de vocês, né?". Senti meu estômago se revirar.

Da última vez que entrei em confusão, eu mal consegui olhar para minha mãe nem meu pai durante semanas. Não porque recebi algum castigo, mas por causa da culpa infundida em mim pela tia Jean. "Eles já têm problemas demais sem você precisar aprontar das suas", foi o que ela me disse. Mas isso tinha sido por chegar atrasada na escola durante a caçada ao espião russo, um crime bem menos grave do que esse. Eu já tinha enfrentado a ira da tia Jean, mas uma encrenca daquela magnitude provavelmente significaria o fim da minha liberdade. E, no fundo da minha mente, também havia a preocupação de que isso levaria a uma separação entre Sharon e eu. E, depois do que aconteceu naquele dia, com certeza ela não iria nem se importar.

"Por favor, detetive Lister, por favor. Minha mãe está doente e, se ficar sabendo disso, ela vai piorar, com certeza. Por favor. Nós somos boas meninas, eu garanto. Não vamos fazer isso de novo, sério mesmo. Eu juro pela nossa vida." As palavras atropelavam umas às outras na minha ansiedade para dizer tudo logo de uma vez. Sharon assentiu entre lágrimas, e olhamos para ele com expressões de súplica pelo retrovisor.

"Eu vou pensar", ele respondeu, e ligou o rádio. Quando a voz doce e melodiosa de Karen Carpenter cantando "Rainy Days and Mondays" começou a sair pelos alto-falantes, a minha cabeça começou a ficar pesada, e dormi no ombro de Sharon.

"Vamos, acorde."

Quando voltei a mim, ainda sonolenta, percebi que Sharon não estava mais ao meu lado. Eu sentei bem retinha e vi que o detetive Lister estava de pé ao lado da porta aberta do carro.

"Já deixei sua amiga em casa", ele contou, "com a promessa de que nunca vai fazer uma besteira dessas de novo. Você pode me prometer a mesma coisa?"

"Sim", respondi.

"Apesar de não dever fazer isso, não vou contar para os seus pais. Desta vez."

Ele sorriu para mim pela primeira vez, e a sensação de que o conhecia de algum lugar se tornou mais nítida. "Pode ir, então. Entra em casa." Eu saltei do carro e ele foi embora, me deixando na calçada com um alívio tão intenso que fiquei até zonza. Peguei a chave amarrada no cordão no meu pescoço e abri a porta da frente.

Pelo menos daquela vez, o silêncio da casa foi bem-vindo, me dando a chance de acalmar os tremores que abalavam meu corpo. Quando entrei, me perguntei se o que estava fazendo ainda era a coisa certa. O que aconteceu em Chapeltown significava que tínhamos ido longe demais? Por *minha* causa? Liguei a televisão e vi a mãe de Barbara Leach dar uma entrevista no noticiário. Foi difícil olhar para sua expressão angustiada e marcada pelo luto. O que aconteceria se aqueles homens em Chapeltown não tivessem sido interrompidos? Seria a minha mãe na televisão atormentada pela minha perda? Era isso o que eu queria?

Como se tivesse motivada por aquele pensamento, e algum tipo de mecanismo interno, fui até a cozinha e fiz um chá bem forte, com um cubo de açúcar. Levei com cuidado lá para cima e coloquei diante da porta do quarto dos meus pais.

"Mãe", falei, sentindo a estranheza daquela palavra na boca. Geralmente eu só deixava o chá do lado de fora, batia na porta e ia embora. "Tem uma caneca de chá aqui para você."

Então fui para o meu quarto e fechei a porta.

## 28

HELEN

Ela ficou de olho para ver se as meninas apareceriam para devolver o guia que tinham pegado emprestado, e pretendia desaparecer atrás do balcão ou correr para a sala dos fundos ao primeiro sinal de uma das duas, mas, para seu alívio, elas não vieram.

Ir trabalhar com hematomas e olho roxo era desconfortável e constrangedor, mas era mais fácil lidar com os adultos. Os olhares de suas colegas se desviavam dos machucados que ela tentava esconder porcamente e se concentravam em outras coisas nas rápidas conversas que tinham, aflitas para se afastar o quanto antes. Pareciam acreditar em qualquer história que ela dissesse — assentindo com uma expressão de solidariedade para não precisar fazer perguntas que pudessem implicar algum envolvimento com a questão. Apesar de toda aquela conversa sobre comunidade e "olhar pelos nossos", essa definição de "os nossos" era bastante tênue no fim das contas, pensou Helen.

E não ajudava o fato de que Gary conquistava de quase todo mundo com quem conversava. Helen entendia. Com ela tinha sido igualzinho. Havia se apaixonado completamente por aquele homem bonito e charmoso, que a tratava "como uma princesa", como ele dizia quando os dois só estavam namorando. Ela se sentiu notada por alguém de fora da família pela primeira vez, e desabrochou sob seu olhar. Só foi ver quem ele era de verdade depois de casada, mas a essa altura já era tarde demais. Mulheres como Helen não deixavam homens como Gary. Isso simplesmente não acontecia. Era preciso aguentar firme e de boca calada.

Com as crianças, era diferente. Elas encaravam. E faziam perguntas. E o olhar delas era de interrogação quando eram respondidas, como se duvidassem de suas justificativas. Helen tinha reparado na expressão preocupada das meninas da última vez. Elas estavam prestes a aprender as convenções do mundo das mulheres: quando falar alguma coisa ou quando ficar calada. Em mais um ano ou dois, teriam interiorizado essas regras e não fariam tais interrogatórios, mas Helen sabia que, se tivessem visto seu rosto e pescoço naquele dia, teriam notado que havia mais hematomas, perguntariam o que tinha acontecido e não aceitariam um "Foi só um acidente bobo" como resposta. Era melhor esconder.

Entre os adultos, apenas Omar não seguia as regras de forma tão estrita quanto os demais. Foi o que aconteceu naquele dia no mercadinho, quando ele não perguntou nada, embora a tenha olhado com tamanha compaixão que ela sentiu vontade de contar tudo para ele. Helen vinha evitando o estabelecimento fazia dias, apesar de o leite ter acabado, e naquele momento, ao se aproximar do mercadinho, ela não sabia o que era pior: encarar aquela expressão de novo ou ir para casa sem o leite e sofrer as consequências.

Ela diminuiu o passo ao se aproximar da esquina, e sentiu o coração se acelerar. Talvez houvesse movimento suficiente para ela passar despercebida, ou, pelo menos, não ser observada com muita atenção. Helen parou do outro lado da rua e se inclinou para a frente para tentar enxergar lá dentro pela vitrine. Estava tão concentrada nisso que, quando o homem tossiu, ela se virou às pressas e quase deu um grito de medo.

Mas era só Brian.

"Minha nossa, você quase me mata de susto", ela exclamou, levando a mão ao peito para acalmar a respiração.

"Desculpa", ele falou, baixando os olhos.

Ela não sabia nem de onde ele tinha vindo. Não ouviu passos se aproximando, e ele agora permanecia ali imóvel, como se estivesse lá o tempo todo e quem tivesse aparecido do nada fosse ela. Helen estava prestes a perguntar de onde ele havia saído quando ouviu o barulho da sineta do mercadinho e, ao se virar, viu Valerie saindo, acenando com as duas sacolas que carregava para Brian. Ele murmurou algo que Helen não conseguiu entender e se apressou em atravessar para ajudar a mãe. Livre das sacolas, Valerie acenou para ela.

"Olá, Helen, querida", ela falou. "Não posso parar para conversar agora."

Helen quase chorou de alívio enquanto esperava a respiração voltar ao normal, então deu as costas e tomou o caminho do centro da cidade. Ela não podia entrar ali. Só de pensar em receber o olhar bondoso dele já sentia a garganta se contrair, fazendo as marcas no seu pescoço latejarem — as deixadas pelos dedos de Gary quando tentou esganá-la na noite anterior, escondidas sob uma blusa de lã de gola alta.

# 29

## MIV

### NÚMERO OITO

"Esse é o último ano que vamos fazer isso", Sharon disse em voz baixa. "Não esquece. Nós combinamos. Estamos ficando grandes demais para essas coisas."

Estávamos sentadas lado a lado em cadeirinhas de madeira feitas para crianças menores que nós na sala empoeirada e de teto alto nos fundos da igreja com séculos de idade.

"Eu sei", respondi, mas torcendo para que isso não fosse verdade. Desde Chapeltown, eu vinha me apegando cada vez mais aos rituais da nossa infância. Não sabia se estava pronta para me colocar no mundo como adulta, e o Clube de Recreação da Igreja, realizado durante uma semana de outubro, era um desses rituais. Envolvia jogos e cantoria, e muito menos Deus que a escola dominical, e naquele ano eu estava disposta a fazer um encerramento em grande estilo na apresentação do fim da semana para marcar o Dia de Todos os Santos.

As coisas estavam meio desconfortáveis entre nós desde Chapeltown. Era como se estivéssemos aprendendo uma nova dança, mas nenhuma soubesse os passos. Sharon andava calada, e eu comecei a falar mais para compensar. Dei uma boa olhada nela, enquanto seus olhos se voltaram para baixo e seu rosto pálido naquele dia de tempo fechado de outubro começou a corar, como se alguém tivesse aumentado a temperatura do aquecedor. Ela parecia sem jeito, deslocada. Eu, por outro lado, ainda extraía algum conforto do ambiente familiar e do fato de não precisar fingir ser adulta.

"E o sr. Spencer, hein?", perguntei, na esperança de que isso pudesse atiçar seu interesse pela semana que teríamos pela frente.

"O que tem ele?" Ela me olhou com a testa franzida.

"Ah. Eu esqueci de contar que vi ele. Quando fomos até Chapeltown. Ele estava entrando em uma loja com a vitrine coberta com tábuas." Fiz uma pausa para ela absorver a informação. "Acho esquisito ele estar em Chapeltown, já que passa tanto tempo alertando todo mundo para manter distância de lá. Você não acha?"

Ela estreitou os olhos. Deu para perceber que consegui sua atenção.

"Enfim, esta semana vai ser uma ótima oportunidade para ficar de olho nele", falei de forma vaga, em uma tentativa de mostrar que não estava levando aquilo tão a sério.

"Eu sei que nós ainda não conversamos sobre o que aconteceu... lá em Chapeltown", disse Sharon bem séria. "Mas acho que precisamos. Não acha?"

"Claro", respondi. Mas pensando: *Não, não acho de jeito nenhum.* "E nós vamos fazer isso. Mas deixa passar essa semana primeiro. Não vai fazer mal nenhum ficar de olho no sr. Spencer, né? E não corremos o risco de ter problemas. Estamos na igreja."

Sharon balançou a cabeça para mim, e estava prestes a dizer mais alguma coisa quando a porta se abriu e o sr. Spencer foi até a frente da sala, com passos confiantes e um sorriso no rosto.

"Bom dia, crianças."

"Bom dia, sr. Spencer", respondi em coro junto com os demais, enquanto Sharon ficava em silêncio ao meu lado, de braços cruzados. O pároco começou a escrever em uma lousa enorme atrás dele, e olhei ao redor para ver quem mais estava lá, acenando com a cabeça para Stephen Crowther. Nesse momento, me ocorreu uma ideia.

"Por que o sr. Bashir e o Ishtiaq nunca vêm à igreja?", murmurei para Sharon. Parecia um desperdício ficar uma semana sem ir brincar com ele.

"Não seja tonta", ela respondeu. "Eles são muçulmanos."

Balancei a cabeça como se soubesse do que ela estava falando e voltei a espiar ao redor. Fiz uma anotação mental para pesquisar o que significava "muçulmano", envergonhada de Sharon saber uma coisa de que eu não tinha ideia e me perguntando qual seria o motivo para isso.

A primeira tarefa do dia era decidir em qual história bíblica nossa apresentação do fim da semana se basearia. Metade da sala queria "Davi e Golias", provavelmente para poder brincar de luta à vontade, e a outra, a mais comportada, "O Bom Samaritano". Cochichei para Sharon que ela deveria levantar a mão e perguntar se podíamos fazer a prostituta que lavou os pés de Jesus, só para ver a reação dele. Os olhos dela se encheram de brilho pela primeira vez naquela manhã. Nós sorrimos uma para a outra, e ela seguiu a minha sugestão.

Com um ar triunfante, vi quando o sr. Spencer ficou visivelmente sem jeito.

"Viu?", falei para Sharon, com um sorriso.

Uma outra criança entrou na conversa. "O que é prostituta?"

Para mim, parecia que aquela pergunta tinha um poder infinito para deixar os adultos constrangidos, principalmente o sr. Spencer. Sharon e eu tivemos que engolir nossas risadinhas.

O rosto em geral confiante do sr. Spencer ficou todo vermelho, e gotas de suor brotaram na testa dele, apesar do frio de outubro que as portas e janelas da construção não eram capazes de manter do lado de fora. Enquanto ele gaguejava e tentava mudar de assunto, aproveitei para observá-lo melhor. Era um homem alto, com olhos escuros marcantes, feições largas e grossas sobrancelhas, pretas como taturanas, que pareciam ter vida própria. Ele também havia acabado de raspar um bigode bem chamativo que antes usava.

Ele com certeza iria para a lista.

8. O pároco
   - Ele estava em Chapeltown
   - Ele tem cabelo escuro
   - Ele usava bigode
   - Ele não é certinho demais para ser verdade?

# 30

## MIV

No fim, escolhemos "O Bom Samaritano" como a apresentação de encerramento da semana. Quando nos deixou fazer um intervalo, o sr. Spencer saiu da sala, e eu ia comentar sobre seu bigode recém-raspado com Sharon quando de repente nos vimos em uma ruidosa brincadeira de pega-pega, e até mesmo Sharon tirou sua capa de maturidade e saiu em disparada pelo chão de tábuas de madeira, correndo e saltando para não ser pega.

A porta se abriu num tranco e a sra. Spencer apareceu, soltando fogo pelas ventas.

"Esta... é... a... casa... de... Deus!", ela gritou, e ficamos todos imóveis. A sra. Spencer era toda rígida e azeda, ao contrário do marido, com seu jeito simpático. Eu sempre me perguntava como os dois poderiam ser casados sendo tão diferentes, mas então me lembrava do quanto Sharon era diferente de mim. Talvez isso tivesse funcionado a favor deles também.

Ela olhou ao redor, à procura do sr. Spencer.

"Agora voltem aos seus lugares, enquanto eu..."

Quando se virou, ela viu que o sr. Spencer estava logo atrás dela, e fechou a porta até deixar entrar apenas um fio de luz. Enquanto arrumávamos as cadeiras em um semicírculo de novo, conseguíamos ouvir os murmúrios furiosos do casal.

Quando o sr. Spencer voltou, nós ficamos imóveis, prontos para ouvir outra bronca, mas ele parecia mais alegre do que nunca, e pudemos relaxar enquanto o pároco contava mais uma vez a parábola que encenaríamos, gesticulando com tanto fervor que até chegou a derrubar uma pilha de Bíblias equilibradas precariamente em uma mesa ali próximo.

"Ops", ele falou com um risinho, e uma menina foi correndo recolher os livros.

Nós almoçamos em um tipo de Portakabin ao lado, um centro comunitário com estrutura de contêiner usado para as solenidades da igreja, os bazares e aniversários, os casamentos e as celebrações de datas especiais de todo mundo da vizinhança.

Lá dentro, várias mesas compridas com bancos haviam sido montadas, que lembravam o refeitório da escola. Uma delas ficava na lateral do salão, com copos de isopor com suco de laranja em temperatura ambiente. Sharon e eu tínhamos trazidos sanduíches de carne embrulhados em papel-alumínio preparados por Ruby naquela manhã e um pacote de batatinhas para dividir que compramos no sr. Bashir no caminho. Enquanto eu pagava a compra, Sharon foi correndo para trás do balcão para dar um oi para Ishtiaq, e contou que ele estava na sala dos fundos fazendo a lição de casa.

Fui até um banco mais distante dos demais para podermos conversar sobre o acréscimo do sr. Spencer à lista, mas então vi um rosto conhecido. Estava com um pessoal mais velho, do grupo de jovens em que poderíamos entrar quando virássemos adolescentes.

Cutuquei Sharon. "Olha, é o Paul Ware", comentei, sussurrando as palavras com tom de reverência.

"Por que você está toda vermelha?", Sharon perguntou com um sorrisinho malicioso.

Nunca tínhamos falado a respeito, mas ela sabia exatamente o motivo. Ele também estava sentado sozinho, com um livro na mão e a franja caindo nos olhos. Fiquei com a sensação de que não estava lendo de verdade. Tinha a mesma altura imponente do pai, junto com as feições bem-formadas e frágeis da mãe, em uma combinação formidável.

"Onde você acha que eles estão morando agora?", perguntei em voz alta. "Não devem estar morando na casa do novo namorado dela, né? Isso é proibido." Muitas vezes eu confundia o código moral prescrito pela igreja com a lei, e tomava as histórias bíblicas e os preceitos do cristianismo estritamente ao pé da letra.

"Muito bem, o meu grupo já pode voltar para a igreja", a sra. Spencer disse antes que Sharon pudesse responder. Fiquei olhando enquanto Paul levantava devagar e ia atrás dos outros membros do seu grupo, com os olhos voltados para o chão.

O sr. Spencer parecia menos energizado à tarde, e nos dividiu em grupos para ensaiar nossas cenas de "O Bom Samaritano", enquanto ficava sentado em um canto com uma caneca na mão. Mais de uma vez, percebi a cabeça dele pendendo para a frente, e uma hora a caneca quase foi ao chão quando ele despertou assustado e olhou ao redor para ver se tinha sido flagrado por alguém.

No fim da tarde, anunciou que a escolha dos papéis seria feita no dia seguinte, e que o grupo devia vir preparado para "atuar e dançar de corpo e alma", uma instrução dita com um gesto floreado dramático que quase derrubou as Bíblias de novo. Todos os pensamentos sobre a lista foram esquecidos, e fechei os olhos com força durante a oração de encerramento, implorando a Deus para ficar com o papel principal.

"Que papel você vai querer?", perguntei para Sharon a caminho de casa. "Aposto que vai ser a Boa Samaritana."

Ela estremeceu visivelmente. "Eu não quero papel nenhum. Não gosto disso como você."

"Disso o quê?"

"De atuar e me apresentar e essas coisas", ela respondeu.

Achei irônico o fato de Sharon não gostar dos holofotes, já que a natureza a havia feito para ocupá-los, enquanto eu estava desesperada para alguém me notar. Mas, no fundo, fiquei contente por ela não participar dos testes. Isso significava menos concorrência para mim.

Passei o início da noite no meu quarto, ensaiando uma música, até meu pai bater na porta para dizer: "Já chega, querida. A sua mãe está na cama, e a tia Jean e eu... bom... nós não aguentamos mais ficar ouvindo a mesma música". Ele deu risada e bagunçou meus cabelos, para mostrar que não estava bravo comigo. "Eu vou sair", avisou em seguida. "Não fique acordada até muito tarde."

Ele se virou para sair e, pouco antes de fechar a porta do quarto, inclinou a cabeça para o lado. "Você tem a voz da sua mãe", meu pai disse, tão baixinho que quase não ouvi.

Quando finalmente fui para a cama, incapaz de dormir por causa da empolgação e do nervosismo pelo dia seguinte, uma lembrança da minha mãe me atingiu de repente. Ela estava acariciando meus cabelos porque, por alguma razão, eu não conseguia dormir, e cantava a música que ouvimos ser assobiada na tecelagem, "You Are My Sunshine". Deixei que as palavras do meu pai me envolvessem como um cobertor e cantarolei essa música baixinho para mim mesma até pegar no sono.

Pensei que tivesse cometido algum engano quando Ruby abriu a porta para mim na manhã seguinte e disse que Sharon já tinha saído — eu queria ensaiar com ela também, e não me lembro de ela ter me dito que não estaria em casa como de costume. Também não estava na igreja quando cheguei, mas qualquer preocupação que eu pudesse ter foi logo dissipada pela distração proporcionada pelos testes daquele dia. Como sempre, eu fiquei com o papel da narradora, em que poderia pelo menos ser ouvida, já que não seria vista.

A manhã foi agradável, na qual aprendi minhas falas e as músicas que todos cantaríamos, tanto que nem senti falta de Sharon e mal notei a presença do sr. Spencer. Mas, quando deu meio-dia e paramos para almoçar, decidi ir procurá-la. Fui até o sr. Bashir primeiro, para ver se ela havia decidido faltar nos testes e ir visitar Ishtiaq. Resolvi entrar pelos fundos, me esgueirando entre os becos e as vielas, recitando baixinho minhas falas, com nuvens frias saindo da minha boca. Quando cheguei perto do mercadinho, ouvi uma risada que soava como uma cachoeira. Soube na mesma hora que era a de Sharon.

Contornei a passagem delimitada pela cerca viva, só para garantir, e vi Sharon e Ishtiaq saindo do mercadinho e descendo a rua juntos. Depois de olhar ao redor, provavelmente para ter certeza de que não havia mais ninguém na rua silenciosa, Ishtiaq pegou na mão dela. As minhas mãos começaram a formigar, e não só por causa do frio, e eu as sacudi, tentando recuperar a sensação, mantendo os olhos fixos em Sharon e Ishtiaq.

Eles estavam completamente absortos um no outro, Ishtiaq falando mais do que nunca, seus olhos faiscando, enquanto Sharon balançava a cabeça e sorria, com o olhar fixo no rosto dele. Estava linda, radiante.

Quando jogou a cabeça para trás e riu de novo, recuei um passo, me certificando de que eles não me veriam, só voltando a olhar quando estavam mais longe.

Ao ver o rabo de cavalo de Sharon balançando enquanto ela se afastava, fiquei mais consciente que nunca do quanto queria ser como ela. Mas também sabia que isso significaria ser uma pessoa completamente diferente. Outra garota, nascida em outra família, com outra vida. Sempre me contentei em tê-la por perto, mas agora os meus dois melhores amigos haviam formado uma unidade sem mim. Eles combinavam perfeitamente, como as peças dos quebra-cabeças que passávamos horas tentando montar. E se eu me tornasse uma peça sobressalente e desnecessária? E se não houvesse mais lugar para mim ao lado dos dois? Então as coisas seriam como lá em casa. Esse pensamento provocou um vazio dentro de mim que se expandia a cada respiração.

Aos soluços, virei as costas para voltar correndo pelo beco para a igreja, mas então com o canto do olho percebi um brilho amarelo à minha direita, e do outro lado da rua vi o homem de macacão me observando.

Talvez ter visto Sharon e Ishtiaq juntos foi o que me fez decidir seguir Paul Ware até a casa dele no fim das atividades do dia. Justifiquei para mim mesma que era porque queria saber onde ele morava e, se possível, talvez ver Hazel. Como se fosse uma coisa normal a se fazer. Assim que fomos dispensados naquele dia, com uma oração em que fiquei o tempo todo me remoendo com o sentimento de que Deus não estava de jeito nenhum ao meu lado, saí correndo da igreja. Fui pelo caminho de pedras que atravessava o cemitério caindo aos pedaços até o portão, esperando Paul Ware sair também, saltando sem sair do lugar por causa do frio.

Enfim ele saiu da igreja, com os olhos colados no livro que lia, ou fingia ler, enquanto andava. Eu me escondi atrás de uma moita quando ele atravessou o caminho, depois comecei a segui-lo a uma distância que considerava segura, observando-o e fazendo anotações mentais que repetiria para Sharon, ainda que pensar nela me fizesse sentir um aperto no peito.

Foi impossível não reparar em cada detalhe dele. A calça era um jeans que ia até a canela, justo, que estava na moda, que ele combinava com um tênis preto e branco e uma camiseta preta com a foto da Debbie Harry e o nome BLONDIE em branco escrito na parte de baixo. Ele carregava o casaco no braço, apesar do frio. Os cabelos castanhos se enrolavam em cachos ao redor do rosto e na gola da camiseta, em um estilo que parecia descuidado na medida certa. Ele era simplesmente descolado.

Fiquei surpresa ao notar que estava adentrado um território conhecido, próximo das ruas onde eu vivia. Só não conseguia imaginar Hazel Ware morando lá. Fileiras e fileiras de casas idênticas. Fileiras e fileiras de pessoas idênticas. Parecia tudo comum e pobre demais para abrigá-la, e eu tinha razão. O pavimento irregular e rachado com ervas daninhas entre as pedras foi dando lugar a ruas mais largas, com arbustos bem podados de ambos os lados.

Ele continuava no meu campo de visão. Mantendo parte da concentração nele, eu observava as ruas por onde passava para conseguir encontrar o caminho da volta. Estava tão distraída com isso que não percebi passos pesados de botas se aproximando atrás de mim.

Eu estava sendo alcançada, mas, sem querer me virar para ver quem estava na minha cola, também não consegui tirar da cabeça a imagem do Estripador chegando por trás de suas vítimas e as golpeando na cabeça com um martelo. Parei por um instante, meus instintos em alerta, e, assim que ouvi os passos se detendo também, saí correndo, sentindo meu coração pulsar nas têmporas a cada respiração funda. Os passos ressoavam pelo ar, ganhando velocidade, e senti um puxão na minha blusa quando foi agarrada por quem quer que fosse.

Gritei um "socorro" fraquinho quando tentei escapar e acabei indo ao chão, ralando o joelho sob a calça jeans e batendo com força as mãos na calçada.

Olhei para cima.

Quem me encarava de cima era Reece Carlton. Estava vestindo o mesmo uniforme de sempre, a calça jeans dobrada na barra e as botas de sola grossa, só que parecendo mais desgastadas agora, como se fossem parte dele. Reece carregava uma bolsa esportiva que parecia pesada atravessada no corpo, e papéis escapavam do interior por causa da corrida. Sua expressão era estranhamente vazia, como se alguém tivesse desligado a chave geral dele. À distância, vi que Neil nos observava, aos risos. Eu queria falar, mas as palavras não se formavam na minha boca. Ele puxou a minha blusa de novo, me levantando um pouco do chão.

"Você é amiga da Sharon, né?", ele falou, como se tivéssemos parado na rua para bater papo.

Eu assenti.

"Ela está namorando?", ele perguntou, seus olhos cravados em mim.

A palavra "não" escapou da minha garganta como um som estrangulado de surpresa. Eu ainda não tinha me acostumado com a ideia de que ela claramente estava.

"O que está acontecendo aqui?", ouvi a voz de Paul perguntar. Ele se aproximava de nós, encarando Reece. Deve ter se virado por causa do barulho.

"Nada", disse Reece, com um tom de voz todo animadinho. "Ela só tropeçou e caiu."

Percebi uma mudança na expressão dele ao olhar para Paul. Foi como na piscina, quando, momentos antes, estava afogando Stephen Crowther e então o soltou.

"Você está bem?", Paul me perguntou.

Eu fiz que sim com a cabeça.

"Vejo vocês na escola", Reece falou e voltou para onde estava Neil, que ainda olhava para nós com um sorrisinho no rosto.

"O que foi que aconteceu aqui?", Paul perguntou, agachando para recolher os papéis que Reece tinha derrubado na rua, enquanto eu limpava os joelhos, percebendo horrorizada que o tombo abriu um buraco na minha calça, algo que eu teria que explicar para a tia Jean. Mantive o rosto abaixado, para que ele não visse minhas lágrimas. Estava sentindo uma mistura dolorosa de medo e vergonha, temperada com uma pontadinha de alegria por ele ter voltado para me ajudar.

"Sei lá", respondi. E não sabia mesmo. Reece estava mesmo me seguindo? A minha reação tinha sido exagerada? A culpa era minha?

Paul e eu continuamos andando pela rua em silêncio até ele parar diante de uma casa semigeminada em estilo georgiano com um jardim da frente bem amplo. Ao contrário da casa de Sharon, não era impecável — havia galochas enlameadas nos degraus de entrada e tiras de tecidos pintados de diferentes cores pendurados na porta da frente —, mas parecia um lar.

"Por que você estava me seguindo?", ele questionou, me olhando bem nos olhos pela primeira vez.

Senti uma onda de calor motivada pela vergonha percorrer o meu corpo. Puxei a bainha da minha blusa de segunda mão, desejando ser o tipo de menina em quem os garotos reparavam de um jeito diferente de como ele estava me olhando naquele momento.

"Eu... não estava."

"Estava, sim. E desde a igreja. Eu não sou tonto", ele retrucou, curvando os cantos da boca em um meio-sorriso.

"Ah. Eu, hã, o sr. Ware é seu pai?" A minha mente passou a tentar elaborar uma possível razão para eu estar na cola dele, e as palavras saíram da minha boca sem eu nem pensar nelas direito.

"É", ele falou, estreitando os olhos.

"Bom, ele era meu professor, e achei que vocês ainda podiam morar juntos, então vim atrás para..." Me interrompi no meio da frase, ciente de que essa história não me ajudava muito com a imagem que ele tinha de mim de uma esquisita. Os meus ombros desabaram. "Eu só queria ver onde você mora", murmurei.

Ele me olhou como se eu fosse um quebra-cabeças impossível de resolver.

A porta da casa se abriu, e vi Hazel sair. Imediatamente emudeci. Um lenço de seda estampado mantinha seus cabelos compridos longe dos olhos, e ela usava uma jardineira manchada de tinta.

"Paul?", ela disse. "Bem que eu pensei ter ouvido a sua voz."

Ela se virou para mim com um sorriso nos olhos.

"Olá. Nós já nos conhecemos antes, não é, Miv? No café da manhã da igreja."

Confirmei, felicíssima por ela ter me reconhecido.

"Quer entrar para tomar um refrigerante?"

Mais do que tudo no mundo, eu queria dizer sim. Na verdade, naquele momento, a minha vontade era de correr para os braços dela aos prantos e contar tudo, sobre Reece, sobre o Estripador, sobre a minha mãe, mas percebi que Paul arregalou os olhos, horrorizado.

"Não, obrigada, sra. Ware", respondi, ofegante.

"Tudo bem", ela disse. "Mas o convite está feito, para quando você quiser. Você é muito bem-vinda. Nós moramos aqui há pouco tempo, e Paul não conhece muita gente na vizinhança."

Paul a encarou com uma raiva indisfarçável, seu pescoço ficando vermelho. Ele passou por Hazel para entrar em casa. "Você não se despediu, Paul", ela gritou por cima do ombro, seus olhos nos meus faiscando de divertimento.

"Tchau!", eu o ouvi gritar de dentro da casa. Pareceu mais um latido do que uma voz humana.

"Tchau, sra. Ware", falei, virei as costas e saí correndo.

As minhas pernas trêmulas me levaram direto para a casa de Sharon. Tinha acontecido tanta coisa, e eu estava desesperada para contar para ela. Mas então lembrei do que ela não tinha me contado. Fui diminuindo a velocidade ao me dar conta disso, então fui para casa, pensando na expressão vazia no rosto de Reece, e de como foi perturbador vê-lo abrir um sorriso logo em seguida e ser todo amigável com Paul.

Isso me fez pensar no Estripador. Ele teria duas caras também? Por fora, seria como uma pessoa normal e simpática? Como o sr. Spencer? Engoli minhas palavras e meus sentimentos ao abrir a porta para o silêncio da minha mãe na poltrona dela e o restante da casa vazia.

# 31

## SR. WARE

Quando estacionou diante da casa, Mike viu dois rostos familiares, um deles carregando uma bolsa esportiva grande, fazendo o que só poderia ser descrito como "vadiagem". Ele ficou sentado no carro com o motor ligado enquanto esperava Paul, observando atentamente os dois. Tinha dito para Hazel que não entraria quando fosse buscar o filho, casualmente dando a entender que era por motivos práticos, quando na verdade era porque não suportaria sequer ter um vislumbre dela.

Seu instinto lhe dizia para ir interrogá-los. O que estavam fazendo ali? O que havia na bolsa? Mas não era mais o professor deles; não tinha nada a ver com o assunto. Mesmo assim, não conseguia parar de observá-los, e viu que estavam distribuindo papéis que tiravam da bolsa, e isso o fez sorrir. Era possível que tivessem se emendado? Estariam trabalhando honestamente agora? Mike ficou surpreso com o quanto os dois tinham mudado desde que ele saiu de Bishopsfield. Pareciam maiores e mais durões.

A batida na janela do carro lhe provocou um sobressalto.

"Oi, pai." Paul abriu a porta do carro e se acomodou no assento ao seu lado, todo comprido e desajeitado.

"Oi, filho", ele respondeu, de repente se sentindo constrangido, como se estivesse com um estranho.

Eles partiram em silêncio e, ao passarem pelos dois garotos, Mike percebeu que Paul se virou para olhá-los e só voltou a se ajeitar quando se distanciaram de Neil e Reece. Mike ligou o rádio para preencher o silêncio e ficou pensando no que poderia dizer. Antes da separação, ele e Paul não passavam nenhum tempo sozinhos, a não ser para terminar a lição de casa. A conversa entre eles era difícil como aprender um novo idioma.

"Você já cruzou com esses dois na escola?", ele questionou, sem conseguir deixar de pensar nos dois garotos.

"Já", Paul respondeu baixo.

"Imagino que não sejam entregadores de jornal dos mais confiáveis", Mike falou, ciente de que sua tentativa de piada era bem fraca.

"Humm", Paul respondeu, se voltando para a janela. Mike encarou isso como um sinal de que a conversa estava encerrada e aumentou o volume do rádio para esconder seu constrangimento.

Quando chegaram ao apartamento, Mike estava ansioso para se justificar e preparar Paul para o que estava prestes a encontrar.

"Foi a melhor coisa que consegui, e é só temporário", ele falou em meio ao eco da escada vazia. Sua vergonha só aumentou quando Gary, o vizinho, saiu de seu apartamento e se recostou no papel de parede estampado com magnólias, observando os dois.

"Olá, olá, olá", ele falou bem alto, com aquele jeito escandaloso dele, que provocava um incômodo profundo em Mike. Ele detestava ser esnobe, mas aquele jovem, sua aparência cuidadosamente desarrumada e o excesso de confiança, traziam à tona o que havia de pior nos preconceitos de seu pai, reencarnados nele.

"Gary." Ele fez apenas um breve aceno de cabeça, esperando que isso desencorajasse uma tentativa de conversa.

"E esse rapaz boa-pinta deve ser seu filho. Dá para ver a semelhança", Gary comentou, olhando para Paul.

"Sim, esse é meu filho Paul."

"Gary Andrews", ele se apresentou. "Prazer em..."

"Nós precisamos entrar", Mike interrompeu, abrindo a porta. Ele tentava evitar o vizinho o máximo possível, desconfiando que, a julgar pelos gritos e pelas pancadas que vinham do apartamento onde Gary morava com a esposa, aquela fachada simpática escondia algo muito mais sinistro.

"Claro!", Gary falou, seu desdém apenas parcialmente escondido atrás do sorriso. "Todo mundo sabe que você está sempre muito, muito, muito ocupado, Mike."

Mike sabia que a intenção era lhe dar uma alfinetada, considerando a expressão que acompanhou o comentário, mas decidiu deixar para lá, especialmente porque estava acompanhado de Paul. Seu filho já havia testemunhado mais do que deveria de sua raiva descontrolada.

"Rá", ele respondeu, e colocou Paul para dentro.

Quando entrou com Paul, ficou ainda mais evidente o quanto o apartamento era vazio, apesar de duas pessoas ocuparem mais espaço que uma. Ele olhou ao redor do cômodo minúsculo onde agora vivia. Havia uma pequena cozinha, um fogão elétrico quase nunca usado e uma geladeira velha e enferrujada à esquerda; uma única cama, que também fazia papel de sofá, à direita; e uma mesinha quadrada com duas cadeiras. Apesar de poder pedir ajuda para o pai, não se sentia capaz de fazer isso, pois o orgulho o impedia de confessar que havia arruinado seu casamento.

"Pensei em comprar peixe com fritas no Barry para o jantar, como um agrado", Mike falou, com uma voz exageradamente animada.

"Boa ideia", Paul respondeu, colocando a mochila na cadeira que Mike puxou para ele.

"Como eu falei, é só uma coisa temporária", ele repetiu. "Ainda não tenho tevê, mas vou providenciar uma..."

"Está tudo bem, pai. Sério mesmo", Paul respondeu, com uma sinceridade que comoveu Mike por um instante, e o deixou surpreso com a própria reação emotiva. "Eu não ligo. Trouxe um livro e lição de casa para fazer."

Ele abriu a bolsa e pegou o exemplar surrado de *Fahrenheit 451* que havia ganhado do pai, e Mike sentiu uma onda de orgulho o invadir.

"Bom garoto", ele falou. "Acho que eu posso ajudar você com isso." Ele pegou a folha de papel que tinha pulado para fora da mochila junto com o livro.

"Essa não é a minha...", Pau começou.

Mike leu as palavras que tinha diante de si, escritas em vermelho, acompanhadas de uma espalhafatosa bandeira britânica.

BRITÂNICOS EM PRIMEIRO LUGAR
DETENHAM a imigração
REJEITEM as comunidades europeias

RESTABELEÇAM a pena de morte
TORNEM a Grã-Bretanha grande de novo

Mike olhou para o rosto pálido de Paul, com duas manchas vermelhíssimas nas bochechas que o faziam parecer o rosto de uma boneca. "Que diabo é isso?" Ele não conseguiu conter sua fúria.

"Isso não é meu", Paul respondeu com firmeza, e sua voz ecoou nas paredes vazias.

Mike tinha ouvido tantas respostas parecidas de seus alunos ao longo dos anos, e deu uma boa encarada no filho, torcendo para que a sinceridade que via no rosto dele fosse genuína.

"Se não é seu, de quem é?"

"É uma longa história, pai."

"Bom, eu não estou com pressa."

Ele detestou o tom de reprimenda na própria voz, a frase mais do que desgastada de professor.

"É do Reece, ou pelo menos foi dele que peguei. Estava conversando com ele mais cedo. Isso caiu da bolsa dele e eu peguei", Paul contou, olhando para o chão.

O que Reece e Neil estavam fazendo se encaixou como uma peça de quebra-cabeças que ele nem sabia que estava tentando resolver. Mike se afundou na cadeira, e fez um gesto para Paul sentar também.

"Esses garotos, eles não são seus amigos, né? Isso em que eles estão envolvidos é..." Ele pensou no pai, e no que diria a respeito, provavelmente algo do tipo "Eu não lutei na guerra contra Hitler para ver os meus próprios compatriotas se transformarem nele". Mike conseguia até ver o rosto do pai, vermelho de raiva, dizendo isso.

Paul se ajeitou na beirada da cadeira, como se estivesse se preparando para fugir.

"É perigoso, sem falar que é de uma tremenda ignorância." Mike tentou moderar o tom de voz, para disfarçar os ecos do próprio pai.

"Eu sei. Sério mesmo. Eu não quero me envolver com eles de jeito nenhum, e não vou fazer isso. Só estava ajudando uma pessoa. Uma menina", Paul respondeu, a vermelhidão das bochechas se espalhando para o rosto inteiro e o pescoço.

"Uma menina, é?" Perceber que tinha subestimado o próprio filho o fez abrir um sorriso.

"Paaaai", Paul falou, corando ainda mais.

O alívio foi tanto que Mike caiu na risada. Ele olhou para a expressão incomodada e envergonhada de Paul e a viu mudar, graças ao seu próprio bom humor, e os dois sorriram um para o outro pela primeira vez, pelo que Mike conseguia lembrar.

# 32

## MIV

"Eu fui procurar você na hora do almoço ontem", falei para Sharon quando estávamos indo para a igreja no dia seguinte. "Você estava com Ishtiaq." Mantive os olhos voltados para o chão o tempo todo.

Sharon hesitou antes de responder. "Ah, sim. Por que você não falou nada?"

"Eu me senti esquisita", respondi, dando os ombros. Em seguida, como não consegui me conter, mesmo prometendo para mim mesma que não faria isso, perguntei: "Então ele é seu namorado?".

"Sim. É, sim."

Seu tom de voz apreensivo foi acompanhado de um sorriso tímido.

"Por que você não me contou?"

"Porque não queria te deixar chateada. Achei que você fosse se sentir deixada de lado ou algo assim."

"Eu estou chateada porque você não me contou", respondi, apesar de não ser exatamente verdade. O meu incômodo era porque, se Sharon passasse a amar outra pessoa, poderia não sobrar espaço para mim.

"Desculpa. É que... bom... é por causa do meu pai. Ele não ia querer me ver com alguém como... como o Ish. E eu sei que você não falaria nada para ele, nem para ninguém, mas também sei dos seus problemas. Em casa, é o que estou dizendo. Nossa, como isso é difícil." Ela ficou em silêncio por um instante, com uma expressão séria e triste. "A questão é que eu fiquei preocupada. Não sabia como você ia se sentir. E não queria deixar você ainda mais triste."

Continuamos andando em silêncio. Nunca falávamos sobre a situação na minha casa. Eu nem sabia quanto ela sabia. Ela só me acompanhava nas coisas, como a lista, porque sentia pena de mim? Esse pensamento me deu um nó na garganta.

"É sério? Quer dizer, acha que vocês vão ficar juntos?" Minha voz tremia, ao mesmo tempo querendo e não querendo saber.

Sharon deu uma risadinha. "Não sei", ela disse, com a voz quieta, hesitante. "Tudo que sei é que gosto muito dele, muito mesmo."

Quando estávamos chegando à igreja, ela colocou o braço no meu para me virar em sua direção. "Mas nós sempre ficaremos juntas. Eu e você, quero dizer. Sempre seremos amigas."

Assenti, incapaz de falar.

Passamos a maior parte do dia separadas, já que eu estava ensaiando a apresentação de "O Bom Samaritano" sob a direção do sr. Spencer, e Sharon se escondeu alegremente na última fileira do coral, conduzido pela sra. Spencer. Acabei ficando absorvida na história, sem conseguir prestar atenção no sr. Spencer.

Na hora do almoço, fomos sentar no nosso lugar de sempre e, quando passamos por Paul Ware, ele acenou com a cabeça para mim. Eu retribuí o gesto, tentando fazer parecer que não era nada de mais, mas fracassando, porque senti meu rosto esquentar. Decidi não contar para Sharon que o tinha seguido até em casa. Eu podia ter os meus próprios segredos também. Entre sanduíches de geleia e suco de laranja morno, relatei para ela as poucas observações que havia feito sobre o comportamento do sr. Spencer, e decidimos que era preciso vigiá-lo mais de perto. Apesar de desconfiar que Sharon só estava fazendo isso para me agradar depois da situação constrangedora da manhã, eu não liguei, desde que continuássemos unidas.

Graças a um clima inesperadamente ensolarado, que clareou um pouco o dia, mas não o tornou mais quente, a parte da tarde foi ocupada por uma queimada ao ar livre. Enquanto corríamos de um lado para o outro no jardim da igreja, chutando folhas secas no caminho e evitando ser atingidas, Sharon e eu não tiramos os olhos do sr. Spencer. Ele pareceu passar o tempo todo só sentado observando, recostado na parede da igreja, com uma garrafa de chá ao seu lado, e suas únicas interferências eram gritos de "Cuidado!" ou "Ei! Ei!" quando a brincadeira saía um pouco do controle. Perto do dia terminar, ele se levantou lentamente, cambaleando um pouco, como se estivesse encostado na parede para não cair. Pegou a garrafa e se equilibrou. "Muito bem, pessoal" — ele bateu as mãos uma na outra — "hora de ir para casa!". Só mais tarde naquela noite eu me dei conta de que não tínhamos encerrado o dia com uma oração.

Na manhã seguinte, retomamos os ensaios. Eu tinha passado a noite anterior decorando minhas falas para garantir que estaria no mesmo nível de Stephen, cujas atuações iam se tornando mais impressionantes a cada vez que repassávamos a história. O sr. Spencer estava cheio de energia, elogiando nossos esforços com uma voz tão alta que chegava a incomodar, e aplaudindo com entusiasmo quando uma cena era particularmente bem executada. Percebi que estava ficando tensa, mas não entendia muito bem por quê.

Em determinado ponto, percebi que a instabilidade que tínhamos visto no dia anterior estava de volta, e, depois de uma rodada de aplausos efusivos, ele tropeçou nos próprios pés e só não caiu de cara no chão porque se apoiou em um banco no último instante. Fiquei me perguntando se ele não estaria doente.

Conversei sobre essa possibilidade com Sharon na hora do almoço. Ela ainda estava tentando me agradar, ainda que com cada vez menos empenho à medida que o dia passava.

"Com certeza tem alguma coisa errada", comentei. "Ele está todo cambaleante e arrastando as palavras."

"Eu vi", ela concordou, para meu alívio.

"E não é só isso. É como se num instante ele estivesse todo feliz e logo em seguida com sono, e depois irritado", expliquei. "Você entende o que eu quero dizer?"

Paul Ware se inclinou na nossa direção. Ele estava ao lado da mesa, e eu nem sequer tinha notado.

"Eu entendo muito bem o que você está dizendo", ele falou, e nós duas levamos um susto.

"Desculpa, é que eu ouvi vocês conversando enquanto ia pegar alguma coisa para beber. Eu também acho esquisito. E não é só essa semana, no grupo de jovens também é assim."

Antes de perceber o que estava falando, eu me peguei dizendo: "Você acha que ele é suspeito?". Sharon, obviamente, ficou surpresa por eu ter feito essa pergunta na frente de outra pessoa.

"Na verdade, acho que ele é um bêbado", respondeu Paul, e senti meus olhos se arregalarem. Era uma ideia chocante para mim. Então lembrei que tudo isso tinha começado porque eu o vi em Chapeltown. O sr. Spencer não era bem o que parecia.

Não pude responder, porque a sra. Spencer chamou o grupo de Paul de volta, e só tive a chance de dizer "Obrigada" antes que ele fosse embora. Sharon e eu trocamos olhares, e eu estava vibrando por dentro, não só porque estávamos fazendo uma descoberta, mas também porque consegui ter uma conversa relativamente normal com Paul Ware.

O dia seguinte era o da apresentação. Naquela tarde, íamos apresentar para os pais a peça, as músicas e os esquetes que os grupos passaram a semana toda ensaiando. Qualquer pensamento sobre o sr. Spencer, o Estripador e até Paul Ware foram deixados de lado enquanto eu ensaiava minhas falas repetidamente até decorar cada palavra e não precisar mais do roteiro, apesar de, como narradora, poder usá-lo sem problemas. Eu queria ser tão boa quanto Stephen. Não tinha nenhuma expectativa de que alguém fosse me ver, mas decidi comentar mesmo assim — só por desencargo de consciência —, dizendo para minha mãe, meu pai e a tia Jean na noite anterior: "A nossa apresentação é amanhã, e eu sou a narradora. Achei melhor falar porque todas as mães e os pais vão lá assistir...".

Deixei o restante pairando no ar.

A minha mãe não reagiu. A tia Jean acenou com a cabeça, tensa.

"Ruby vai ver Sharon?", o meu pai quis saber.

Fiz que sim com a cabeça.

"Bom, eu posso sair do trabalho mais cedo e ir buscar vocês mais tarde, que tal?", ele propôs. "Podemos ir ao Caddy's tomar uma vaca-preta."

O café Caddy's era um lugar mágico cheio de coisas gostosas para comer, e era famoso pelo sorvete com refrigerante de cereja. Fiquei perplexa por um momento com a oferta inesperada. Todas as minhas preocupações de que ninguém fosse desapareceram. E também havia a esperança de que

Hazel Ware fosse ver Paul, e a expectativa de ter mais um vislumbre de sua elegância.

Quando os pais começaram a chegar na tarde seguinte, Sharon correu para o coral e eu me posicionei atrás da cortina colocada às pressas para separar o palco da área improvisada para os bastidores. Espiei por trás das cortinas para a plateia, de cabeças oscilantes e corpos inquietos. Stephen estava lá atrás também, sorrindo numa pose confiante. Sorri de volta, notando o quanto ele parecia diferente do menino intimidado que havia sido na escola. Eu me senti estranhamente orgulhosa dele. Depois de um tempo, todos os pais e os membros do coral já estavam sentados. O tio Raymond, que seria o fotógrafo do evento, estava com a câmera a postos, e o elenco inteiro se reuniu atrás das cortinas.

Ficamos esperando o sr. Spencer aparecer para dar início à apresentação.

E nada.

Olhei ao redor, lembrando que não via o sr. Spencer fazia um tempinho, e comecei a ficar inquieta. Por fim, a cabeça da sra. Spencer apareceu atrás de uma das cortinas. O tio Raymond espiou por cima do ombro dela, tão próximo que a obrigou a se mover para a frente, o que quase o fez perder o equilíbrio.

"Onde está Peter?", ela sibilou, nos encarando como se o tivéssemos escondido em algum lugar. Nós nos entreolhamos e demos de ombros. Percebi que uma risadinha tomava o corpo de Stephen, e precisei desviar o olhar para não começar a rir também. Depois de uma breve discussão ficou definido que o tio Raymond faria a abertura da apresentação, e a sra. Spencer seria a condutora da primeira música.

"Eu não posso estar em dois lugares ao mesmo tempo!", ela argumentou, falando com ele da mesma forma como falava com a gente.

Fiquei com pena dele, vendo o suor brotando na testa e nas axilas dele. Por fim, ele gaguejou algumas palavras de boas-vindas, e a sra. Spencer deu o comando para o coral começar a cantar, seu rosto contorcido em uma careta de raiva. Quando as atenções do público se voltaram para uma execução ruidosa de "Cross Over the Road", o tio Raymond escapuliu para o fundo da igreja e se escondeu atrás da câmera, com o olhar fixo em nós.

Espiando pela lateral da cortina de novo, vi Ruby na plateia e acenei animadamente para ela. Ela acenou de volta. Duas fileiras atrás, estava Hazel, usando o mesmo lenço de cabeça da vez que fui à sua casa, e, ao me ver ela sorriu e acenou também, o que me fez corar, sentindo o calor de sua atenção como o do sol de verão. O sentimento radiante de estar sendo vista, mesmo que não fosse ninguém da minha família, fez meu coração disparar e, quando chegou a hora, eu me empenhei ao máximo na apresentação, ganhando até uma inesperada salva de palmas depois do texto de introdução.

Depois da peça, o grupo de jovens cantou umas músicas e encenou alguns esquetes, então Stephen e eu fomos até a sala dos fundos para tirar os roupões de banho que fizeram as vezes dos nossos trajes bíblicos. Graças à minha recém-adquirida timidez na hora de me trocar, fui para o pequeno depósito logo ao lado, onde ficavam guardadas as bíblias e os hinários sobressalentes. Quando abri a porta, um cheiro ácido e horrível atingiu as minhas narinas e me fez recuar.

"Argh. Eca!", falei, dando um passo para trás.

"O que foi?", perguntou Stephen, vindo até mim. "Ah, que nojo", ele falou assim que sentiu o cheiro. Nós dois tapamos o nariz e demos uma olhada ao redor na semipenumbra. Em um canto, dava para ver uma pilha de roupas de onde o cheiro parecia vir. Enquanto eu apontava aquilo para Stephen, a pilha se mexeu, e nós dois recuamos um passo.

Ao som de um gemido abafado, meus pensamentos voaram direto para o Estripador, e ofeguei alto pela ideia de que podíamos ter encontrado alguém atacado por ele. Mas, quando a pilha de roupa se desdobrou, reconheci os olhos tentando recuperar o foco e a boca com traços de vômito ainda escorrendo.

"Ah, sr. Spencer", eu falei. "Hã, você está passando mal?"

As palavras de Paul do dia anterior voltaram a ressoar nos meus ouvidos. Eu ainda não conseguia acreditar que ele era um bêbado.

"Eu vou chamar a sra. Spencer", disse Stephen, virando as costas para o cenário lamentável diante de nós. O sr. Spencer estava parecendo um sem-teto, e não um homem do clero. Talvez eu devesse tê-lo ajudado, mas alguma coisa me manteve imóvel enquanto o via tentar se erguer. Além do cheiro acre de vômito, havia também algo agridoce que eu reconhecia das noites de Natal e das ocasiões especiais.

A sra. Spencer apareceu às pressas atrás de nós, com o tio Raymond e Stephen não muito atrás. Estava tão furiosa que seu rosto parecia quase roxo na semipenumbra do cômodo minúsculo.

"Puxa vida, Peter. O que foi que você fez? O que as pessoas vão dizer?", ela sibilou, observando o marido. Em seguida, afastou Stephen e eu para um canto enquanto ela e o tio Raymond levantavam o sr. Spencer. Quando o tio Raymond envolveu o pároco pela cintura e eles foram lentamente na direção da porta dos fundos, a impressão que me deu foi que aquilo já tinha acontecido muitas vezes antes, como uma dança ensaiada. O tio Raymond se virou assim que saiu da sala e, me vendo atenta à cena, deu uma piscadinha que me fez estremecer, mesmo sem eu entender o porquê. A sra. Spencer se virou para nós, respirou fundo e pareceu se recompor.

"Meu marido não está se sentindo bem", ela disse calma, parecendo quase majestática em sua pose. Como a rainha. "Eu agradeceria muito se vocês não comentassem nada disso com ninguém. Não quero que as pessoas se preocupem." As palavras eram pronunciadas em staccato, como uma militar transmitindo uma ordem. "Se alguém perguntar, podem dizer que ele foi visitar um paroquiano num momento de necessidade."

"Sim, sra. Spencer", nós dois respondemos, e quase fiz uma mesura enquanto engolia a resposta de que mentir era pecado. Ela ajeitou as roupas e os cabelos e balançou a cabeça, parecendo querer se livrar do que tinha acontecido, e nós a seguimos de volta para o salão principal.

No final da apresentação, depois que fizemos nossos agradecimentos finais, os pais invadiram o palco para buscar e parabenizar os filhos. Eu estava quietinha no meu canto, esperando Ruby vir até mim depois de abraçar Sharon, quando Hazel veio na minha direção, e as pessoas ao redor abriram caminho para ela passar, como se fosse uma estrela de Hollywood no tapete vermelho.

"Muito bem", ela falou. "Você foi uma espécie de revelação." Eu não entendi muito bem o que isso significava, mas o meu corpo estremeceu de satisfação mesmo assim.

"Obrigada", respondi, toda tímida.

Paul apareceu ao lado dela.

"É", ele falou, "você foi muito boa." Suas palavras foram ditas num tom baixo, mas bem claro, e o meu orgulho se transformou em perplexidade diante daquele elogio.

"Você gostaria de ir jantar na nossa casa uma noite dessas?", Hazel perguntou.

Fiquei confusa.

"Sabe, comer e tal", disse Paul sorrindo.

"Ah. Eu... sim, por favor, eu posso ir a qualquer hora. Quer dizer, quando for melhor para vocês", respondi, tropeçando nas palavras, e senti um calor de vergonha se espalhando pelo meu corpo.

"Vou falar com seu pai, então, e nós marcamos a data."

Eu estava perplexa demais para avisar que aquilo não era necessário, que eu não precisava de permissão para ir a lugar nenhum, mas então lembrei que, graças ao Estripador, ultimamente tinha que pedir, sim.

Mal prestei atenção na conversa e nos risos de meu pai, Ruby e Sharon depois que ele foi nos buscar, mas não era preciso. O meu pai estava de ótimo humor, fazendo Sharon rir enquanto Ruby observava tudo com um sorriso. Os meus pensamentos estavam todos concentrados na ideia de ir jantar na casa de Paul e Hazel, e eu ficava relembrando do elogio dele o tempo todo.

Quando deixamos Sharon e Ruby em casa, o céu estava escurecendo, e minha cabeça oscilava para meu peito, o cansaço batendo depois de toda a agitação do dia. Estava começando a sonhar quando o som das sirenes me acordou. Meu pai diminuiu a velocidade do carro quando passamos pela rua do mercadinho do sr. Bashir, que parecia ser de onde vinha toda a comoção. Luzes piscantes iluminavam o céu como fogos de artifício, e as pessoas estavam no meio da rua, o rosto delas virado na mesma direção. O meu pai abaixou o vidro e se inclinou para fora para perguntar o que estava acontecendo, mas o cheiro de forte de fumaça que pegava na garganta foi a resposta, e ele voltou a fechar a janela.

"Vamos levar você para casa", ele disse.

# 33

## OMAR

Toda sexta à tarde Omar fechava o mercadinho mais cedo e ia fazer compras em um atacadista, onde repunha o estoque para a semana seguinte, já que sábado era seu dia de maior movimento. Ishtiaq costumava acompanhá-lo — marcando os itens faltantes da lista que Omar mantinha pregada atrás do balcão, perto do pequeno caderno em que anotava quem devia quanto —, mas naquele dia seu filho insistiu em ficar em casa. Afirmou que precisava fazer uma lição da escola antes da retomada das aulas, mas Omar sabia que ele esperava que Sharon aparecesse para visitá-lo depois da apresentação na igreja.

Omar sabia que havia chegado o momento de ter uma conversa com Ishtiaq sobre aquele começo de relacionamento. Sua preocupação era que os dois fossem novos demais, e que Sharon fosse branca demais, e que os pais dela provavelmente não gostariam da ideia, e que alguém faria algum comentário maldoso a respeito, e que ele diria alguma coisa de que se arrependesse mais tarde.

No entanto, a expressão no rosto do filho era de derreter o coração. Quando Rizwana morreu, Ishtiaq já tinha idade suficiente para sentir um grande vazio no espaço que a mãe deveria ocupar. Omar observava a tristeza do filho com sofrimento, mas não tinha nenhuma familiaridade com as expressões de amor e afeição que poderiam servir de consolo para Ishtiaq, então se sentia impotente para ajudar. Sharon, porém, o havia tirado da névoa do luto, e sempre que Omar os ouvia rindo juntos nos fundos da loja, seu coração cantarolava pelo som cheio de vida na voz do filho. Ele suspirou e se concentrou no que estava fazendo. Já havia pensado sobre aquele assunto muitas vezes, e sabia que não seria muito útil ficar remoendo a questão.

Ele acenava com a cabeça para os rostos conhecidos enquanto empurrava o carrinho enorme de compras, selecionando caixas de doces e fardos de sabão em pó, marcando o que já havia pegado daquilo que seus clientes queriam e precisavam. Como as balas de goma que sabia que Helen compraria para Arthur da próxima vez que passasse por lá, e a marca de limonada que Valerie e seu filho Brian preferiam. Omar seria capaz de vencer um quiz sobre o que cada um de seus clientes gostava ou não, apesar de alguns nem sequer saberem seu nome.

Quando estava colocando tudo no porta-malas do carro, ouviu alguém gritando da porta do atacadista.

"Ei!"

Ele se virou para ver o que estava acontecendo e, para sua surpresa, viu um estocador de uniforme azul-marinho que todos os funcionários usavam correndo em sua direção. Sentiu uma pontada de raiva surgir; ele era um cliente fiel suficiente para não ser acusado de roubo a essa altura, não? O jovem parou diante dele, se curvando com as mãos apoiadas no joelho, arfando.

"Você... precisa... ir depressa", ele disse. "Ligaram aqui. Atrás de você. A polícia."

Omar ficou olhando para o rapaz, tentando ordenar aquelas palavras em uma frase que fizesse sentido.

"Incêndio... É um incêndio. No mercadinho."

Sem dizer uma palavra, Omar fechou o porta-malas, entrou no carro e partiu deixando o carrinho ainda com parte das compras abandonado no estacionamento. Caso estivesse consciente do que estava fazendo, ficaria surpreso com as promessas que fez para Alá enquanto dirigia para casa, segurando o volante com tanta força que suas mãos e seus braços ficaram doendo por vários dias depois disso. A memória muscular da fé havia entrado em ação de imediato.

Ele ouviu o incêndio antes de ver. As sirenes ecoavam a várias ruas de distância. Quando virou em sua rua e viu a multidão e os veículos de emergência só acompanhando tudo como se fosse a Noite de Guy Fawkes, largou o carro e saiu correndo. Um homem alto de uniforme se destacou do meio da aglomeração, direcionado por um vizinho que apontava em sua direção. Sua expressão era de seriedade e formalidade quando se postou diante dele, e o rosto de Omar se contorceu de angústia quando abriu a boca para fazer a pergunta que não era capaz.

"Sr. Bashir?", ele falou, e Omar assentiu, esquadrinhando o mar de gente com olhos arregalados.

"Seu menino está em segurança."

Ao ouvir isso, Omar sentiu os joelhos cederem, e ele caiu.

# 34

## MIV

### NÚMERO NOVE

"Ouvi dizer que foi uma bomba."

"Ouvi dizer que a geladeira explodiu."

"Ouvi dizer que enfiaram um pano encharcado de gasolina na caixa de correio."

A notícia do incêndio se espalhou pelo pátio da escola tão depressa quanto as chamas devoraram o mercadinho do sr. Bashir. No fim, a história do pano com gasolina era verdadeira. Ishtiaq conseguiu escapar, mas foi levado para o hospital por ter inalado fumaça, e depois mandado para passar um tempo com a família em Bradford, depois de receber alta.

Nossa turma estava mais triste e silenciosa que de costume, até mesmo Neil Callaghan, apesar de Reece Carlton ter zombado da notícia e sido mandado para a diretoria. Mais tarde naquela manhã, eu vi pela janela embaçada da sala quando o sr. Carlton apareceu e levou Reece para casa. Eu o reconheci vagamente de reuniões e de peças de teatro escolares como um pai que só ficava sentado de braços cruzados sem esboçar nenhuma reação, deixando bem claro que não estava lá por vontade própria. Era um homem forte e bruto. Por um momento, senti pena de Reece, imaginando a encrenca em que tinha se metido, mas então o pai dele deu um tapão em suas costas, com tanta força que ele até cambaleou para a frente, e sorriu para o filho. Aquela estranha imagem me fez estremecer.

Lá em casa, a tia Jean estava em um frenesi de atividade, limpando a geladeira e a cozinha na mesma velocidade com que as palavras saíam da sua boca. Ao que parecia, a cidade inteira estava em polvorosa por causa da notícia. "Foi proposital", ela falou, balançando a cabeça como quem se recusava a acreditar. "A polícia falou que foi um incêndio criminoso."

Durante dias, dois policiais bateram de casa em casa, interrogando os moradores a respeito da carcaça vazia e escurecida que agora ocupava o lugar onde antes ficava o mercadinho. Sharon também parecia vazia por dentro, um fantasma de si mesma, com a pele quase transparente de tão pálida e chorando por qualquer coisa. Eu não tentei consolá-la. Não sabia o que dizer.

Um dia, durante o recreio, fui em sua direção enquanto ela conversava com duas das meninas bonitas e Neil Callaghan. Todos pareciam bem concentrados na conversa, e bem próximos, como se compartilhassem um segredo, mas, de repente, Sharon deu um passo atrás. Quanto mais perto eu chegava, mais confusa me sentia. Desde o incêndio, ela vinha sendo consumida pela tristeza, mas eu era capaz de sentir a fúria quase visível exalada em ondas do seu corpo.

"Não *ouse* falar dele desse jeito."

Ela quase cuspiu ao falar, articulando cada palavra, com uma raiva mal controlada. Neil recuou também, dando risada e estendendo as mãos para a frente enquanto uma das meninas respondia: "O que foi, Sharon? Você está apaixonada por um *paki*?".

Eu percebi quando seu corpo todo ficou rígido e, assim que ela deu um passo à frente, eu a puxei para longe dali.

"O que foi?", perguntei.

Notei que ela estava com dificuldades para formar as palavras, e que suas mãos tremiam violentamente.

"Eu deveria ter contado para todo mundo", ela falou. "Deveria ter orgulho de ser namorada dele."


Passamos a ir para a escola por outro caminho, para não nos depararmos com os restos carbonizados do mercadinho, até que um dia a tia Jean me mandou ir buscar um Tupperware que tinha emprestado para a sra. Weatherby, a duas ruas da nossa. Esses potes circulavam pela vizinhança mais depressa que o tráfego de veículos. Era surpreendente que alguém ainda soubesse quem eram as donas originais, mas fui até lá buscar mesmo assim.

Minhas pernas assumiram o controle automaticamente quando saí e, sem Sharon para me indicar outro caminho, acabei na esquina da rua do sr. Bashir, olhando para a casca vazia e lacrada que restou do mercadinho, me perguntando quem poderia ter feito aquilo. Meu coração disparou quando senti outra presença ali próximo. O homem de macacão estava na esquina oposta e também observava, sem se mexer, o local do incêndio. Respirei fundo e prendi o ar enquanto olhava para ele. Ele segurava a touca amarela na mão para variar, revelando uma surpreendente cabeleira de cachos pretos que eu não me lembrava de ter visto antes. Ele estava com a barba por fazer, e um bigode escuro crescia sobre seu lábio. Seus olhos eram escuros e mal piscavam.

Imagens dele foram surgindo na minha mente, como em uma projeção de slides que vimos na casa de Irene Blackburn das férias dela na França. Lá estava ele, andando pela rua de cabeça baixa, sem ao menos reconhecer a nossa presença. E de novo, do lado de fora do mercadinho, observando, só entrando quando não havia mais ninguém por perto. E de novo, com Reece e Neil, quando estávamos na rua de Arthur. Eu não o havia colocado na lista ainda por motivos que não sabia explicar direito, mas não seria ele o maior suspeito de todos? Parecia evitar o contato humano, mas eu lembrava de sempre vê-lo rondando o mercadinho. E se existisse um motivo para isso?

A caminho de casa, pensei em tudo o que sabia a seu respeito. Sabia que ele morava com a mãe, Valerie Lockwood, em uma rua estreita de casa geminadas chamada Thorncliffe Road e que seu nome era Brian — embora só pensasse nele como "o homem de macacão". Uma vez tinha ouvido a tia Jean dizer para meu pai que sentia pena dos dois, mas não entendi direito por quê.

Era perturbador aquilo de não fazer contato visual e andar sempre pelos cantos, o que me levou a me perguntar se isso significava que ele tinha antecedentes criminais. Ele teria alguma coisa para esconder? Percebi que ele precisava ser o nosso próximo investigado, principalmente depois do incêndio.

Não foi tão fácil convencer Sharon dessa vez.

"Ainda estamos fazendo isso?", ela perguntou. "Depois de tudo o que aconteceu? Pensei que já tivéssemos desistido."

Era um sábado cinzento e frio, e estávamos a caminho do centro da cidade. Desde o recesso do meio do semestre, começamos a frequentar a

High Street, como as outras meninas faziam, e Sharon queria ir à Boots para olhar batons. Coloquei o capuz da minha jaqueta impermeável e fechei o zíper quando o vento se intensificou trazendo gotas de chuva que começaram a cair como projéteis pesados, ardendo a pele onde batiam.

"O Estripador ainda não foi pego. Ele está solto por aí", argumentei, mas, assim que terminei de falar, já percebi a irritação dela.

"Pode até ser, mas nós não estamos mais perto de pegar ele do que quando começamos", ela rebateu. "E, bom, eu não sei se isso está fazendo bem para você. Quer dizer, para nós. Não está fazendo bem para nenhuma de nós duas."

Aquelas palavras machucaram tanto quanto a chuva, e andamos em silêncio enquanto eu engolia as lágrimas que ameaçavam descer pelo meu rosto. Não sabia como mencionar minha suspeita do homem de macacão. A questão do incêndio era tão perturbadora que nós tentávamos não falar sobre aquilo. Eu respirei fundo.

"E tem também o incêndio", falei.

Sharon parou e se virou para mim. Ela estava de maquiagem e com o capuz na cabeça, escondendo os cabelos cuidadosamente penteados, mais parecida com a menina que eu conhecia.

"O que tem o incêndio?", ela perguntou. "Você acha que ele está metido nisso?"

Confirmei devagar, medindo as palavras com cuidado, sabendo o quanto aquilo era perturbador para ela, mas, ao mesmo tempo, querendo explicar minhas suspeitas.

"Pensa bem", falei. "Sempre que o vemos, é perto do mercadinho. E lembra que ele estava junto naquele dia em que Reece disse aquelas coisas sobre você e o Ish?" Fiz uma pausa para ela absorver o que eu estava dizendo. "E também teve outras vezes. Duas. Uma quando vi você e o Ish juntos, e ele estava me vigiando, e outra um dia desses quando passei perto do mercadinho, isso depois do incêndio, e ele estava lá, olhando."

Eu parei nesse momento, um pouco ofegante. As palavras tinham saído da minha boca em um fôlego só.

"Ok."

Ela disse isso tão baixinho que quase não escutei.

9. O homem de macacão
   - Ele nunca faz contato visual
   - Ele é esquisito
   - Ele parece sujo e fedido
   - Ele não tem amigos (além de Neil e Reece, que não são legais)
   - Ele está sempre vigiando o mercadinho

# 35

## MIV

No dia seguinte depois da igreja pegamos um balde na garagem da casa de Sharon e fomos até a Thorncliffe Road. Inventei uma história sobre levantar fundos para a igreja e estava me oferecendo para fazer pequenos trabalhos para as pessoas, o que nos deu a justificativa perfeita para bater na porta dos Lockwood.

Sharon veio atrás de mim, bufando. Eu sabia que ela estava reconsiderando a empreitada como um todo. Em determinado momento, eu a parei. "Olha só. Pode deixar que eu falo. Já planejei o que vou dizer, e vai dar tudo certo. Você só precisa sorrir e fazer cara de inocente." Decidi que ia mostrar para Sharon que também tinha voz ativa. Nós batemos no número 75 e ficamos paradas na porta, com o coração na boca.

"Posso saber o que as duas pestinhas querem?"

Valerie, usando um penhoar todo estampado, abriu a porta, nos olhou de cima a baixo e sorriu. Senti Sharon se encolher atrás de mim enquanto eu explicava que estávamos fazendo serviços voluntários para arrecadar fundos para a igreja.

"Pode ser o que for", continuei, olhando ao redor à procura de Brian. Ele não estava às vistas. "Nós podemos fazer de tudo, cozinhar, limpar, arrumar..."

"Bom, eu estou trabalhando à noite essa semana", ela interrompeu, apontando para o penhoar. "E preciso dormir, então vocês podem voltar na sexta-feira? Vocês podem tirar o pó de algumas coisas para mim."

Eu aceitei a oferta. Tirar o pó das coisas significava que poderíamos entrar na casa e fazer uma busca se fosse preciso. Todo o meu entusiasmo com a lista voltou, apesar de eu não poder dizer o mesmo sobre Sharon.

\* \* \*

    A caminho de casa, decidi perguntar para a tia Jean por que ela sentia pena de Valerie e Brian, curiosa para saber o que havia despertado sua empatia, um sentimento raro para ela. Mas, assim que abri a porta, dava para sentir o clima de discórdia que pairava em casa. Até o ar parecia carregado. Entrei bem devagarinho.
    A televisão estava em volume baixo, e, quando dei uma espiada na sala, vi minha mãe olhando para a tela, seus olhos vazios. Em seguida percebi que a porta dos fundos estava aberta, e que meu pai e a tia Jean estavam no quintal discutindo aos sussurros. Fiquei paralisada. Conflitos na minha casa eram do tipo silencioso. Tentei me concentrar nas vozes, atenta a qualquer menção ao meu nome. A tia Jean estava na ofensiva, seus sussurros carregados de raiva. O meu pai falava mais baixo, se defendendo, e quando cheguei mais perto da cozinha e da porta aberta eu o ouvi dizer: "Você não entende o quanto isso é difícil".
    "Eu não entendo o quanto é difícil?" O tom da tia Jean era de incredulidade, e eu recuei quando sua voz se tornou mais nítida e ela entrou na casa. "É difícil para todo mundo, meu irmão, mas o que você está fazendo é errado, e precisa acabar." Ela começou a tirar as panelas e os talheres lavados do escorredor, guardando tudo de forma ruidosa. "Talvez esteja na hora de deixar você se virar sozinho."
    Eu nem lembrava mais da tia Jean morando em qualquer outro lugar que não fosse a nossa casa; que antes ela vivia de aluguel em um apartamento de um quarto num conjunto habitacional da prefeitura, em um daqueles prédios quadradões e cinzentos nos limites da cidade. Na verdade, fiquei surpresa ao perceber que sabia muito pouco sobre ela além do papel que desempenhava na nossa família. Ela já tinha se apaixonado? Tinha o desejo de formar a própria família? E o mais chocante para mim foi concluir que eu não queria que ela fosse embora. Em algum momento, a tia Jean se tornou a cola que nos mantinha unidos. Subi a escada devagar e sem fazer barulho, me fechando no quarto para tudo o que estava acontecendo, me voltando para o meu caderno e para a lista. Aquilo era mais fácil. Procurar um assassino era algo mais simples de lidar.

* * *

Depois da aula na sexta-feira, Sharon e eu fomos para a casa dos Lockwood.

"Esta é a última vez", disse Sharon. "É sério."

Eu sabia que era. Aquela era minha última chance de provar que estava certa.

Dessa vez a porta foi atendida por outra mulher, tão corpulenta quanto, que usava permanente no cabelo de cachos duros como concreto.

"Valerie, visita para você", ela gritou, olhando para dentro. "Podem entrar, mocinhas", ela convidou, e nós limpamos os pés no capacho e entramos para o corredor.

A casa era uma réplica quase exata da nossa; havia uma sala de estar, uma de visitas e a cozinha no andar de baixo, e dois quartos e um banheiro no de cima, com a única diferença que, como algumas das casas da nossa rua, aquela tinha um banheiro no quintal.

O interior da residência era uma combinação de espirais e padrões desbotados no papel de parede e nos carpetes, e os eletrodomésticos da cozinha e os móveis já tinham visto dias melhores — apesar de estar tudo muito limpo, o que me surpreendeu, porque a aparência de Brian geralmente era bem desmazelada.

Na sala de visitas, um grande relógio ocupava o ponto central do aparador, com seu tique-taque ruidoso. O restante do cômodo era coberto de uma proliferação de peças de crochê: toalhinhas nas prateleiras e mesas, e mantas que eram tecidas costurando quadradinhos crochetados sobre as cadeiras sem estofamento. Estava evidente que Valerie adorava aquelas toalhinhas tanto quanto Doreen, a esposa de Arthur, quando era viva. Eu não conseguia ver qual era a graça. Para mim, aquilo não parecia ter nenhuma utilidade, e a tia Jean falou que era coisa de gente metida. Ela não gostava de nada que fosse meramente decorativo. A sala parecia sem uso, como se toda a ação na casa acontecesse na cozinha e na sala de estar. Assim como na nossa, antes de a tia Jean se mudar.

Era ali que Valerie queria que tirássemos o pó das coisas, enquanto ela e três amigas bebiam chá na sala ao lado. Fiquei empolgadíssima. Apesar de não haver nem sinal do homem de macacão, estávamos em um lugar perfeito para ouvir tudo, então olhei para Sharon e sorri. Ela retribuiu o gesto — ainda desconfortável com a situação, mas pelo menos estava lá, e me senti grata por isso.

Começamos nosso trabalho. Pegávamos os enfeites que limpávamos com espanadores amarelos e limpador multiuso. Tentei escutar a conversa da sala ao lado, permeada por tragadas em cigarros e acessos de riso. Os assuntos eram o trabalho — todas eram funcionárias da fábrica de biscoitos local, a principal indústria da região —, a comparação entre várias doenças e remédios e mistérios do corpo feminino que me fizeram ficar vermelha de vergonha.

A recompensa veio quando o tema da conversa passou a ser as famílias, e Valerie falou: "Eu estou preocupada com meu Brian. Ele não tem sido o mesmo, e não estou conseguindo me comunicar com ele de jeito nenhum".

Paramos o que estávamos fazendo e ouvimos atentas.

"Ele nunca foi de falar muito, mas nos últimos tempos parece que estou morando com um fantasma. Ele não abre mais a boca. Simplesmente entra e sai, come e vai se deitar. Não sei nem mais aonde ele vai quando sai. Quer dizer, trabalho ele não consegue arrumar, e o único lugar aonde ia sozinho era o mercadinho da esquina."

"Será que foi por isso que ele ficou assim? Por causa do que aconteceu no mercadinho? Eu sei que ele gosta de ter uma rotina fixa", disse uma voz que não reconheci.

"É, talvez você tenha razão", disse Valerie.

Soltei o ar que estava preso no meu peito enquanto ela falava e assenti para Sharon, que balançou a cabeça para mim.

"Você vai continuar pegando o ônibus para casa depois dos turnos da noite?", ouvi a mulher que atendeu à porta perguntar.

"Eu vou continuar com meu comportamento de sempre", disse outra. "Não vou dar essa satisfação para eles."

"Eles?", questionou Valerie.

"É", continuou a voz. "Os homens. Os malditos homens é que não deviam poder sair à noite, não a gente. Nós não saímos por aí matando os outros."

"Logo mais você vai estar queimando o sutiã também", disse a primeira mulher, para gargalhadas gerais.

"O meu Brian vai me buscar no ponto de ônibus enquanto não pegam o desgraçado", Valerie contou. Em seguida houve vários pedidos de silêncio, e consegui até visualizar elas apontando para a nossa direção, na sala ao lado.

"O meu Jeff não me deixa mais sair sozinha... está todo cheio de cuidados comigo", comentou a primeira mulher. "Mas ele deve estar só preocupado. Se o Estripador me pega, não vai ter ninguém para fazer o jantar dele."

Essa declaração foi recebida às gargalhadas, e a conversa passou a girar em torno das reclamações de costume que mulheres casadas havia muito tempo tinham. Mas percebi que as risadas soaram diferentes. Pareciam forçadas, e carregadas de certa tensão que eu não esperava ouvir de mulheres tão duras na queda. Pensei na tia Jean no apartamentinho dela de novo. Como ela se sentiria se tivesse que voltar para lá? Ficaria com medo também?

Demoramos o máximo possível para tirar o pó das coisas e arrumar tudo, mas no fim ficamos sem coisas para limpar e fomos até Valerie para receber.

"Nós podemos fazer mais alguma coisa para ajudar, sra. Lockwood?"

"Podemos fazer assim", ela disse. "O meu Brian pode querer que o barracão dele seja limpo. Posso perguntar para ele quando chegar em casa e, se quiserem voltar amanhã, aviso vocês."

Eu estava quase tremendo de tanta empolgação.

"Isso seria ótimo, sra. Lockwood. Nós podemos ver como está o barracão? Só para saber quando tempo pode demorar."

Ela nos levou para o quintal minúsculo, ocupado quase totalmente pelo banheiro externo e um barracão precário quase do mesmo tamanho. Dei uma olhada ao redor. O pouco de grama que havia estava sem ervas daninhas e surpreendentemente bem-cuidado. A porta do barracão rangeu alto quando Valerie a abriu, e eu segurei a mão de Sharon com força. Demos uma espiada no local às escuras, sentindo um cheiro forte de umidade que imediatamente identifiquei que tinha um toque de substância química também. "Isso é gasolina?", perguntei, arregalando os olhos para Sharon.

"Ah, sim, o meu Brian guarda uma lata aqui, só por precaução", Valerie respondeu, apontando para o galãozinho verde em um canto. Entrei no barracão, olhando ao redor como se estivesse avaliando o trabalho a ser feito, mas todas as ferramentas pareciam limpas e arrumadas. Assim que Valerie se virou para voltar para dentro, peguei uma coisa que tinha visto perto do galão de gasolina e fui atrás dela junto com Sharon.

"Então Brian está 'irreconhecível' ultimamente", comentei enquanto íamos para casa. "Por que será?"

"Pode ser porque ele está sem trabalho", Sharon sugeriu. "É só lembrar do seu pai e do que aconteceu com ele."

Pensei a respeito. Antes de ir trabalhar no depósito de cargas, meu pai era metalúrgico e ficou desempregado. Demorou quase um ano para ele arrumar outro emprego e, apesar de ser pequena na época, ainda lembro do jantar diário de purê de batata cinzento e dos cortes de carne mais baratos que minha mãe conseguia arrumar no açougue. Meu pai tinha explosões de raiva a cada pedido ou questionamento, e às vezes batia a porta quando saía para suas caminhadas, que eram frequentes e longas. Eu vivia pisando em ovos, assim como agora, só que com outro membro da família.

"Você acha que ele não pode ser mais considerado suspeito?", perguntei.

Tínhamos chegado no ponto onde geralmente nos despedíamos e cada uma ia para a própria casa. Sharon parou e ficou olhando para baixo em silêncio por um tempinho.

"Não sei se algum dia achei", ela respondeu. "Não sei se alguma pessoa que nós conhecemos pode ser suspeita ou se todo mundo só está ocupado com a própria vida. Talvez seja melhor a gente deixar a polícia descobrir quem provocou o incêndio. Vejo você amanhã."

Eu me senti como se tivesse levado um tapa na cara, e fiquei ali, atordoada, enquanto ela ia embora. Quando Sharon desapareceu de vista, enfiei a mão no bolso e peguei aquilo que tinha recolhido do chão do barracão. Cheirei e fiz uma careta. Era uma camiseta velha encrostada de óleo e sujeira, claramente usada como pano de limpeza. O cheiro de gasolina era fortíssimo. Pensei em chamar Sharon de volta, mas no fim decidi que seguiria o conselho dela. Em vez de ir para casa, fui até a delegacia de polícia no centro da cidade.

Fiquei do lado de fora por alguns minutos, olhando para aquele prédio que ocupava um quarteirão inteiro. Já tinha visto o lugar na tevê, como pano de fundo de algumas reportagens locais sobre o Estripador, que faziam o edifício parecer formal e imponente. Na vida real, era sujo e sem graça. Demorou um pouco, mas no fim criei coragem para ir até o balcão da frente.

Lá dentro, o prédio me lembrou a escola. Os móveis e as paredes eram sem graças e funcionais; ali, ninguém se importava com as aparências. Era um local movimentado, com homens de uniforme entrando e saindo a todo momento, além das pessoas que esperavam em cadeiras plásticas. Ninguém olhou para mim.

"Eu preciso falar com o detetive-sargento Lister, por favor."

O sargento atrás do balcão me olhou de cima e soltou uma risadinha. "E posso saber o que você quer com o detetive Lister?", ele questionou.

"É importante", garanti. "Eu conheço ele."

"O que uma mocinha como você pode ter para dizer que é tão importante assim?"

Ainda com um sorrisinho no rosto, ele desapareceu em uma das salas nos fundos, e senti o rosto queimar. Fiquei me perguntando se era assim que a polícia tratava informações importantes ou se dependia de quem as trazia. Sentei em uma cadeira de plástico e esperei por alguns minutos até o detetive Lister aparecer.

"Pode vir", ele falou, me chamando com um gesto de mão. Sua expressão era bem séria, e ele parecia bastante cansado, com olheiras escuras sob os olhos e a barba por fazer. Antes mesmo de sentar na salinha apertada, comecei a tagarelar sobre Brian — que ele era estranho, e que ficou rondando o mercadinho depois do incêndio, e que guardava gasolina no barracão de casa. A história saiu da minha boca em um frenesi de palavras, e concluí entregando o pano.

"Aqui está a prova", falei, sentindo minha voz de repente sair forte e clara, ainda que um pouco ofegante depois de contar toda a história às pressas. O detetive Lister pelo menos não riu da minha cara, como o sargento lá do balcão. Em vez disso, ele encarou longamente o pano e eu depois, e então me explicou que não estava trabalhando nesse caso, mas levaria a informação adiante.

"Você fez a coisa certa", ele me disse, "vindo aqui me procurar." Em seguida abriu um sorriso rápido para mim, e o medo e a hesitação que senti antes de entrar desapareceram, substituídos pelo alívio e pela adrenalina.

Quando saí para ir embora, vi uma silhueta magra e familiar encostada na parede do lado de fora, raspando os tênis na calçada. Era Paul. Ele levantou os olhos, com a cara fechada do mesmo jeito da primeira vez que o vi. Um leve rubor surgiu em suas bochechas ao me ver, e por um breve momento me perguntei por quê.

"Oi", ele falou. "O que você está fazendo aqui?"

De repente me sentido tímida, dei de ombros.

"Uma coisa para a escola", murmurei. "Enfim, e você, o que está fazendo aqui?"

"Ah", ele disse, sua expressão se fechando de novo. "Estou esperando o namorado da minha mãe para me dar uma carona até em casa", ele respondeu, voltando a chutar o chão. Nesse momento, eu soube exatamente onde tinha visto o detetive-sargento Lister antes. Ele era o homem que estava de mãos dadas com Hazel Ware no dia em que eu a vi da carroça de Arthur na feira.

Na tarde seguinte, eu fui sozinha até a Thorncliffe Road. Sabia que Sharon não ia querer voltar, e também estava com medo de que, se arrumássemos o barracão, podíamos acabar destruindo provas, mas no fim isso não importava.

"Olá, querida."

Valerie atendeu à porta, mas os cabelos desalinhados e o tom de voz desolado logo me indicaram que havia alguma coisa errada. Ela olhou para mim e depois para os dois lados da rua.

"Está tudo bem, sra. Lockwood?", perguntei, preocupada.

"O meu Brian não voltou para casa ontem, e eu estou aflita", ela respondeu quase num murmúrio enquanto continuava a observar a rua.

"Tem alguma coisa que eu possa fazer? Posso ajudar a procurar ele?", me ofereci, minha voz tensa. Só então Valerie olhou bem para mim.

"Que Deus a abençoe, mas já tem gente procurando, então não se preocupe. Não é a primeira vez que ele sai por aí desse jeito", ela respondeu. "Quando ele estiver em casa, você pode voltar para arrumar o barracão."

Eu me despedi e voltei cantarolando em voz alta, tentando afastar os pensamentos de que aquilo poderia ter alguma coisa a ver com minha visita à polícia. Talvez ele tivesse fugido porque era o Estripador. Talvez porque estava infeliz, como a amiga de Valerie tinha dito. Talvez ele não estivesse desaparecido, só tivesse "saído por aí", como Valerie falou.

Eu ainda não sabia disso, mas Brian nunca mais voltaria ao número 75 da Thorncliffe Road.

# 36

## HELEN

Não era apenas o inconveniente de precisar caminhar até o centro da cidade para comprar até os itens mais básicos, Helen percebeu, enquanto ajustava o lenço na cabeça e segurava a gola do casaco impermeável para se proteger do vento; era a falta do conforto proporcionado pela preocupação e pela atenção silenciosa de Omar. Depois que os machucados da última vez sumiram e ela voltou ao mercadinho, ele havia lhe dado comida em um Tupperware para levar para o pai, que tinha passado a gostar dos temperos das refeições apimentadas de Omar.

"E para você", ele acrescentou.

Ela havido confirmado, mas sabia que não poderia experimentar: Gary poderia notar o gosto em seus lábios quando a beijasse. Engolindo em seco, ela admitiu que Omar era mais que uma presença reconfortante em sua vida. Era uma das poucas pessoas com quem se sentia à vontade. Ele fazia perguntas sobre *ela*, sobre o que gostava e não gostava, sobre suas esperanças e seus sonhos, e deixava que ela falasse. Ela também tinha certeza de que, de alguma forma, ele sabia seu segredo. E ficou se perguntando como poderia descobrir como contatá-lo, talvez mandar um cartão ou coisa do tipo. As duas meninas poderiam saber: eram amigas do filho dele. Perguntaria a elas quando fossem de novo à biblioteca.

O único lado positivo da situação era que ela podia passar mais tempo fora de casa. A caminhada de ida e volta até o supermercado no centro da cidade era demorada. Se ela fosse antes de Gary chegar do trabalho, como hoje, podia evitar a oferta de carona, que ele fazia de uma forma que deixava claro o quanto aquilo era um fardo e um sacrifício. De qualquer forma, era sexta-feira, então ele chegaria tarde e bêbado demais em casa.

Ela sentiu o nó na garganta familiar e se concentrou nos arredores, tentando expulsar da mente os pensamentos relacionados a ele, ocupando esse espaço com o que via. Isso serviu como um grande consolo. Não havia muitas cores brilhantes na rua onde moravam nem no apartamento alugado pelo senhorio que nunca chegou a conhecer, mas, enquanto caminhava, foi notando as texturas das casas: as pedras marrons desgastadas que contavam a respeito das vidas passadas ali. Era possível observar, a partir do estado das janelas e das portas de cada uma, quais residências eram amadas e quais eram negligenciadas.

Ela estava absorta em seus pensamentos quando notou o burburinho no ar. O som de mulheres conversando, exclamando em tons sussurrados que indicavam se tratar de alguma coisa grave. Mais um ataque do Estripador?, ela se perguntou.

Seu pensamento foi depressa para Omar e seu filho. Talvez tivesse relação com eles? Teria acontecido mais alguma coisa? Costumava evitar fofocas, ciente de que poderia se tornar o alvo da atenção daquelas mulheres se não tomasse cuidado. Mas naquele dia precisava saber. Ela se preparou mentalmente, ajeitando o cachecol, e caminhou até o pequeno grupo reunido nos degraus da frente de uma casa próxima, sabendo que conheceria pelo menos uma delas — numa cidade pequena como aquela era sempre assim.

"Helen", disse Marjorie Pearson, apontando para Helen com a cabeça. As demais se afastaram um pouco uma das outras e se voltaram para olhá-la.

"Tudo bem?", ela perguntou.

"Que coisa terrível", Marjorie foi logo dizendo, como se Helen estivesse ali durante toda a conversa.

"Pois é", ela respondeu, enquanto o restante do grupo murmurava em concordância e assentia em sincronia. Helen olhou ao redor, capturando a expressão de cada uma, assentindo também.

"Alguém sabe por que ele fez isso?", perguntou uma mulher que Helen não conhecia, mas que usava a mesma camisa marrom do uniforme das demais funcionárias da fábrica de biscoitos.

"Ora, ele nunca bateu bem da cabeça, né?", Marjorie disse, com uma autoridade na voz que deixou claro que era a líder a quem todas se dirigiam em busca de explicações. Houve mais acenos de cabeça.

"Eu só sinto pena da Valerie", ela continuou. "Não é certo, um filho partir antes da mãe. E você sabe o que dizem..." Ela baixou a voz para um sussurro. "O suicídio é a saída dos covardes."

"Desculpa", disse Helen, "como é?"

"Isso mesmo que você ouviu", confirmou Marjorie. "Brian pôs um fim na própria vida. Foi encontrado anteontem, ao que parece. Enforcado na mata."

# 37

**MIV**

Fiquei sabendo do suicídio de Brian através do meu pai. No sábado seguinte, já estava todo mundo sabendo. Os sinais de que havia algo de errado estavam por toda a parte, desde que a tia Jean me mandou para o quarto dizendo que minha mãe estava mal, enquanto distraidamente acariciava meu cabelo, então eu sabia que a coisa era séria.

Eu sabia o que era um suicídio. Era uma palavra que eu tinha ouvido ser sussurrada várias vezes para descrever o que a minha mãe tinha tentado fazer no dia em que a encontrei caída no chão.

Quando meu pai subiu para me contar, parecia exausto e abatido. Ficava olhando para o teto o tempo todo, como se estivesse buscando orientação de outro lugar, enquanto explicava o que tinha acontecido com Brian. Senti tudo o que eu tinha para dizer se acumular em um nó que ficou preso na minha garganta.

"Por que ele faria isso?", consegui sussurrar por fim, me sentindo nauseada, incapaz de parar de pensar na minha ida à polícia no fim de semana anterior.

"Às vezes os adultos estão sofrendo muito, e acham que uma forma de melhorar é fazendo mal a si mesmos", ele explicou. Em seguida hesitou, parecendo avaliar o que diria a seguir. "Sua mãe uma vez chegou a pensar assim também. Você lembra, no dia em que a encontrou? É por isso que ela ficou tão chateada. Ela já sabe do Brian."

Sentindo o pânico se instalar, eu o engoli antes que acabasse me dominando. Aquele era um dia em que eu fazia de tudo para nunca pensar. Mas também não queria pensar em Brian. Tentei desesperadamente convencer a mim mesma de que talvez a morte dele não tivesse nada a ver comigo.

Talvez ele fosse o Estripador, até.

Quando meu pai saiu, depois de dar um beijo na minha testa, algo que não fazia tinha muito tempo, tentei pensar em alguma coisa, qualquer outra coisa, mas sempre que conseguia me distrair algum objeto amarelo chamava minha atenção e a visão de Brian enforcado, com o velho gorro de lã na cabeça, aparecia na minha mente. Essa imagem me dava falta de ar, e eu piscava os olhos várias vezes para tentar me livrar dela.

Mais tarde, a tia Jean arrumou uma mala e enrolou minha mãe em um cobertor, e vi da janela do quarto quando meu pai a levou para o carro. Ela parecia uma criancinha nos braços dele. Dessa vez não teve nenhuma conversa sobre um "descanso". A gente sabia que ela estava indo para o hospital. Depois que eles saíram, a tia Jean me chamou para descer. Ela fez sanduíches de batata frita para o jantar, e nós sentamos na frente da tevê para comer, o que era inédito na nossa casa. Consegui resistir à tentação de comentar que, de acordo com ela, isso era *rebaixar nossos padrões*.

Quando ela apareceu para me dar um beijo de boa-noite no meu quarto, não consegui conter as lágrimas. Era um momento para ser apreciado, mas eu sentia que não o merecia.

Eu sabia que precisava contar para Sharon o que tinha feito, e fui andando devagar até a casa dela na manhã seguinte antes da igreja, a conversa com o detetive-sargento Lister repetindo na minha cabeça enquanto me perguntava se aquilo tinha alguma coisa a ver com o que Brian havia feito consigo mesmo. Ela abriu a porta quando cheguei, seus olhos vermelhos e inchados, e foi direto para o quarto antes mesmo que eu tivesse a chance de dizer oi.

Eu a segui até lá e sentei na cama, brincando com a ponta da colcha xadrez enquanto ela se acomodava diante da penteadeira e se virava para mim. Sua expressão era difícil de decifrar. Respirei bem fundo.

"Preciso conversar com você", falei. "É sobre o Brian."

"Eu já sei o que aconteceu", ela respondeu, sua voz sem emoção como eu nunca tinha ouvido.

Minhas mãos começaram a tremer.

"Não é só isso", expliquei. Sabia que o volume da minha voz estava alto, e as palavras muito aceleradas, mas também sabia que não seria possível esconder isso dela. Se o fizesse e Sharon descobrisse, nossa amizade estaria acabada, se já não estivesse. Eu me senti doente, como se o chão estivesse se movendo sob meus pés. *O que foi que eu fiz?*

"Eu procurei a polícia. Para falar sobre Brian e o incêndio."

Esperei que ela absorvesse a informação, observando seu rosto se franzir como uma folha de papel nas minhas mãos.

"Está me dizendo que talvez eles tenham ido atrás dele? E que depois...?"

Assenti, fechando os olhos como que para não precisar encarar as consequências.

Quando voltei a abri-los, ela estava pálida e sem expressão nenhuma. Por um instante, me fez lembrar da minha mãe.

"Mas... pode ter sido ele que provocou o incêndio", insisti, sem saber ao certo quem eu queria convencer. Eu estava *tão* certa quando fui falar com o detetive Lister no sábado anterior, mas agora não conseguia mais encontrar esse sentimento dentro de mim. Sharon balançou a cabeça devagar, um olhar de tristeza no rosto — e, se era por causa de Brian e seu destino ou das minhas tentativas patéticas de me justificar, eu não sabia.

"Acho melhor você ir", ela disse, soando como uma completa estranha para mim.

Então fui embora.

Naquela noite, quando meu pai apareceu na minha porta, só precisou dar uma olhada no meu rosto antes de vir me envolver em seus braços.

"Shhh", ele falou, enquanto eu chorava. "Vai ficar tudo bem."

Mas ele não sabia o que eu tinha feito. Nem que nada voltaria a ficar bem.


Acordei mais cedo que o normal naquela manhã de segunda-feira, ainda grogue e zonza pela falta de sono. Fui encontrar Sharon antes da escola. Normalmente, nunca era preciso tocar a campainha — ela já vinha descendo a escada com a porta aberta antes mesmo de eu atravessar o jardim.

Mas não naquele dia.

Foi Ruby quem atendeu à porta.

"Sharon não vai à escola hoje", ela me avisou. "Ela não está se sentindo bem."

Eu passei na casa dela todos os dias naquela semana. Às vezes via a cortina lá de cima se mover quando eu tocava, às vezes Ruby atendia e dizia que ela ainda não estava bem, e às vezes ninguém aparecia na porta.

Só o que eu sabia era que tinha perdido Sharon e não sabia como recuperá-la.

# 38

MIV

NÚMERO DEZ

No dia em que Sharon voltou à escola, eu tinha passado na casa dela, como sempre. O tempo estava gelado, e o céu, tão escuro que parecia o meio da noite. Estava cada vez mais insegura sobre o caminho até ela, como se a paisagem como um todo tivesse mudado, e me arrependi de não ter levado minha lanterna, tanto para ficar mais segura como para enxergar mesmo. A tia Jean me fez mingau naquela manhã e me disse para pôr um gorro antes de sair.

"Para não perder o calor do corpo", ela disse.

Mas eu só conseguia pensar em Brian e no seu gorro amarelo berrante, e lágrimas quentes escorriam pelo meu rosto enquanto eu ia até a casa de Sharon, determinada a conversar com ela, doente ou não. Ela estava me esperando quando cheguei, e me entregou um lencinho de papel. Assoei o nariz audivelmente. Sharon parecia ter ficado sem comer durante toda a semana em que ficou em casa, com suas curvas habituais se transformando em ângulos agudos, mais parecidos com os do meu corpo. Não estava usando maquiagem, e a gola da camisa da escola parecia larga demais para seu pescoço, mas eu não sabia como perguntar a ela sobre isso. Parecia que a nossa amizade estava no limiar de alguma coisa, como um carrinho de montanha-russa chegando ao topo da subida, e eu não queria ser a responsável por mandá-lo caminho abaixo. A iniciativa precisaria ser de Sharon.

"Quero conversar com você sobre a lista", ela disse, com um tom de voz inesperadamente firme, seus olhos fixos no caminho diante de nós para a escola.

Eu continuei em silêncio.

"Sei quanto isso é importante para você, e sei que você quer muito pegar ele, mas..."

"Tudo bem", falei, porque não queria ouvir o restante.

"Eu não vou me envolver mais nisso", ela disse mesmo assim.

Assenti.

"Isso não é certo", ela continuou, "o que nós fizemos. Interferir na vida das pessoas desse jeito."

Ela deteve o passo e se virou para mim.

"Um homem morreu", ela falou, "e nós nunca vamos saber qual foi a nossa participação nisso."

Eu fechei os olhos, sentindo aquelas palavras ressoarem dolorosamente em todas as partes do meu corpo.

Ela voltou a andar, e corri para alcançá-la.

"Além disso o Ishtiaq voltou. Quero passar mais tempo com ele, com pessoas de verdade, e não com o Estripador. Quer dizer, eu sei que ele existe de verdade, mas não é... ah, sei lá o que estou dizendo."

Tive um sobressalto ao ouvir sobre a volta de Ishtiaq, sentindo uma onda de afeto ao pensar nele e no sr. Bashir.

"Isso não significa que as coisas precisam mudar." As palavras de Sharon começaram a ficar mais aceleradas. "Ainda vamos andar juntas o tempo todo e..."

"Mas vão mudar, sim." Precisei me forçar a falar. "Isso muda tudo. E se você não quiser mais ser minha amiga? Eu estou... estou..."

Queria falar o quanto eu lamentava por Brian. Que não conseguia dormir direito. Que estava me sentindo uma péssima pessoa, e que só a amizade dela poderia me convencer do contrário. Mas não consegui conter as lágrimas, então deixei que caíssem. Sharon estendeu o braço e apertou a minha mão com força.

"Você é a pessoa mais esperta, divertida e fiel que eu conheço. Nós sempre vamos ser amigas", ela garantiu. "Sempre. Mas você precisa parar com essa, essa... *obsessão*."

Assenti e fiquei pensando a respeito da lista no restante do caminho até a escola. Sharon estaria certa? Imagens dele continuavam voltando à minha mente, por mais que eu tentasse afastá-las. Era como espantar moscas. A cada vez que eu pensava em Brian — parado na frente do mercadinho, andando com Neil e Reece, acariciando o focinho de Mungo —, lembrava a mim mesma que ele podia muito bem ser o responsável pelo incêndio, ou ser o Estripador, e que sua morte talvez não tivesse nada a ver comigo.

Mas os pensamentos continuavam ressurgindo mesmo assim.

Ishtiaq estava à nossa espera no pátio, e Sharon pegou sua mão, e os dois andaram assim pelo corredor até a sala. Nossos colegas abriram caminho para eles passarem, como em uma cena bíblica. Fui logo atrás, ignorando os olhares tortos e os comentários lançados na direção deles.

Reece e Neil, encostados na porta da sala quando entramos, murmuraram o que entendi como ameaças a Ishtiaq e insultos a Sharon, a julgar pela expressão deles, cheia de ódio. Esses dois eram mais difíceis de ignorar. Fazia um bom tempo que alguma coisa havia mudado neles, que, em algum momento, eles azedaram, como leite estragado. Lembrei de uma matéria que tinha lido, segundo a qual o comportamento do Estripador estava em uma "escalada". Ao que parecia, Reece e Neil também estavam em uma escalada. Para onde, eu não tinha como saber.

Mais tarde naquela semana, eu estava saindo do ensaio do coral quando vi uma das integrantes mais novas, Alison, uma menina miudinha e calada com olhos azuis reluzentes e sardas no rosto, sozinha no estacionamento da igreja, chorando. Eu gostava dela. Sua timidez e a intensidade do seu olhar me lembravam a mim mesma.

"O que foi?", perguntei.

"Eu não gosto quando ele faz cócegas em mim", ela falou, fungando. Olhei ao redor. Não havia mais ninguém lá.

"De quem você está falando?"

"Daquele homem", ela disse. "O tio Raymond. Quando ele serve o suco de laranja. Eu não gosto. Ele faz isso o tempo todo, e eu falo que não gosto toda vez, mas não adianta nada."

"Por que você não gosta? É só uma brincadeira", falei, tentando acalmá-la.

"Eu não quero que ele me toque", ela retrucou, e dei um passo atrás, assustada por um momento com tanta fúria. Ela começou a acenar para um carro que tinha entrado no estacionamento, e eu a vi correr em sua direção, entrar e ganhar um beijo da mãe antes de se acomodar no banco traseiro.

No ensaio seguinte, começamos a preparar a apresentação de Natal, que seria dali a poucas semanas. Íamos cantar um pot-pourri de músicas natalinas, e eu ainda tinha esperança de convencer meu pai a vir, e talvez até a tia Jean, porque ia apresentar uma versão solo de "Noite Feliz". O tio Raymond estava lá com sua câmera, tirando fotos para o boletim informativo da igreja, e, por ter papel de destaque, eu estava na frente e bem no centro do enquadramento. Quando as fotografias foram tiradas, o tio Raymond falou: "Muito bem, pessoal. Agora façam um agradecimento".

Em vez de me curvar, eu fiz uma mesura desajeitada flexionando os joelhos, sem querer apoiando muito peso no pé esquerdo, o que fez meu quadril se inclinar do outro lado. Envergonhada, olhei ao redor para ver se alguém tinha visto, mas o resto do pessoal estava se curvando e rindo, sem se importar comigo. O tio Raymond, porém, lambeu os lábios e abriu um sorriso esquisito que me fez me endireitar imediatamente, sentindo o rosto esquentar.

Ele estava me olhando de um jeito que ninguém nunca tinha feito antes.

Isso aconteceu em questão de segundos, e logo depois ele voltou a ser o simpático tio Raymond, e só então eu percebi que meu estômago estava embrulhado. Logo entendi por que Alison não queria que ele a tocasse.

Fiquei pensando em todas as coisas que Sharon tinha dito sobre a lista.

Fiquei pensando em Chapeltown.

Fiquei pensando nos Bashir e no incêndio.

Fiquei pensando em Brian.

Fiquei pensando na minha mãe.

Eu sabia que não tinha como remediar o que aconteceu com nenhum deles.

Mas isso sim.

Então resolvi acrescentar o tio Raymond à lista.

10. Tio Raymond da igreja
   - As cócegas
   - Não é tio de ninguém
   - Os jornais dizem que o Estripador pode estar escondido às vistas de todos
   - Tem alguma coisa nele que não inspira confiança

# 39

## MIV

Quando passei a observar o tio Raymond, fiquei surpresa ao ver o quanto pode acontecer bem debaixo do nariz das pessoas sem que ninguém desconfie de nada. De acordo com o *Yorkshire Chronicle*, o fracasso da polícia em identificar suspeitos plausíveis só podia significar que o Estripador estava "se escondendo às vistas de todos". Eu não entendia o que isso significava, até agora.

O tio Raymond tinha três ou quatro favoritas no coral. Alison era uma delas, e, aos nove anos, era a mais novinha. Ele acrescentava mais xarope açucarado e menos água nos refrescos delas, e os entregava para elas primeiro quando fazíamos fila na mesa perto do local do ensaio. Bagunçava os cabelos delas, as acariciava no queixo e fazia "brincadeiras" de cócegas. Quando estávamos cantando, ficava dando piscadinhas para essas meninas. Elas todas se encolhiam na presença dele, e fugiam quando não aguentavam mais.

Observá-lo fez com que eu me sentisse fisicamente desconfortável também, mas o significado daquelas atitudes continuava incompreensível para mim.

Uma noite, depois do ensaio, fiquei sentada na mureta na frente da igreja anotando no caderno tudo o que tinha percebido, evitando folhear as páginas anteriores e qualquer lembrete para onde a lista tinha nos levado — principalmente no caso de Brian. Quando ergui os olhos, Paul Ware estava diante de mim, com uma expressão curiosa. "O que você está aprontando aí?", ele perguntou. Eu fechei o caderno e nós tomamos o caminho de casa.

Às vezes fazíamos uma parte do caminho juntos, tentando estabelecer um princípio de amizade que era tão frágil que eu mal tinha coragem de pensar caso desmoronasse por algum motivo. Ele tinha começado a usar óculos, e a armação preta e grossa o fazia parecer estudioso e ainda mais cheio de estilo. Era uma mistura inebriante.

"O que você acha do tio Raymond?", perguntei.

Ele ficou em silêncio por um momento.

"Depende do que você quer dizer com isso", ele disse por fim. "Se está me perguntando se tem alguma coisa errada com ele, então a resposta é sim. Com certeza."

Assenti, contente por ele também ser capaz de perceber.

"Cuidado com ele, viu?" Ele manteve os olhos voltados para a frente ao dizer isso, e ainda bem. Assim não pôde ver o quanto eu fiquei vermelha.

"Por que você está dizendo isso?"

"É que... sei lá."

Tive que disfarçar meu sorriso quando me veio à mente que Paul era como Julian, do livro com Os Cinco — sensível e maduro. "Não se preocupa", respondi, deleitada por ter alguém preocupado comigo. Mas então voltei a pensar no tio Raymond. O problema era que todas essas suspeitas eram só impressões. Nós dois sabíamos que havia alguma coisa errada com ele e seu interesse nas meninas do coral, mas não tínhamos como articular isso de forma clara nem para nós mesmos.

Mais tarde naquela noite, depois do jantar, perguntei para o meu pai e a tia Jean sobre ele. Era uma forma de conseguir mais informações, mas também de quebrar o clima entre eles, que estava gelado como as ruas naquele inverno desde a discussão que ouvi entre os dois algumas semanas antes. Dessa vez, a ausência da minha mãe pareceu fazer a tensão piorar, em vez de dissipá-la.

"Vocês conhecem o tio Raymond da igreja?", perguntei.

"Está falando do Raymond que usa óculos? O marido da Sylvia?", disse a tia Jean, fungando em seguida para expressar sua desaprovação. Achei curioso que um homem temente a Deus merecesse uma fungada de desaprovação da tia Jean, o que me deu coragem para continuar o interrogatório.

"Pois é. Você não acha que ele é esquisito?"

"Esquisito porque é engraçado ou porque é estranho?", ela questionou, pondo a caneca de chá sobre a mesa e estreitando os olhos para mim.

"Estranho", respondi.

"Em que sentido?", perguntou meu pai. "Vamos precisar de um pouco mais de contexto aqui."

Estavam os dois me encarando àquela altura.

"Bom. Ele faz cócegas nas meninas do coral, e me passa uma sensação ruim."

"Cócegas? Só isso?", retrucou a tia Jean, quebrando a seriedade da conversa ao levantar e começar a tirar a mesa do jantar. "Existem pecados piores que esse."

Meu pai me olhou com um sorriso. "Você é uma menina engraçada", ele comentou, e a tia Jean sacudiu a cabeça e revirou os olhos.

Ao sair da mesa logo depois, ouvi a tia Jean falar: "Quer dizer, ela tem razão em falar que ele é esquisito. Sempre pensei que fosse acabar como um solteirão convicto antes de casar com a coitada da Sylvia".

Consegui até imaginar as sobrancelhas dela se movendo ao dizer as palavras *solteirão convicto*.

Meu pai deu uma risadinha.

Eu abri um breve sorriso e subi para meu quarto. Ao que parecia, a minha pergunta pelo menos havia levado a uma trégua entre eles.

No fim de semana seguinte, Sharon e Ishtiaq me chamaram para passar o dia com eles, mas eu recusei o convite e resolvi ficar no encalço do tio Raymond. Senti o alívio deles e aquilo me doeu mais do que se eles não tivessem chamado.

Eu sabia que tinha um parque em frente a casa do tio Raymond e enquanto as garotas de treze anos se reuniam nos pontos de ônibus e nas lojas, eu esperava que o fato de eu estar deslocada, perto dos balanços e gira-giras, não fosse óbvio, enquanto acompanhava seus passos. A casa que o tio Raymond e a tia Sylvia moravam era no estilo bangalô quadradão que faziam nos anos 1950, tão bem cuidada quanto a de Valerie Lockwood, mas sem o mesmo aspecto de um lar. Fiz questão de que o edifício ficasse bem no meu campo de visão quando sentei no balanço, desejando estar de luvas, já que minhas mãos praticamente congelaram em contato com as correntes de metal dos dois lados do assento azul e gasto de plástico.

Eu me mantive tão concentrada na porta do tio Raymond que quase não vi duas figuras bem conhecidas passando pela rua. O sr. Andrews ia na frente, com passos decididos e a boca franzida em uma linha reta. A sra. Andrews ia atrás, carregando um monte de sacolas de compras, com os olhos voltados para o chão.

Vi o sr. Andrews entrar em uma casa grande, mas de aspecto degradado, fechando a porta na cara da sra. Andrews. Ela pôs as sacolas no chão, provavelmente para ficar com as mãos livres para alcançar a chave, e, ao fazer isso, olhou ao redor, como se estivesse se certificando de que ninguém tinha visto o que aconteceu. Ela não me notou, e senti vontade de gritar: "Eu estou aqui! E vi você!". Mas alguma coisa me disse que ela não queria ser vista, então não fiz isso.

Em um igualmente desgastado gira-gira de metal do outro lado do parque, estavam duas meninas menores. Eu as conhecia de vista. Depois de um tempo acenaram para mim, o rosto ressecado delas brilhando no frio. Retribuí o cumprimento.

"O que você está fazendo aqui? Você não mora aqui perto", uma delas disse.

Pensei por um instante e resolvi revelar um pouquinho da verdade.

"Estou esperando aquele ali aparecer", falei, apontando para a casa do tio Raymond.

"Por quê? Ele é um tarado!"

"Como assim?"

Uma das garotinhas pôs a língua para fora e envolveu o corpo com os próprios braços.

"Ele quer beijar menininhas assiiiiim."

"Como é que você sabe?"

A outra menina me olhou bem nos olhos. "Todo mundo sabe! E ele já tentou fazer isso comigo, mas levou um chute bem naquele lugar."

Fiquei até sem fôlego. Eu estava certa. E tinha testemunhas.

"Vocês contaram para alguém?", perguntei.

"Por quê? Ele não conseguiu o que queria, e nunca mais chegou nem perto de nós", respondeu a mesma menina, e as duas caíram na risada, se curvando e fingindo dor, provavelmente numa imitação de Raymond depois de levar o chute.

No fim as meninas acabaram indo embora, e fiquei me perguntando se aguentaria ficar ali por muito mais tempo, minhas mãos já arroxeadas de frio, quando a porta branca da casa se abriu e o tio Raymond apareceu, usando um uniforme e pegando a caminho do terminal de ônibus. Comecei imediatamente a segui-lo, a uma distância suficiente para ainda conseguir vê-lo, desejando que Sharon estivesse comigo.

No terminal lotado, ficou um pouco mais difícil ficar de olho no tio Raymond, mas o chapéu, o uniforme e os óculos um tanto diferentes dele ajudaram e, quando ele finalmente subiu em um ônibus, eu entrei na fila. Ele puxava conversa com todo mundo que entrava, às vezes levantando do assento para ajudar velhinhas com as bolsas e acariciando o queixo das crianças na frente das mães, que o observavam indulgentes.

Finalmente, chegou a minha vez.

"Eu não sei se meu dinheiro dá para pagar a passagem", falei, e vi aparecer no seu rosto aquele mesmo sorriso preguiçoso de quando tirou a minha foto.

"Ora, que garotinha mais tola, então", ele falou. "Quanto você tem?" Os olhos dele estavam grudados nos meus. Esvaziei minha bolsa e sorri de volta para ele, sentindo meu estômago se revirar sob aquele olhar. Tentei fazer minha mão parar de tremer de medo.

"Aaaah, seu dinheiro dá, sim", o tio Raymond falou, pegando as moedas e acariciando lentamente a minha mão enquanto fazia isso. "Caso contrário eu ia pedir para você voltar outro dia para me trazer o resto."

Ele deu uma piscadinha para mim, e quase me virei e saí correndo, mas em vez disso arrumei um lugar para sentar na frente, e percebi que o tio Raymond ficava o tempo todo me espiando pelo retrovisor. Desci no ponto seguinte e dessa vez corri para valer, só parando para vomitar atrás de uma moita.

# 40

## OMAR

Ele não pretendia voltar. Tinha decidido que os dois ficariam em Bradford e que desistiria do experimento fracassado de um novo começo. Ele poderia facilmente arrumar um emprego com o irmão de Rizwana. Mas a tristeza de Ishtiaq se tornou agoniante. No fim, seu filho o sentou para uma conversa e falou que eles precisavam voltar, encarando-o com uma expressão solene enquanto explicava os motivos de uma forma lógica, com argumentos relacionados à escola e à sua educação. Obviamente, Omar sabia a verdadeira razão para o retorno, e teria dado risada se não tivesse visto o sofrimento tão evidente nos olhos do garoto ao tentar convencê-lo.

Encontrar um lugar para eles morarem, ainda que temporariamente, tinha sido o desafio de sempre: os pedidos para visitar imóveis eram vetados assim que ele dizia seu nome, uma coisa que Omar tinha se esquecido depois de ter se fixado no mercadinho por um bom tempo. No entanto, ele teve a sorte de encontrar um parente distante que era dono de um apartamento na cidade e poderia alugar para eles enquanto não encontravam um lugar definitivo. Ele também precisava de um tempo para pensar se teria coragem de abrir outro comércio. Havia uma parte sua que gostaria de fazer isso de teimosia, para mostrar a todo mundo que não iria embora de jeito nenhum.

Logo depois de voltar, ele foi transmitir seus pêsames a Valerie Lockwood. Tinha ficado abaladíssimo quando soube do suicídio de Brian, uma notícia que impactou sua ferida ainda aberta pela perda de Rizwana. Foi como se tivesse levado um soco no estômago.

Esperava encontrar uma Valerie mudada, pois sabia o quanto o luto o havia envelhecido, mas, ainda assim, ficou perplexo com a aparência dela. Toda a firmeza e o vigor de antes tinham desaparecido, e ela parecia um tanto insubstancial, como se, ao ser tocada, poderia simplesmente se desmanchar no sofá onde estava sentada. As flores colocadas em jarros e vasos espalhados pela sala estavam murchando e morrendo, e o cheiro forte que exalavam pareciam se somar à tristeza que ela transmitia.

"Como você está?", ele quis saber.

"Você foi a primeira pessoa a me perguntar isso", ela comentou. "Engraçado, né?"

Omar negou com a cabeça.

"Eu lembro que comigo foi a mesma coisa", ele disse. "Ninguém está disposto a encarar a resposta."

Ela assentiu, e seus olhos se encheram de lágrimas gordas que escorreram à vontade pelo rosto. Não havia espaço para vaidade no luto.

"Ele não teve nada a ver com o incêndio, sabe", ela lhe disse.

Alguns boatos a respeito haviam chegado aos seus ouvidos. A rede de fofocas local parecia ter se fixado em Brian como suspeito número um. Omar desconfiava que o motivo era porque Brian era "diferente". Ele não tinha nenhuma esperança de que a polícia capturasse o culpado, ou que ao menos tentasse. Por isso, desconsiderou o assunto com um gesto, enquanto ela continuava.

"Não, eu preciso contar. Preciso que você saiba. Ele estava comigo quando o incêndio começou. E o mais curioso é que nós tínhamos ido ao Morrisons. Para dar uma variada. Me desculpe por isso, aliás", ela falou, como se estivesse envergonhada da traição de ter feito compras em um supermercado.

Ele balançou a cabeça de novo. "Isso não tem importância."

"Para mim tem. É importante que você saiba que ele jamais faria nada para prejudicar você, ou o seu menino. Você era uma das únicas pessoas que o aceitavam como ele era."

"Eu já sabia disso, Valerie", Omar falou, instintivamente se inclinando para a frente e pondo a mão sobre a dela. "Ele era um bom rapaz."

"Era mesmo", disse Valerie, segurando sua mão por um momento antes de soltá-la com um tapinha de leve. "Eu sempre soube que isso ia acontecer. Que ele enfim ia acabar se machucando de um jeito muito sério. Isso começou quando ele era pequeno. Essa tristeza. Eu nunca soube como ajudar ele."

Houve um longo silêncio.

"Como você consegue?", Valerie perguntou por fim. "Seguir em frente, digo?"

Omar pensou a respeito, deixando o silêncio se instalar outra vez, como uma camada de neve sobre a sala. Queria dar uma resposta que aliviasse o sofrimento dela, mas não sabia se existia uma.

"Acho que o que eu faço é não ficar pensando muito lá na frente", foi sua resposta. "Se eu parar para pensar que vou precisar viver meses, ou até anos, sem ela..." Omar se interrompeu por um instante e pigarreou. "Eu não sei se eu conseguiria... seguir em frente. Mas só preciso pensar no que fazer naquele dia, ou naquela hora, ou até naquele minuto, então é isso o que eu faço. Vou vivendo."

"Que bom que você voltou", ela falou quando ele foi embora.

Enquanto retornava para o apartamento, ficou se perguntando se havia mesmo sido bom ter voltado, mas então viu Ishtiaq mais adiante na rua. Ele estava com Sharon, de mãos dadas, os dois balançando os braços juntos exageradamente. Sharon se virou para falar alguma coisa, com uma expressão bem séria, e Ishtiaq ouviu com atenção, usando a mão livre para mover uma mecha de cabelos do rosto dela. Os dois pareciam radiantes, em contraste com o cinza sem vida da rua, e Omar sentiu uma necessidade urgente de proteger os dois. Naquele momento, não importava o que acontecesse, ele também estava contente por terem voltado, e decidiu que faria o que fosse preciso para que aquele lugar, aquela cidade, aquele mundo em que viviam, fosse um lugar seguro para seu filho.

# 41

**MIV**

Cheguei à conclusão de que teria que dar o flagra no tio Raymond quando ele estivesse sozinho. Uma oportunidade ideal seria quando ele estivesse recolhendo os copos e limpando tudo depois do coral — já que a tia Sylvia não costumava frequentar os ensaios —, mas teria que ter ajuda na ausência de Sharon, e queria testemunhas também. Minha primeira ideia foi chamar Paul, mas logo desisti, não só porque ele era sensível e maduro, mas também porque eu precisava de meninas.

No ensaio seguinte do coral, fui falar com duas das favoritas do tio Raymond, Linda e Gail. As duas eram menores e mais novas que eu. Linda tinha cabelos castanhos compridos presos em uma trança que chegava até a cintura, enquanto Gail usava um coque de bailarina, tinha um ar de fragilidade e seu nariz era coberto de sardas. Perguntei o que achavam do tio Raymond, só para ver a resposta delas, já que tinha visto as duas dando risadinhas com ele em um momento ou outro, mas elas ficaram em silêncio. Em seguida se entreolharam, e um acordo tácito pareceu ter se firmado.

"Eu falei com a minha irmã mais velha, porque ele não me deixava em paz", Linda disse por fim. "Ela disse que eu não devia ficar sozinha com ele, e para sempre ter alguém por perto, então combinei com a Gail de sempre andarmos juntas."

"Por que você não contou para a sua mãe?"

"Contar o quê?", Gail interferiu. "Que não gostamos que um homem faça cócegas em nós? Todo mundo ia dizer para a gente parar de ser frescas."

Lembrei da minha tentativa de conversar com meu pai e a tia Jean sobre o tio Raymond. Era difícil explicar o incômodo que ele provocava em nós. Então o que poderíamos fazer a respeito?

"O que vocês acham de ficar aqui com ele depois do ensaio enquanto eu vejo tudo escondido?", perguntei. "Então, a gente ia pegar ele fazendo seja o que for que ele queira, então podemos contar para alguém."

"Sem chance." Linda balançou a cabeça.

"Eu topo", disse Gail. "Quero que ele pare com isso. Não suporto ele."

Assim, nós combinamos que, depois do próximo ensaio, Gail, a menor e mais nova entre nós, ofereceria ajuda ao tio Raymond para limpar as coisas. Linda e eu iríamos embora juntas, mas encontraríamos um lugar para nos esconder, e assim ouvir e talvez até ver o que acontecia. Quando ele entrasse em ação, nós íamos reaparecer, fingido que tínhamos esquecido alguma coisa. Depois de resgatar Gail, iríamos direto à polícia contar o que aconteceu. Pelo pouco que o conhecia, eu tinha quase certeza de que o tio Raymond ia tentar fazer alguma coisa.

Quando a sessão seguinte de ensaio terminou, ficamos esperando todo mundo ir embora e então Linda e eu lançamos um olhar para Gail, avisando em voz alta que estávamos indo. Saímos do salão principal e ficamos no corredor, escutando o que esperávamos e temíamos acontecer. Meu coração estava disparado. Eu ouvia minha pulsação ecoando nos ouvidos.

"Posso ajudar você a arrumar tudo?", ouvimos Gail perguntar, e apuramos os ouvidos para escutar a resposta do tio Raymond.

"O que vocês estão fazendo aqui à toa?" Nós nos assustamos, e automaticamente corrigimos nossa postura quando a sra. Spencer saiu do banheiro e veio pelo corredor na nossa direção.

"Nós, hã, estamos só esperando a nossa amiga", Linda respondeu. "Ela está ajudando a arrumar tudo."

"Ora, e por que não vão lá ajudar também? Cabeça desocupada é oficina do diabo. Andem. Entrem", ela falou, apontando para o salão principal.

Nós obedecemos. Gail não estava por perto, mas Raymond varria o chão.

"Recrutei algumas mocinhas para arrumar tudo, Raymond", avisou a sra. Spencer. "Por que você não aproveita para sair mais cedo, ir para casa ficar com Sylvia? Eu posso supervisionar o trabalho delas."

O tio Raymond aproveitou a oportunidade de bom grado, e Gail reapareceu da cozinha, onde estava lavando louça. Nós três trabalhamos sob o olhar vigilante da sra. Spencer. Tentei trocar olhares com as outras, frustrada por meu plano não ter dado certo. Quando finalmente fomos embora, descobrimos que não foi a chegada da sra. Spencer que estragou tudo, porque nada tinha acontecido com Gail — o tio Raymond inclusive parecia ansioso para terminar tudo logo e ir embora. Ficamos confusas, e sem entender muito bem o motivo para aquilo. Mas não demoramos a descobrir.

Alguns dias depois, só se falava da notícia de que o tio Raymond tinha sido preso na noite anterior, apesar de ninguém explicar a razão. Era um fato cochichado à boca pequena. Foi tão chocante, e as fofocas estavam circulando tanto, que o sr. Spencer comentou o assunto no culto de domingo, em que a ausência das flores trazidas pela tia Sylvia se fez notar. Ele agora parecia tão impecável quanto a esposa, e com ares honrados depois de ter passado um curto período longe — "tratando uma doença desconhecida", segundo a tia Jean falou, lançando um olhar cheio de significado para meu pai. "Só quero ver por quanto tempo ele vai conseguir se segurar, com todo aquele vinho para a comunhão por perto", ela continuou com uma fungada.

Naquela semana, havia mais gente no culto do que de costume, e era possível sentir a tensão no ar enquanto as pessoas se sentavam. As mães e os pais seguravam as crianças pela mão. O meu pai também entrou, em vez de só me deixar na porta, como normalmente fazia. O sr. Spencer subiu no púlpito, ajeitando e reajeitando suas anotações e sua Bíblia, além dos óculos.

"Muitos de vocês devem estar se perguntando sobre Raymond e sua recente prisão", ele disse por fim. "Não cabe a nós comentar sobre o crime pelo qual ele foi acusado, nem especular se ele é culpado ou não, mas uma coisa eu digo." Ele fez uma pausa antes de complementar, sua voz mais alta e resoluta: "Nenhum de nós tinha informação nem suspeita nenhuma a seu respeito, e os supostos crimes não ocorreram sob esse teto".

Os cochichos e murmúrios se espalharam pela igreja e, quando troquei olhares com Paul, sentado com Hazel do outro lado do corredor, dei de ombros, tentando mostrar que não sabia nada a respeito. Mas, por dentro, eu sentia uma curiosidade horrorizada sobre o que tinha acontecido misturada com alegria por estar certa sobre o tio Raymond e um pouco de irritação porque não fomos nós que o desmascaramos. Me senti redimida, porque sem dúvida ele era um homem mau, e me perguntei se em breve seria anunciado que era ele o Estripador de Yorkshire. Até pensei em contar para Sharon — isso poderia servir como uma compensação pelo que tinha acontecido com Brian.

Não precisei esperar muito para obter mais informações. Estava indo me deitar naquela noite quando a tia Jean bateu de leve na minha porta. Pensei que fosse meu pai vindo dizer boa-noite, e a aparição dela foi tão inesperada que, por um momento, fiquei sem fala. Ela sentou na beira da cama, pegou um livro com Os Cinco que estava ali ao lado e começou a folhear enquanto falava.

"Lembra de quando você perguntou sobre Raymond e se nós achávamos que ele era estranho?", ela disse. "Bom, eu e o seu pai andamos pensando... ele fez alguma coisa com você?"

Ela continuou a olhar para o livro, e não para mim.

"Não", respondi, pensando em como expressar o que havia acontecido. "Mas me passava uma sensação ruim. Ele machucou alguém?"

Ela finalmente olhou para mim e colocou o livro com todo o cuidado sobre o meu cobertor.

"Você conhece a Alison Bullen, do coral?"

Confirmei, me encolhendo numa tentativa de me preparar para o que sabia que viria.

"Então. Ele colocou Alison no carro dele e, bom, machucou ela. Alison vai ficar bem", a tia Jean acrescentou, ao ver como fiquei abalada, "mas pode ficar um tempo sem aparecer." Ela hesitou e depois suspirou. "Me prometa que, se alguém tentar encostar em você, sabe como é, de um jeito que não parece certo, vai contar para nós", ela pediu, segurando meu queixo e me olhando bem nos olhos.

Com certeza ela já devia ter falado comigo com aquela mesma preocupação antes, mas foi a única vez que percebi isso com clareza. Senti que eu era importante. Acabei contando sobre o que tinha acontecido naquela tarde sobre a armadilha que criamos para o tio Raymond, deixando de lado a parte da busca pelo Estripador. Ela ficou me encarando, como se estivesse me vendo de verdade pela primeira vez.

"Você planejou tudo isso sozinha?"

"Sim."

"E tentou armar um flagrante para ele?"

"Sim."

Ela balançou a cabeça. "Eu devia dar uma bronca em você, mas, na verdade, foi uma boa ideia."

A tia Jean me ajeitou para dormir e me deu um abraço e um beijo na testa.

Meus pesadelos foram bem complexos. Eu tinha a sensação de estar sendo perseguida, e acordava aliviada por ter sido só um sonho, mas então percebia que continuava sonhando e sendo perseguida de outra direção. Dormi até mais tarde do que de costume naquela manhã, e acordei só quando ouvi uma batida de leve na porta. O rosto do meu pai apareceu logo em seguida.

"Acorde, querida. Eu preciso que você desça agora, e pode ser de pijama mesmo", ele falou.

Um homem e uma mulher com uniforme policial estavam na sala de visitas. Reconheci o homem, que andava de um lado para o outro com as mãos atrás das costas. A mulher, sentada no sofá, deu um tapinha no assento ao seu lado. Olhei para meu pai, que fez um gesto de cabeça me mandando ir até lá.

"Olá", ela disse. "Sou a policial Beverly Halliwell."

Assenti.

"E esse é o detetive-sargento Lister."

Ele me olhou e abriu um breve sorriso. Para meu alívio, não disse que já me conhecia.

"Estamos aqui para conversar com você sobre Raymond."

O detetive Lister sentou na poltrona ao lado do sofá, e a policial Halliwell se inclinou para a frente para ficar com os olhos na mesma altura que os meus.

"Nós achamos que você pode nos ajudar, contando sobre o que aconteceu naquela tarde no coral."

Eu me ajeitei no assento e contei aos poucos e cautelosamente sobre os acontecimentos daquele dia.

"Eu estava de olho nele. No tio Raymond", expliquei.

A policial Halliwell ficou só me olhando, claramente confusa. A expressão do detetive Lister não mudou, e ele continuou me observando com atenção.

"Por quê? Por que você estava de olho nele?", ela quis saber.

Eu sabia que não podia mencionar nada sobre a lista. Não depois do que aconteceu com Brian. E de jeito nenhum com o meu pai ouvindo tudo.

"Porque ele fez a Alison chorar. Ficava fazendo cócegas nela, e ela não queria", eu falei, sem saber se eles me entenderiam, mas os dois trocaram um olhar significativo, e meu pai balançou a cabeça, me incentivando a continuar.

"E o que aconteceu depois?", perguntou a policial Halliwell.

"Bom, eu e outras duas meninas decidimos tentar pegar ele fazendo... alguma coisa..."

Houve um silêncio na sala, e ouvi meu pai prendendo a respiração.

"Então nós tentamos ficar sozinhas com ele, mas ele foi embora mesmo assim... Eu fiz alguma coisa errada?", perguntei, com a voz trêmula. Se a minha atitude tivesse de alguma forma provocado o que ele fez com Alison, eu sabia que nunca ia me perdoar. Não depois do que aconteceu com Brian.

"Não, querida", meu pai interferiu. "É que foi nesse dia que Alison foi atacada. Deve ter sido depois que ele saiu mais cedo... ela estava no estacionamento esperando para ser levada para casa."

Estremeci. As imagens na minha mente sobre o que tinha acontecido com Alison eram escuras e borradas, como uma fotografia ainda não revelada por completo. E eu preferia mesmo que não fossem mais claras.

Decidi não contar para Sharon o que eu tinha feito ou que a polícia havia aparecido lá em casa. Afinal, era uma história muito parecida com a de Brian, apesar de eu estar certa dessa vez. Por sorte, ela estava tão empolgada com a volta de Ishtiaq que as fofocas sobre o tio Raymond não chamaram tanto a sua atenção, e as únicas pessoas que sabiam do meu envolvimento na história, fora meu pai, a tia Jean e a polícia, eram Linda e Gail.

Só no ensaio seguinte do coral eu tive a chance de conversar com elas a respeito. Estava ansiosa para contar que a polícia tinha aparecido e perguntar se o mesmo havia acontecido com elas, mas, antes que pudesse abrir a boca, foi Linda quem falou.

"Eu contei para a minha mãe o que nós fizemos. Ela ficou muito brava e disse que eu não devia ter me metido nessa história." Gail assentiu ao lado dela, e a expressão das duas era séria, com algo a mais que não consegui identificar. Linda respirou fundo.

"Minha mãe falou que você é má influência, e que isso não é surpresa, considerando o que acontece na sua casa."

Suas palavras saíram apressadas, tropeçando umas nas outras, e percebi que a expressão no rosto delas era de desdém. Elas seguravam com firmeza a mão uma da outra, o que deixava evidente a cumplicidade que tinham. Fiquei atordoada por um instante. A pessoa que merecia toda a culpa não era o tio Raymond?

Nos dias seguintes, fiquei esperando o anúncio da relação do tio Raymond com o Estripador. Mas não apareceu nenhuma notícia, e a caçada ao Estripador continuava.

Gail e Linda nunca mais falaram comigo.

# 42

## MIV

Meu aniversário de treze anos começou como um dia qualquer. Estava chegando o Natal, e eu sempre me ressenti de fazer aniversário nessa época, porque os meus presentes e a comemoração acabavam sendo incluídos num pacote com as festas de fim de ano.

Minha mãe tinha voltado para casa alguns dias antes, mas estava tão ausente quanto nunca e mal saía do quarto. A tia Jean estava me ensinando a cozinhar e a fazer mais coisas em casa, o que eu entendi como um sinal de que era possível ela continuar planejando ir embora ou que todos nós ainda podíamos nos mudar, mas não tive coragem de perguntar, então fiz meu próprio mingau no fogão, deixando o suficiente para todo mundo também no tacho de cobre, e a fui para a escola mais cedo.

Caminhei sem pressa até a casa de Sharon, meus pensamentos indo entre a empolgação por finalmente virar adolescente, a preocupação com a tia Jean poder ir embora ou uma possível mudança nossa, e sentimentos complicados em relação a Sharon, Ishtiaq, Paul, Brian, o Estripador e a lista. As emoções se alternavam em uma velocidade assustadora. Sharon me esperava no fim da rua, com um pequeno embrulho e um cartão na mão. Diminuí a distância correndo na direção dela.

"Feliz aniversário!", ela exclamou. "Comprei uma coisa que achei que você ia adorar."

Abri o embrulho às pressas, com um sorriso tão largo que até doía enquanto rasgava o papel de presente para revelar um brilho labial roll-on com sabor de cereja e um blush rosa-chiclete. Eu queria agradecer, mas o nó que se formou na minha garganta só me permitiu balançar a cabeça.

Sharon assentiu também. Com os olhos marejados.

Fomos andando e conversando sobre banalidades, não mencionando assuntos como assassinatos, incêndios e investigações. Uma frágil harmonia havia sido restaurada. Quando chegamos perto da escola, Ishtiaq estava esperando por Sharon, como sempre, mas fiquei surpresa ao ver que Paul Ware também estava, os olhos vidrados no livro em suas mãos. Quando eu o vi, fiquei superconsciente, e o volume da minha voz foi aumentando enquanto conversava com Sharon, que sorriu, percebendo o que acontecia. Assim que os alcançamos, os dois me estenderam envelopes ao mesmo tempo.

"Pega no verde!", Sharon e eu dissemos, mas eu me vi incapaz de falar mais do que isso ou me mover. Ficamos em um silêncio constrangido até Sharon apresentar os garotos um ao outro. Eu nem sabia que eles não se conheciam.

"E aí", disse Paul, espiando sob a franja sempre comprida.

"E aí", respondeu Ishtiaq. "Livro bacana", ele acrescentou, apontando com o queixo para a capa.

"Sim, é bem legal."

Enquanto eles passavam a conversar com poucas palavras ao estilo dos meninos, li o título do livro de Paul — A *Kestrel for a Knave* — e fiz uma anotação mental para pegá-lo na biblioteca. Voltei meu olhar para os dois, e fiquei contentíssima por estarem conversando.

"Você não vai abrir seus cartões antes de entrar?", Sharon perguntou.

O cartão de Ishtiaq era dele e do sr. Bashir, e trazia apenas o nome deles assinado a caneta.

"Obrigada, Ish", eu falei, sentindo vontade de chorar e não entendendo o motivo.

Abrir o de Paul foi mais desafiador, porque as minhas mãos começaram a tremer, mas com cuidado puxei a aba do envelope, fazendo questão de não o rasgar, determinada a preservar cada pedacinho dele. Ele só tinha escrito duas coisas: *Beijo, Paul*. Aquele *beijo* escrito significava mais do que qualquer presente que alguém pudesse me dar, e fiquei olhando para o papel como se fosse um beijo de verdade.

E havia um recadinho de Hazel junto.

*Venha almoçar aqui em casa no próximo domingo*, era o que dizia, e, quando olhei para Paul, vi que sua expressão estava carregada de expectativa.

"Eu adoraria", falei, olhando para o chão logo em seguida para esconder o sorriso que ameaçava tomar conta do meu rosto.

Naquele fim de tarde, abri a porta e senti o cheiro doce de lustra-móveis misturado com o de alguma coisa recém-saída do forno, e a casa, que sempre estava limpa e arrumada, claro, parecia ainda mais. Quando entrei na cozinha, tia Jean tirou o avental com um floreio, revelando seu melhor conjunto de cardigã e saia. "Surpresa!", ela falou, apontando para o bolo vitoriano ao seu lado. Estava meio torto, mas tinha uma camada de um dedo de creme de manteiga como recheio.

"Eu coloquei um pouco a mais. Sei que você gosta", ela disse, e sem pensar duas vezes beijei sua bochecha vermelha e ressecada, provocando um leve susto em nós duas.

Ela e o meu pai cantaram um animado "Parabéns" enquanto eu apagava as velas que o meu pai tinha comprado na loja da cooperativa.

"Faça um pedido", ele disse.

Eu lembrei do meu pedido feito meses antes no Poço da Velha Mãe Shipton, e me perguntei se pegar o Estripador ainda era o que o meu coração queria ou se deveria desejar alguma coisa mais relacionada ao meu dia a dia. No fim, não fiz pedido nenhum. Desejar coisas parecia que só trazia problemas.

Depois do jantar, meu pai e eu ficamos sozinhos na cozinha, e ele me deu um presente — uma muito cobiçada calça jeans justa nas pernas, para substituir a minha, já velha e puída. Eu pulei de felicidade, incapaz de conter minha empolgação, e estava prestes a subir correndo para meu quarto para experimentar quando ele avisou que precisava me contar uma coisa. Parecia meio agitado, se remexendo na cadeira e evitando me olhar nos olhos. Senti uma onda de medo subir pelo estômago, misturada com a açúcar do bolo, que me deu ânsia de vômito.

"O que foi?", perguntei, antes que ele pudesse dizer qualquer coisa.

"Bom, eu recebi uma proposta de emprego", ele contou. "Para uma vaga diferente. Trabalhando menos tempo, ganhando mais, e eu seria um chefe de verdade."

Não entendi por que ele estava me dizendo aquilo, como se precisasse da minha permissão para alguma coisa. Eu dei de ombros, ansiosa para subir e experimentar minha calça nova.

"Hã, ok?", eu disse, franzindo a testa, confusa.

"A questão é que..." Ele fez uma pausa, e dessa vez os seus olhos procuraram os meus. "Nós íamos precisar mudar daqui."

Isso me deixou atordoada.

"Por quê?"

"Bom, porque não é em Yorkshire."

Essas palavras não faziam sentido para mim. Fiquei me sentindo fraca e zonza, e me perguntei se não teria escutado errado. Depois de todo o meu trabalho com a lista diante da ameaça que fez tudo isso começar, aquilo ia acontecer mesmo assim?

"O quê?"

"O emprego não é em Yorkshire. A gente ia ter que se mudar para um lugar diferente. Uma casa maior... e mais bonita, onde o seu quarto seria maior, sabe. E você ia começar em uma escola nova, e fazer novos amigos", ele disse, como se isso foi uma coisa boa.

"Por que você está dizendo isso?", perguntei, desejando que ele voltasse atrás.

Ele não entendeu o que eu quis dizer, e deu risada.

"Bom, agora você é oficialmente uma adolescente, e achei que podíamos conversar, já que agora é quase uma adulta."

"A mamãe já sabe?", questionei, apontando com o queixo para a sala, onde ela estava diante da televisão, e seu único reconhecimento de que era meu aniversário era que estava vestida e no andar de baixo.

"Sim, ela sabe, e acho que considera uma boa ideia para todos nós."

"E a tia Jean?"

"Humm." Devia ser por isso que eles estavam discutindo.

"Só estou pedindo para você pensar a respeito", ele disse.

Quando subi, sentei na cama com o corpo rígido de choque e uma fúria crescente, me perguntando como ele podia dar uma notícia tão devastadora assim como se não fosse nada de mais. O presente que ganhei da tia Jean, *Guia para garotas*, estava lá. No cartão, ela havia escrito: *Agora que você está virando uma mocinha*. O livro continha instruções sobre como costurar, arrumar direitinho a cama, preparar várias refeições e cuidar da pele e do cabelo. Enquanto folheava, percebi que não havia nenhum conselho sobre o que fazer quando a sua vida era virada do avesso.

Um pouco mais tarde, eu estava lendo na cama quando ouvi as passadas pesadas do meu pai nos degraus da escada. Fechei os olhos e fingi que estava dormindo quando uma frestinha da porta se abriu. Ele ficou parado lá por um tempinho antes de ir deitar, mas não sem antes dizer: "Feliz aniversário. Boa noite".

## 43

HELEN

Mais cedo naquela semana, Helen havia ido visitar Valerie Lockwood, levando alguns livros para ela ler. Ficou surpresa com a disposição dela para falar sobre Brian, sobre a tristeza dele e o luto que sentia, pois esperava apenas a resposta costumeira das pessoas de Yorkshire: "A vida continua". Tinha feito bem ao seu coração ouvi-la falar, mencionando o filho de uma forma tão compreensiva e afetuosa.

"Ele era sensível demais para esse mundo", ela falou. "Eu sempre soube. Que a vida ia ser dura para ele, sabe como é?"

Helen concordou. Ela sabia como era.

Valerie também mencionou que Omar havia passado para uma visita, e que ele e Ishtiaq estavam de volta, morando um apartamento bem perto de onde ela e Gary viviam. Uma faísca de felicidade se acendeu e a aqueceu por dentro enquanto voltava para casa, o que a fez perceber como tinha sentido falta dele. Esperou até sexta-feira, quando sabia que Gary iria ao pub depois do trabalho, para visitar os dois.

O tempo estava congelante, o tipo de frio que gelava até os ossos, então ela vestiu várias camadas de roupa, colocando uma camisa, um colete, um suéter e um casaco. O inverno era sua estação predileta do ano por mais de um motivo. Poderia cobrir os seus machucados, e ninguém lhe lançaria olhares estranhos; não havia questionamentos pairando no ar.

Quando saiu do prédio em que morava, ela protegeu os olhos com a mão: apesar do frio, o sol estava fortíssimo. Ela se esforçou para conseguir enxergar direito o carro que estacionava ao seu lado. Só quando a janela foi baixada e a fumaça escapou de lá de dentro que percebeu quem era. Ele devia ter decidido ir para casa, no fim das contas.

"E agora, aonde você está indo?", Gary perguntou.

"No mercado. Nós... nós estamos precisando de chá."

"Ah, é? Não percebi. É melhor não se cansar andando sem necessidade. Por que não entra no carro que eu levo você?"

Ela não tinha desculpa. Não havia nenhuma justificativa para recusar a carona. Ele se inclinou para o lado e abriu a porta do passageiro.

"Eu não ligo de andar", ela disse baixinho. "Tomar um ar fresco e tudo mais, sabe?"

Ele não disse uma palavra, só continuou a encarando. Ela entrou no carro, quase sufocando com a fumaça, e ele arrancou; o silêncio era quase palpável, e preenchia o interior do veículo inteiro.

"Estou preocupado com você", ele disse. "Está tudo certo? Você está se sentindo bem?"

Ela confirmou.

"É que você não estava indo na direção do centro, onde fica o comércio."

Ela ficou tensa.

"Você acha que precisa ir ao médico? Eu posso levar você, e podemos conversar juntos com ele de novo."

Nesse momento, ela teve a certeza de que estava encrencada.

Quando voltaram do mercado, ele abriu a porta do apartamento e Helen foi até a cozinha minúscula, com a caixa de saquinhos de chá nas mãos trêmulas. Estava se preparando. À espera.

"Se continuasse andando naquela direção, você poderia ter esbarrado no cara que era o dono do mercadinho da esquina, aquele que era tão seu amigo. Como é o nome dele? Do paki?"

Ela respirou fundo, se contorcendo por dentro.

"Ao que parece, ele está morando no Featherstone Place, em um dos apartamentos de lá. Tipo, assim pelo menos você não perderia viagem."

"Ah. É mesmo." A voz dela soou aguda, falha. Não havia nada que pudesse fazer para impedir o que viria, e cada palavra era ainda mais incriminadora do que anterior.

"Foi uma *pena* o que aconteceu com o mercadinho. Que alguém pudesse fazer uma coisa tão terrível com um cara tão legal."

Helen sentiu seu corpo congelar.

"Quer dizer, ele é do tipo que *ouve* as pessoas, que se *importa*."

Ele pronunciava as palavras com uma clareza que as tornavam cortantes como uma faca.

"Foi você?", ela perguntou. Antes de perceber, a pergunta já tinha saído de sua boca, e imediatamente ela se arrependeu.

"Eu? Por que eu faria uma coisa assim tão terrível? Quer dizer, seria preciso um bom motivo para alguém querer agir dessa maneira. Ele teria que ter feito uma coisa absurda como, ah, sei lá, dar em cima da mulher de alguém."

Ela se virou.

"Ele nunca fez *nada* comigo, a não ser me tratar bem, me ouvir, ser gentil. Coisas que você nunca..."

Ela não conseguiu nem terminar a frase antes de ser atingida pelo primeiro golpe.

# 44

## MIV

### NÚMERO ONZE

Contei sobre a mudança para Sharon no dia seguinte. Estávamos no quarto dela, um espaço que era tão familiar para mim quanto a minha casa. Ela me bombardeou de perguntas, e notei seu rosto empalidecer, me perguntando se também tinha ficado assim quando meu pai me deu a notícia.

"Mas para onde você vai mudar?", ela quis saber. "E quando? É muito longe daqui?"

Essas eram coisas que, no meu estado de choque, eu tinha deixado de perguntar para o meu pai. Dei de ombros e murmurei que ia descobrir, mas sabendo que não o faria. Não queria saber dos detalhes. Preferia acreditar que aquilo não ia acontecer. Em vez disso, sugeri uma visita a Arthur e Jim, que não víamos fazia um tempão. Eles eram como um bálsamo para a alma. Foi uma boa decisão da nossa parte. Jim abriu a porta com uma falsa cerimônia e anunciou: "Um passarinho me contou que uma jovem que conhecemos se tornou adolescente ontem".

Ele e Arthur cantaram uma versão desafinada de "Parabéns", trocando o último verso por *muito doce estragado, muita dor de barriga*. Os dois me abraçaram, e Sharon aproveitou para se espremer junto. Não consegui segurar as lágrimas, que caíram no centro do abraço deles. Pensei em todas as vezes que tinha chorado nos meses anteriores e me perguntei quando, agora que eu era adolescente, isso ia parar.

Mais tarde naquela noite, eu estava quase pegando no sono quando o telefone tocou e meu pai atendeu. Não era a primeira vez que ele recebia um telefonema tarde da noite. Despertei imediatamente e desci a escada na ponta dos pés para escutar. A voz dele parecia carregada de tensão.

"Como eu poderia contar para você primeiro? Antes da minha própria filha?", ele estava dizendo. Depois de ouvir em silêncio por um tempo, ele falou: "Claro que eu ia conversar com você. Nós dois sabíamos que isso ia acontecer algum dia. Não podia durar para sempre".

Eu queria desesperadamente saber quem estava do outro lado da linha. Apurei ainda mais os ouvidos.

"Tem outra coisa que precisamos conversar também." Mesmo lá da escada, deu para ouvir que ele respirou fundo antes de falar: "Eles apareceram de novo no galpão. A polícia. Queriam conversar com todo mundo, perguntar sobre o paradeiro de cada um em determinado dia, essas coisas". Com um sobressalto, me dei conta de que ele estava falando sobre a investigação do caso do Estripador.

"Disseram que preferiam fazer isso no local de trabalho, para não acabar encrencando a vida do pessoal em casa." Ele deu uma risadinha. "Ele falou que, quando precisam ir na casa das pessoas, pedem um chá, para a mulher ir para a cozinha preparar. Então eles podem fazer as perguntas, quando elas não estão na sala." Ele fez uma pausa. "A questão é que eles me passaram uma lista de datas e querem saber o que eu estava fazendo em cada um desses dias. Não sei como vou responder."

Não consegui conter o "Oh" que escapou da minha garganta, e prendi a respiração imediatamente para saber se meu pai tinha ouvido.

"Espera só um minuto... é que eu... shhh, eu só preciso verificar uma coisinha."

Subi meio correndo na ponta dos pés e já estava na cama quando ouvi os passos dele no corredor.

Quando deitei na cama, só ouvia o ressoar da minha pulsação acelerada nos ouvidos. Por que meu pai estava preocupado com o que responder para a polícia? Por que alguém precisaria se preocupar a não ser que... a não ser?

Era inimaginável, mas nesse momento todas as atitudes suspeitas dele me vieram à mente. Eu tinha escolhido deliberadamente ignorar tudo aquilo? Os telefonemas, as saídas às escondidas à noite, e agora o interrogatório da polícia?

O meu pai deveria entrar para a lista?

Tirei o caderno de baixo da cama. Sentada na beirada do colchão, observei a data de cada assassinato e pensei em todas as vezes que meu pai foi "tomar uma cerveja" ou saiu às escondidas no meio da noite. Para minha frustração, apesar de conseguir lembrar de quando vi a notícia de cada um dos ataques, eu não tinha como saber se ele estava em casa ou não quando os crimes foram cometidos.

As palavras de George Oldfield ressoaram como o sino de um funeral na minha mente: *O Estripador é vizinho de alguém. É marido ou filho de alguém. Alguém deve saber quem ele é.*

E se fosse o pai de alguém? E se esse alguém fosse eu?

Eu ia levantar, impelida pelo choque, mas senti que minhas pernas estavam bambas. Elas não conseguiram sustentar o meu peso, e fui deslizando pouco a pouco para o chão, deitando toda encolhida como um ouriço, como se, dessa maneira, eu pudesse me manter segura.

Eu dormi ali naquela noite.

11. Meu pai
- Está escondendo segredos
- Vive desaparecendo
- Está sendo interrogado pela polícia
- Será que está "se escondendo às vistas de todos"?

# 45

MIV

O ar frio e renovado da manhã pareceu trazer mais clareza para minha cabeça. *Não tinha* como meu pai ser o Estripador. Porque, com certeza, eu já teria descoberto. Mas, voltando da escola naquele dia, foi como se estivesse vendo minha casa pela primeira vez.

A visão familiar das botas de trabalho do meu pai, arranhadas e sujas de lama, deixadas no chão sob as blusas penduradas no corredor ganharam um novo significado. Pendurei meu casaco e, pela primeira vez, percebi que tinha uma jaqueta de operário pendurada ali também. Peguei o caderno para anotar a informação, e, ao fazer isso, percebi a presença da minha mãe parada na porta da sala, com a xícara de chá balançando de leve em suas mãos trêmulas. Parecia que ela estava me observando, embora não me visse.

Quando minha mãe se virou para voltar para a sala, me ocorreu que talvez seu silêncio tivesse alguma coisa a ver com ele. Seria essa a razão por que íamos embora? Porque estávamos fugindo? Fiquei parada no corredor como se os meus pés estivessem pregados no chão, com os dedos das mãos e dos pés formigando de medo, me perguntando o que fazer a seguir. Eu queria demais conversar com Sharon sobre tudo isso, mas não tinha jeito. Ela não queria mais saber da lista; além disso, e se eu estivesse errada? Aquele era um problema grande demais.

Nesse momento, desejei com todas as fibras do meu corpo poder contar com minha mãe como ela era antes. Como era possível sentir a dor da saudade de alguém que estava logo ali? Mesmo se fosse a última coisa que fosse conversar com ela na vida, queria sentir seus braços em torno de mim e me perder no som da sua voz.

Enquanto eu estava ali parada, o rosto da sra. Andrews surgiu na minha mente, junto com o que ela tinha falado várias semanas antes, se colocando à minha disposição para conversar comigo. Concluí que, como alguém que também guardava segredos, ela iria me ouvir e me entender, então eu senti que era possível falar sobre qualquer assunto. Quando dei por mim, já tinha saído porta afora de novo. Não havia nem vestido o casaco, então corri pelas ruas ao anoitecer para sair depressa daquele vento gelado, sentindo as minhas bochechas ficarem vermelhas e a minha pulsação acelerada nos meus ouvidos.

Quando me aproximei do prédio onde vi o sr. e a sra. Andrews entrando no dia em que observava o tio Raymond, diminuí o passo. Eu causaria algum problema batendo na porta dela sem ter sido convidada? Era comum em Yorkshire aparecer na casa dos outros sem aviso, mas alguma coisa me dizia que a casa da sra. Andrews devia ser como a minha — um lugar onde havia situações que ela preferia que as visitas curiosas não vissem.

A porta se abriu, o que me provocou um sobressalto. Mas não foi o sr. nem a sra. Andrews quem saiu, e sim um homem, fumando um cigarro e deixando a porta escancarada atrás de si. Percebi que aquela era uma entrada compartilhada por vários apartamentos. Eu me esgueirei para dentro antes que a porta se fechasse, e me vi no hall de entrada do que antigamente era um casarão. Olhei em torno do corredor, para a pintura descascando e o carpete gasto, e contei quatro portas no andar térreo antes de reparar na escada lá na outra extremidade. Devia ter mais apartamentos no andar de cima. Ao lado da entrada, havia um telefone público cinza com uma lista telefônica cheia de orelhas nas páginas, pendurada por uma corrente.

Quando já estava me arrependendo de não ter perguntado para o homem em qual apartamento morava a sra. Andrews, percebi que na porta mais próxima havia um nome sob a campainha. Eu só tinha dado um passo para me aproximar e o ler quando ouvi um baque surdo, seguido de um grito. Vinha do andar de cima, e as minhas pernas me levaram para os degraus altos e tortos da escada quase por instinto. Quando cheguei ao primeiro apartamento à esquerda, vi o nome *Andrews* sobre a campainha, e o meu coração disparou de um jeito que era como se eu tivesse corrido para a rua e depois por todo o caminho de volta para casa.

Fiquei sem saber se tocava ou não a campainha. A pancada e o grito teriam vindo de lá? Eu me aproximei devagarinho da porta e colei o ouvido à madeira. A sra. Andrews estava aos soluços. Era o tipo de choro que indicava que havia alguma coisa muito errada. Eu queria consolá-la, e estava prestes a bater na porta quando ouvi a voz do sr. Andrews.

"Cala a porra dessa boca."

Não foi um grito. Ele nem parecia irritado. Mas o meu coração disparou ainda mais, e eu me afastei da porta, e dele também. A imagem do olho roxo da sra. Andrews apareceu na minha cabeça, e me obriguei a continuar ouvindo. Houve outra pancada, e dessa vez o grito seguinte era tão claramente de dor que me encolhi toda. Depois veio mais uma, e outro berro, e então o barulho horroroso da alguma coisa estalando que me provocou um calafrio na espinha. Os meus nervos estavam à flor da pele. Eu sabia que ele a estava machucando sem parar.

Desci a escada correndo e disquei para o telefone de emergência no orelhão, com as mãos tremendo tanto que era até difícil manter o dedo no disco enquanto discava. Levei o fone à orelha.

"Vocês precisam ajudar ela", eu murmurei para a telefonista que perguntou de que tipo de atendimento eu precisava. "Ela precisa de uma ambulância."

Depois de responder a todas às perguntas que me fizeram, voltei a subir até a porta fechada. Lá dentro, tudo estava em silêncio. Pensei em bater e fingir inocência, que não tinha ouvido nada. E me perguntei por um momento se não podia ter me enganado. Mas eu sabia que não. No fim, acabei saindo do prédio, atravessando a rua e ficando lá até a ambulância chegar, alguns minutos depois. Eu chorei quando vi a sra. Andrews saindo de maca, parecendo uma criança, de tão miudinha. O sr. Andrews segurava e acariciava a mão dela, a acompanhando. Quando a colocaram na ambulância e ele precisou soltá-la, continuou com os olhos cravados nela. Pela primeira vez em um bom tempo, tive a certeza de que havia feito a coisa certa.

Assim que cheguei em casa, fui ligar para Sharon. Não estava nem aí se meu pai ia me dar bronca por usar o telefone. "Vocês estavam juntas até cinco minutos atrás, e amanhã cedo vão se ver de novo", ele sempre dizia.

Ruby atendeu ao telefone dizendo o número para o qual eu tinha ligado, parecendo bem irritada.

"Posso falar com a Sharon?", perguntei.

"Ela está ocupada", foi a resposta.

"Ah, hã, você pode avisar que eu liguei?", perguntei, um tanto perplexa. Ruby nunca era grossa assim comigo.

"Sim, eu aviso."

"Então tá. Tchau", eu falei, minha voz falhando, mas Ruby já havia desligado o telefone.

Fiquei atordoada, ouvindo o sinal de chamada com o telefone ainda colado à orelha. Ninguém estava se comportando como deveria. Primeiro meu pai, depois o sr. Andrews, e agora Ruby. O mundo ao meu redor parecia estar virado do avesso. A tia Jean, ainda bem, agiu exatamente como eu esperava quando chegou em casa mais tarde, cheia de coisas para contar.

"Helen Andrews está no hospital... ela caiu da escada e quebrou o braço, ao que parece. Vai passar um tempo com Arthur e Jim quando receber alta, para eles cuidarem dela enquanto Gary estiver no trabalho."

Olhei para o relógio. Fazia só algumas horas que eu tinha chamado a ambulância. Eu sempre ficava impressionada com a capacidade dela de ficar sabendo de todas as fofocas, mas aquela chegou em tempo recorde. Às vezes eu me arrependia de não ter contado para ela sobre a lista. Tia Jean jamais aprovaria uma tolice tão perigosa, mas conseguiria desmascarar o Estripador em dois tempos.

"Eu não consigo entender", disse Sharon, se virando para mim. "Tem certeza?"

Era sábado à tarde, e estávamos indo à casa de Arthur para ver a sra. Andrews. Eu tinha acabado de contar para Sharon sobre o acontecido, e ela deteve o passo enquanto tentava absorver a informação.

"Absoluta", falei. "E lembra aquele dia que ela estava com um olho roxo?"

Sharon assentiu com um gesto lento, compreendendo a situação. "Mas o que você estava fazendo lá?", ela quis saber quando voltei a andar. Fiquei em silêncio, sabendo que ainda não estava pronta para revelar minhas suspeitas em relação ao meu pai. Afinal, eu também tinha as minhas dúvidas a respeito. Parecia impossível, mas as palavras de George Oldfield continuavam ecoando na minha cabeça: *Alguém deve saber quem ele é.*

"Ah, foi por causa da lista?", ela perguntou, e eu confirmei, aliviada por não ter que dar uma resposta. Nenhuma de nós disse mais nada até chegarmos à casa de Arthur.

A sra. Andrews estava em uma cama dobrável na sala de visitas de Arthur. Jim tinha saído para visitar os filhos, e Arthur arrumava as coisas por toda a casa, claramente felicíssimo por hospedar a filha mais nova, apesar das circunstâncias. Quando sentamos ao lado da cama, ele afofou os travesseiros e se certificou de que o braço dela estava bem apoiado antes de sair para preparar alguma coisa para bebermos.

Dei uma boa olhada na sra. Andrews pela primeira vez desde que chegamos. Ela estava vestindo uma camisola florida de mangas curtas. Suspeitei que devia ter sido de Doreen, porque a sra. Andrews parecia uma criancinha que tinha mexido no armário da mãe, com seus bracinhos magros parecendo gravetos pulando para fora da roupa. Além do braço engessado e pendurado na tipoia, ela também tinha hematomas no outro braço, um inchaço na bochecha e um olho quase roxo, meio fechado.

A conversa não fluía. Eu não sabia o que dizer, e Sharon parecia ter deixado seu charme e sua confiança em casa naquele dia.

"Ela sempre foi assim", disse Arthur, aparecendo na porta. "Desastrada, como eu. Sempre caindo. Mas eu pelo menos nunca quebrei o braço."

Ele deixou as bebidas em uma mesinha lateral.

"Vou lá buscar os biscoitos", ele falou, desaparecendo na cozinha.

"Sra. Andrews, de onde vieram todos esses machucados?", Sharon perguntou.

Eu ofeguei, levando a mão à boca. A sra. Andrews ficou pálida.

"Sharon", eu disse, "você não pode perguntar uma coisa dessas." Eu tinha aprendido pela minha própria experiência a não falar sobre coisas dolorosas, que elas não deveriam ser trazidas à tona. Era melhor fingir que não existiam.

"Não só posso como vou", ela retrucou. "Sra. Andrews, de onde vieram todos esses machucados?"

O silêncio pareceu se prolongar por vários minutos antes que a sra. Andrews respondesse.

"Você sabe o que aconteceu", ela disse baixinho. "Eu caí."

"Não dá para fazer esse tipo de machucado caindo", insistiu Sharon, apontando para as marcas de dedo, tão claras quanto em pinturas infantis do jardim de infância. "Isso acontece quando alguém segura você com força."

"Ah, sim. Isso mesmo. Foi quando Gary tentou evitar que eu caísse."

O ar ficou carregado com o peso das coisas não ditas.

"Sra. Andrews", Sharon continuou, quase num sussurro. "nós sabemos que foi o Gary que fez isso com você."

Ela me deu um cutucão forte nas costelas. Eu concordei com a cabeça.

"Fui eu que chamei a ambulância", contei. "E ouvi o que ele falou para você."

Um ofego estrangulado escapou da boca da sra. Andrews quando ela não conseguiu mais segurar as emoções reprimidas.

"Helen?" Nenhuma de nós tinha percebido que Arthur estava de novo na porta. A expressão no rosto dele era a mesma de quando o encontramos no ferro-velho: chocada e carregada de tristeza. A sra. Andrews só o encarou, empalidecendo de susto.

"Pai? Pai, não chora, por favor. Ele está arrependido, juro para você. Não era a intenção dele fazer isso, não mesmo. Isso nunca vai acontecer de novo", ela disse entre soluços.

Ele foi até ela e a envolveu carinhosamente com os braços.

"Meninas, vocês se incomodam de nos deixar a sós?", ele falou, sem tirar os olhos dela.

Quando saímos, pai e filha ainda estavam abraçados.

O dia seguinte era domingo, dia de almoçar na casa dos Ware. Depois de chegar da igreja naquela manhã e de me trocar, parei diante do espelho para analisar minha imagem.

Eu vesti minha calça jeans nova e uma blusa com pregas e gola alta. Era a peça mais bonita do meu guarda-roupa, normalmente reservada para apresentações do coral e ocasiões especiais, mas caso surgissem questionamentos constrangedores da tia Jean ou do meu pai, eu já tinha uma desculpa na ponta da língua: o coral ia ensaiar com as roupas da apresentação de Natal. Vesti às pressas o casaco e fiquei aliviada quando saí de casa sem que ninguém me visse.

Enquanto caminhava até a casa dos Ware, senti minhas pernas ficando bambas como as de um cervo recém-nascido, e eu percebia a cada passo o quanto estava nervosa. Eu não chegava perto da casa de Paul desde o dia em que o segui, vários meses antes, e ainda não tinha conseguido entender como estava a situação entre os pais dele. Por isso, depois de bater à porta, fiquei surpresa por um momento quando o detetive-sargento Lister a abriu. Ele parecia diferentes das outras vezes que o vi, de blusa de lã e calça jeans, o que o fazia parecer mais simpático e menos intimidador.

"Pode me chamar de Guy", ele me disse. Ainda continuava um boa-pinta, e eu senti as minhas bochechas ficarem vermelhas. Eu não precisaria usar blush ali, isso era certeza. Mas então percebi que Paul também corou quando saiu do quarto para me cumprimentar, tropeçando nas palavras.

Durante o almoço, observei atentamente o comportamento de todos, para me encaixar o máximo possível entre aquelas pessoas que eu tanto admirava. Eles faziam as coisas de um jeito diferente lá de casa. A comida foi servida em travessas deixadas sobre a mesa, e não havia manteiga nem pão para comer com o molho. O detetive Lister e Hazel bebiam vinho, em vez de canecas de chá, como minha mãe, meu pai e a tia Jean. Observei com satisfação que o detetive Lister conversava com Paul sobre música, o assunto favorito dele, e o deixou cortar a carne assada, tratando-o como um adulto também. Mas foi Hazel quem serviu todo mundo e tirou a mesa. Talvez as coisas não fossem tão diferentes assim da minha casa, no fim das contas.

Paul estava calado, mas Hazel mantinha a conversa fluindo, fazendo perguntas para todo mundo, inclusive para mim, e eu gaguejava sem parar, embora ninguém parecesse ligar, nem ficar rindo de mim. Estava começando a me sentir mais confortável quando, sem ser convidado, o pensamento de que eu precisaria me mudar me atingiu como um soco no estômago, e percebi que aquele poderia ser meu único almoço com eles. Baixei o garfo e a faca por um momento e me agarrei à borda da mesa enquanto tentava me controlar.

"Muito bem, nós sabemos que Paul vai ser um pop star quando for mais velho, mas e você?", Hazel estava dizendo quando voltei a me concentrar na conversa.

Antes que eu pudesse responder, o detetive-sargento Lister entrou na conversa, dando risada: "Você quer ser detetive, não é? Já está fazendo um ótimo trabalho como amadora", ele falou, dando uma piscadinha para mim.

"Eu quero mesmo ser detetive", respondi, surpresa com a convicção e a clareza com que essas palavras saíram da minha boca. Eu não estava acostumada a ter gente demonstrando interesse na minha vida desse jeito, e na verdade nunca tinha pensado nisso antes. Paul olhou para mim, perplexo — eu só não sabia se era porque eu tinha falado com tanta confiança ou porque queria ser da polícia.

"Ora, aqui está sua chance de perguntar o que quiser saber para o Guy", disse Hazel, dando uma cutucada de leve nele. "Com certeza ele adoraria responder.'

Pensei sobre a lista e sobre as nossas suspeitas, que não nos deixaram nem um pouco mais perto de pegar o Estripador.

"Como é que vocês fazem isso?", perguntei. "Investigar crimes, é o que eu estou dizendo. Como é o processo?"

"Ah, não é nem de longe uma coisa glamourosa como as pessoas pensam quando assistem um programa como *Z-Cars* ou coisa do tipo", ele explicou. "É algo mais metódico. Você precisa analisar todas as informações que conseguir nos mínimos detalhes, sem se deixar se levar pelas emoções e nem por aquilo que você acha que vai ser a resposta. Não dá para ignorar absolutamente nada."

Pensei no meu pai, um suspeito que estava bem diante do meu nariz e que eu vinha ignorando porque não queria saber a resposta. Senti o meu rosto empalidecer, e a minha voz soar distante quando perguntei: "Por que você acha que não pegaram o Estripador ainda, então?".

Hazel arregalou os olhos, e fiquei me perguntando se tinha passado dos limites para uma conversa agradável de almoço de domingo.

"É uma boa pergunta", comentou o detetive Lister, pelo visto sem se incomodar. Ele deu um gole no vinho e se recostou na cadeira por um momento. "Às vezes são tantas informações que é difícil encontrar o nexo entre todas elas", ele explicou depois de um tempo. "E o que eu falei sobre as emoções também interfere. A pressão que vem de todos os lados, do jornal, do público, até da Thatcher, acaba provocando erros. As pessoas se distraem no meio de tanto barulho."

No caminho de volta para casa, fiquei pensando no que o detetive Lister tinha falado. Por mais difícil que fosse aceitar, eu precisava tratar meu pai como qualquer outro item suspeito da lista e investigá-lo. Isso significava descobrir mais do que ele andava fazendo, e para onde ia à noite quando não estava em casa.

Percebi que havia alguma coisa errada assim que abri a porta de casa. Os fins de tarde de domingo tinham um ritmo próprio: o meu pai lia jornal no sofá, ou ouvia o rádio; a tia Jean ficava por perto cantarolando, com a tábua de passar aberta e pilhas de roupas recém-lavadas cujo cheiro competia com o aroma das sobras do assado que havia preparado no almoço; e a minha mãe na poltrona ou lá em cima, no quarto.

Em vez da cena de costume, me deparei com o silêncio e uma sensação de vazio, como se a casa estivesse abandonada, parecendo a Tecelagem Healy.

"Olá?", chamei.

A porta do quarto da tia Jean estava aberta, o que não era nada comum. Ela fazia questão de manter todas as portas da casa fechadas, repreendendo meu pai e eu entre resmungos ao ver que alguma estava aberta, com um "Por acaso você nasceu em um celeiro?" e então a fechava com gestos teatrais. Quando espiei lá dentro, senti um frio na barriga. O quarto dela estava sempre impecável, com praticamente tudo guardado das vistas, assim como ela própria. Parecia que ninguém morava ali; era como se ela ainda se considerasse uma hóspede, embora já morasse com a gente fazia pelo menos dois anos. Naquele dia, porém, estava tudo vazio, e sem nenhum sinal dela — a escova de cabelo, os óculos de leitura e até a foto do meu avô, que ela deixava em uma porta-retratos de metal ornamentado ao lado da cama. Eu nunca o conheci — meu pai falou que ele "partiu antes da hora", o que quer que isso significasse, mas já tinha visto o retrato muitas vezes. Ele tinha uma postura impecável, como a tia Jean, e era bonitão como meu pai. A ausência da fotografia indicava que ela havia ido embora de vez.

Circulei pelo restante da casa na ponta dos pés, como se não quisesse perturbar o silêncio. Não havia cheiro de comida no ar, nem ninguém no andar de baixo, então subi em silêncio para meu quarto, e notei que a porta do quarto da minha mãe estava fechada, o que indicava que pelo menos ela estava lá.

Quando meu pai finalmente chegou em casa, algumas horas mais tarde, encostou a porta em silêncio, e vi por cima da balaustrada quando fechou os olhos e balançou a cabeça antes de gritar um oi. Eu apareci no patamar da escada.

"Cadê a tia Jean?", perguntei, antes que ele tivesse a chance de falar. Foi impossível esconder o tom acusatório na minha voz. Os ombros dele despencaram visivelmente.

"Voltou a morar no apartamento dela por enquanto", ele respondeu. "Por causa do nosso plano de mudar daqui e tudo mais."

Minha vontade era dizer que *eu* não tinha plano nenhum de me mudar, que isso era coisa *dele*, mas alguma coisa na expressão de tristeza que vi no seu rosto segurou a minha língua. Apesar da determinação de não deixar as minhas emoções interferirem, senti as lágrimas brotando nos meus olhos.

"Ok", eu falei e voltei para o quarto, ouvindo quando ele pôs um disco para tocar e o som de sua música favorita, "Leaving on a Jet Plane", tomou conta da casa.

"*Don't know when I'll be back again*", meu pai cantou junto com John Denver.

Sentada na cama, eu elaborei meu plano. Decidi seguir meu pai depois da escola no dia seguinte, mas, no fim, nem precisei esperar tanto. Estava tão absorta nos meus pensamentos sobre tudo que quase não o ouvi pegar o telefone e discar, bem depois da minha hora de dormir. Desci a escada na ponta dos pés, e parei para escutá-lo falando.

"Chego aí em dez minutos", ele disse. Enquanto vestia o casaco e calçava as botas, voltei para o meu quarto e vesti uma jaqueta por cima do pijama, pus os tênis nos pés e pendurei a fita com a minha chave de casa no pescoço. A porta da frente se abriu e fechou com um leve rangido, e desci em silêncio atrás dele. Quando pisei na rua, ele já estava no meio do quarteirão. Olhei para os dois lados enquanto trancava a porta, para me certificar de que não havia mais ninguém por perto.

A luz fraca da rua era suficiente apenas para tornar sua silhueta visível, mesmo assim, eu me mantive nas sombras enquanto o seguia. Meu coração parecia ter se espalhado por todo o corpo; eu conseguia senti-lo bater da ponta dos pés ao topo da cabeça. Não tive sequer a coragem de especular aonde ele poderia estar indo.

As ruas tão familiares pareciam sinistras e ameaçadoras na escuridão. Os passos firmes do meu pai eram o único ruído perceptível. Minha vontade de chamá-lo me consumia, e precisei levar a mão à boca para me impedir. No fim da nossa rua, ele virou à esquerda, e eu corri até a esquina — me sentindo grata pelas solas macias e silenciosas dos meus tênis — para não perdê-lo de vista.

Meu pai se distanciava quando virei a esquina, mas o vi assim que virou à direita em um pequeno beco que eu conhecia bem, porque ficava a caminho para a casa de Sharon. Corri até lá e cheguei bem a tempo de vê-lo dobrar à esquerda no final. Andando até o fim do atalho e parando para espiar, um pensamento me ocorreu: ele estaria indo para a casa de Sharon?

Confusa, deixei meus pés me levarem pelo caminho que eu poderia ter percorrido de olhos vendados. Eu segurava a respiração a cada vez que ele chegava a um cruzamento, torcendo para que seguisse outra direção, porém, nossos passos nos aproximavam da casa da minha melhor amiga. Quando chegamos à esquina da rua dela, fiquei um pouco mais longe, escondida pelas moitas, e vi meu pai bater na porta da frente e Ruby atender. Os dois olharam ao redor antes que ela o puxasse para dentro e, antes de ele entrar, os lábios deles se tocaram.

O significado daquele beijo era inequívoco.

Fiquei lá fora pelo que me pareceram ser horas, meus batimentos ressoando nos ouvidos enquanto tentava entender o que tinha acabado de ver. No fim, dei meia-volta e segui andando devagar para casa, com a cabeça girando a mil. As saídas, as conversas e os telefonemas foram ganhando mais clareza, como um cenário dentro de um globo de neve quando os flocos vão se assentando.

Fiquei me perguntando se Sharon sabia. A casa deles era maior que a nossa, e o quarto dela ficava em uma extensão construída sobre a garagem. Seria possível que ela não tivesse ouvido meu pai entrando e saindo de lá enquanto Malcolm estava fora?

E agora, o que eu ia fazer?

As lágrimas começaram a cair quando abri a porta. Meu alívio por constatar que meu pai não era o Estripador se transformou em uma raiva que borbulhava dentro de mim a cada vez que eu pensava no que ele estava fazendo. Como ele tinha coragem?

Peguei um cachecol dele que estava pendurado no gancho dos casacos e o levei para o quarto comigo. Depois de tirar o casaco e os tênis, deitei na cama segurando o cachecol junto ao rosto e respirei fundo. Suor, sabonete líquido Swarfega e um odor amadeirado que era bem particular dele.

Ou pelo menos da pessoa que eu pensava que ele fosse.

Percebi que na verdade não o conhecia mais.

# 46

## MIV

### NÚMERO DOZE

Passei a noite em claro, minha mente inquieta enquanto revivia os acontecimentos dos meses anteriores. Eu queria fazer o certo, mas ao que parecia só conseguia estragar tudo. E agora tinha nas mãos um enorme segredo envolvendo meu pai e Ruby. Pensei em Sharon, e sabia que não queria despedaçar o coração dela da mesma forma que o meu estava despedaçado.

Tomei uma decisão. Elaborei um plano. Eu terminaria de investigar o que restava na lista e depois pararia com aquilo, sem me importar se ia conseguir desmascarar o Estripador ou não. Era hora de me concentrar na vida real. Peguei o caderno e o reli inteiro, estremecendo ao lembrar de tudo o que tinha acontecido, meus olhos se enchendo de lágrimas quando cheguei na parte sobre Brian. Parecia que tudo estava solucionado, menos uma coisa.

Quando o novo dia chegou — apesar de ser impossível diferenciar da noite só olhando pela janela, por causa da escuridão lá fora —, eu me sentia estranhamente distanciada de tudo, como se flutuasse fora do corpo. Era como ver o mundo através da nossa tevê preto e branco com o volume e o contraste no mínimo. Durante o café da manhã, fiquei observando minha mãe, que tinha levantado cedo naquele dia, para variar, e preparado uma xícara de chá, sua mente parecendo bem longe dali. Agora eu sabia exatamente como era isso. O meu pai entrou às pressas na cozinha, atrasado para o trabalho, e pegou uma fatia de torrada.

"Tchau", ele falou, com a boca melada de manteiga, enquanto eu tentava observá-lo de forma objetiva. Sempre soube que ele era considerado um homem bonito. Já tinha ouvido Valerie Lockwood falar uma vez que meu pai parecia o cara de cabelo escuro da série *Os Gatões*, e achava engraçado quando as mulheres às vezes mudavam de comportamento na presença dele. Só nunca tinha imaginado que ele se aproveitasse disso. Não consegui nem falar com ele, e tive que me forçar a dizer "tchau".

Uma fina camada de gelo cobria o chão, e seu brilho frio e branco reluzia sobre as ruas e os prédios cinzentos enquanto eu andava até a casa de Sharon, torcendo para não ver Ruby. Bati na porta e fiquei ao mesmo tempo surpresa e aliviada quando ninguém atendeu. Eu tinha esquecido que Sharon ia ao dentista naquela manhã e chegaria só mais tarde na escola. O alívio quase me levou às lágrimas.

Enquanto seguia para a escola, o frio entrou nas minhas veias e irradiou uma onda de energia e determinação por todo o meu corpo. Repassei o plano não muito detalhado que havia esboçado. Depois das aulas, eu iria à Tecelagem Healy — já que tínhamos sido interrompidas quando estávamos lá — e investigaria tudo direitinho, com ou sem fantasma. Todo o restante da lista já havia sido feito. Esse era o único item que restava.

## 12. A tecelagem
- É a última coisa da lista

# 47

## MIV

O dia passou como um borrão, e mais de uma vez Ishtiaq precisou me cutucar quando um professor chamava meu nome, embora todos eles soassem como a professora do Charlie Brown para mim. Abri os livros e fingi que estava fazendo a lição, mas as palavras dançavam diante dos meus olhos.

Na hora do almoço, peguei minha bandeja e fui para um canto do refeitório onde pudesse sentar sozinha, já que Sharon ainda não tinha chegado. Mal consegui engolir a comida, e estava perdida em pensamentos quando Paul veio falar comigo. "Está tudo bem?", ele perguntou, me encarando de um jeito que me obrigou a baixar os olhos. Fiz que sim com a cabeça, e ele comeu em silêncio enquanto eu só espalhava a comida no prato.

"O que você vai fazer depois da escola? Vamos juntos para o coral? Fazer alguma coisa antes?", ele sugeriu quando me levantei.

"Hã, eu já tenho uma coisa marcada com a Sharon." De tão determinada que estava para terminar o que comecei, tinha esquecido do coral; mas não queria voltar atrás. Só poderia ir depois, talvez chegar atrasada. Paul parecia tão decepcionado que quase achei graça. Eu tinha passado anos desejando ser notada e querida, mas naquele dia era a última coisa que precisava.

Mais tarde, avisei para Sharon que tinha marcado de encontrar Paul antes do ensaio do coral e que iria direto para igreja, e então tomei o caminho da tecelagem. Passei pelo arruinado mercadinho da esquina, a carcaça de uma construção com várias placas de PERIGO — NÃO ENTRE. Imagens do rosto sorridente do sr. Bashir e das feições refinadas de Ishtiaq me vieram à mente, e o nó que se formou na minha garganta me lembrou da saudade que senti deles quando estavam em Bradford.

Esse pensamento levou a outros, e a cada passo que eu dava era bombardeada pelas imagens das pessoas que tínhamos conhecido enquanto investigávamos a lista, que se revezam na minha mente como em uma exibição de slides. Hazel Ware, o detetive Lister, Arthur, Jim, a sra. Andrews. Uma parte de mim estava triste por aquilo estar chegando ao fim, apesar de saber de todo o estrago que a lista causou. Que eu causei. Parei por um instante quando um carro conhecido se aproximou de mim. A janela do passageiro estava baixando lentamente, e alguém se curvava sobre o console no assento do motorista. Uma vez aberta, uma nuvem de fumaça de cigarro saiu pela janela.

"Olá, olá, olá", disse a voz do sr. Andrews. Voltei a andar imediatamente, com os olhos voltados para a calçada enquanto o carro me seguia, trafegando devagar ao meu lado.

"Qual é o problema?" A voz dele, apesar da tentativa de se manter leve, soava como a dos valentões da escola. "Ouvi dizer que você e a sua amiga se meteram na nossa vida de novo. Pensei que tínhamos um acordo. Eu devo ter me enganado."

Quase me senti tentada a defender nossas atitudes. Então pensei no que ele fez com a sra. Andrews, e detive o passo. O carro parou também, e eu olhei lá para dentro. O sr. Andrews havia perdido sua beleza enganadora, e estava todo desmazelado. Como se não tomasse banho nem dormisse fazia vários dias.

"Você machucou ela", eu falei, com uma voz baixa, mas convicta.

"O quê?", ele retrucou.

"Você machucou ela", repeti, mais alto.

"Entra aqui", ele falou, abrindo a porta do carro. "Vamos bater um papo e fazer uma visita à minha amada esposa. Ela mesma vai dizer para você que não fui eu. Estou indo para lá agora mesmo. Está na hora dela voltar para casa. Não queremos que ela se acostume a ser mimada por Arthur e Jim, não é?"

Olhei para aqueles olhos azuis que um dia considerei tão radiantes e só vi o brilho do aço frio neles. Algum tipo de instinto de sobrevivência entrou em ação, e comecei a correr para o beco mais próximo. Assim que vi que não estava sendo seguida, parei para analisar a situação. Esse mesmo instinto me dizia que a sra. Andrews estava em perigo.

Por um momento, pensei em ir correndo avisar Arthur e a sra. Andrews, mas sabia que, se fizesse isso, não teria como ir à tecelagem. Então, fui até o orelhão mais próximo, tirei uma moeda de dois centavos da bolsa, coloquei no telefone e disquei o número de Arthur.

"Arthur?", falei assim que ele atendeu, sem nem esperar seu alô.

"Sim, querida. Está tudo bem?" Ele devia ter reconhecido minha voz e percebido imediatamente meu tom urgente e assustado.

"Sim, quer dizer, não. É que eu acabei de ver o sr. Andrews."

"Onde ele estava?"

"Indo para a sua casa. Disse que ia buscar a Helen."

"Obrigado, querida. Agora vou desligar para chamar a polícia. Você fez a coisa certa."

Ele desligou, e eu soltei um suspiro bem lento. Senti minha determinação se renovar. Talvez tivesse acabado de salvar a sra. Andrews. Talvez ainda existisse alguma coisa boa dentro de mim, no fim das contas. Tomei o caminho da Tecelagem Healy.

# 48

## OMAR

Como sempre, ele pensou no que Rizwana faria se tivesse ficado sabendo sobre os machucados de Helen. Teria feito comida, levado até lá e conversado com ela, de mulher para mulher. Então ele preparou arroz *biryani* e *gulab jamun*, colocando o curry e os bolinhos doces em potes separados, e a calda do *gulab* numa caneca com papel-filme por cima, deixando tudo pronto para levar à casa de Arthur. No último instante, resolveu embrulhar alguns *chapatis* em papel-alumínio também.

Mais de uma pessoa tinha lhe dito que ela caíra da escada, a história contada com vários balançares de cabeça e sobrancelhas erguidas até o teto, gestos que comunicavam as palavras não ditas. A caminho da casa, decidiu que conversaria com Helen a respeito, por mais constrangedor que aquilo pudesse ser. Também queria falar com Arthur sobre os garotos que agora usavam a cabeça totalmente raspada, determinado a descobrir se foram eles os responsáveis pelo incêndio. Segundo Ishtiaq e as meninas, o ataque contra Arthur tinha sido obra deles. Esse jeito típico de Yorkshire de ficar rodeando assuntos sérios precisava acabar.

Jim abriu a porta e o deixou entrar. Só tinha conversado com Jim uma ou duas vezes no mercadinho, e o considerou agradável e simpático. Nesse dia, porém, ele parecia para baixo, assim como seus olhos, que se voltaram para o chão, se recusando a olhá-lo.

"Pode entrar", ele disse, e nada mais.

Helen ergueu a cabeça quando ele entrou na sala, e Omar tentou não demonstrar o choque que sentiu ao ver o estado dela. Ela também estava diferente com ele, sua voz trêmula, o olhar alternando entre ele, Jim e o chão. Era compreensível, ele pensou, considerando tudo o que ela passou.

Helen apontou com a cabeça para a poltrona ao seu lado e ele sentou na beirada do assento, já incerto sobre a decisão de ter ido até lá, como se tomado por uma timidez que não sabia explicar ao certo. Mostrou a sacola, porque pelo menos era um assunto para conversar.

"Trouxe para você", ele disse. "Fui eu que fiz." Omar se sentiu envergonhado, percebendo que soava como uma criança.

Jim se aproximou para pegar a sacola, parecendo grato por ter um pretexto para sair da atmosfera esquisita daquela sala, e a levou para a cozinha.

"Arthur está em casa?", Omar perguntou.

"Está lá no fundo com os pombos", Helen falou. Ela sorriu e revirou os olhos, e ele conseguiu relaxar um pouco ao ver aquele sorriso tão familiar.

"Então, como você está?", ele quis saber.

Helen balançou a cabeça, franzindo os lábios, e Omar percebeu que ela se segurava para não chorar. Queria abraçá-la e dizer que ficaria tudo bem, que não deixaria aquilo acontecer de novo. "Olha só, eu sei que não é da minha conta", ele disse então, "mas..."

Antes que ele pudesse concluir, um soluço escapou da garganta dela com tanta força que ele tomou um susto.

"Eu sei que você sabe. E sempre soube."

Ele assentiu com um gesto lento.

"O meu pai também sabe. E nós vamos, bom, eu vou procurar a polícia."

Omar balançou a cabeça de novo, sem saber o que dizer.

"A questão é que", ela continuou, "não é só isso."

"Tem mais coisas?", ele perguntou, surpreso.

Helen suspirou e olhou para o teto, e Omar esperou que ela encontrasse as forças que buscava. "Eu acho que..." — a voz dela se quebrou num soluço — "... acho que ele está envolvido de alguma forma com o incêndio."

Omar não conseguiu assimilar aquelas palavras, a princípio. Ele apenas a encarou.

"O que foi que você disse?", ele perguntou, balançando a cabeça para ajudar a clarear os pensamentos.

"Acho que ele está envolvido de alguma forma com o incêndio. Ele me disse umas coisas enquanto fazia isso." Ela olhou para o braço quebrado. "E acho que pode ter sido ele. Eu ia contar para você. Quer dizer, vou contar para a polícia também. Eu só precisava pôr a minha cabeça em ordem antes disso. E conversar com o meu pai."

Ele estava de pé antes mesmo de perceber que havia se movido. A raiva queimava em suas mãos e pernas.

"Omar?"

Arthur apareceu na porta, vindo do quintal. Ele olhou para Helen.

"Você contou para ele, então?", ele perguntou, com uma expressão resignada.

Nesse momento o telefone tocou, e Arthur foi até o corredor para atender.

"Sim, querida. Está tudo bem?", ele falou, e em seguida: "Onde ele estava?".

"Obrigado, querida", ele disse um instante depois. "Agora vou desligar para chamar a polícia. Você fez a coisa certa."

Arthur pôs o fone no gancho e imediatamente o pegou de novo, fechando a porta entre o corredor e a sala de visitas. Para Omar, só poderia haver um motivo para ele ligar para a polícia, e cerrou os punhos de expectativa. Depois de um tempo, Arthur voltou e sentou, acompanhado de Jim.

"Gary está vindo para cá", ele explicou. "Mas eu chamei a polícia. Contei sobre você", ele apontou com a cabeça para Helen, "e sobre o mercadinho, e também que você está aqui." Seu olhar se voltou para Omar.

Os quatro ficaram sentados à espera, e o único som que se ouvia era o tique-taque alto do relógio antigo no corredor. Helen por fim quebrou o silêncio, dizendo: "Eu sinto muito, Omar".

Ele a encarou, incrédulo. Como Helen poderia considerar que aquilo era culpa dela?

"Do que você está falando? Você não tem por que pedir desculpas."

"Bom, por não ter contado para você antes. Nem ter chamado a polícia imediatamente."

Ele balançou a cabeça. Não confiava mais na polícia fazia tempo. Por motivos diferentes dos dela, ou talvez fossem os mesmos. Omar sabia como era ser ignorado pelos policiais. Sabia também como era aquela paralisia provocada por sentimentos tão fortes que a pessoa não conseguia encontrar uma forma de lidar com aquilo. Sentiu vontade de dizer tudo isso, mas, naquele momento, estava sem palavras. Então, estendeu o braço e pôs a mão sobre a dela, recolhendo-a imediatamente, por não saber ao certo se era uma coisa apropriada a fazer.

Jim preparou o que pareceram ser infinitas xícaras de chá enquanto aguardavam. Quando tocaram a campainha e bateram na porta, mais de uma hora havia se passado. Omar levantou no mesmo instante e, antes que alguém pudesse impedi-lo, já estava escancarando a porta diante de um policial uniformizado.

"E então, ele foi preso?", Omar quis saber.

O policial pareceu confuso.

"Nós podemos entrar um pouco para conversar?", ele pediu.

E Omar percebeu que aquela conversa não seria sobre Gary.

# 49

## MIV

Começou a cair uma neve pesada enquanto eu seguia até a Tecelagem Healy, e parei por um momento para observar a cena. Parecia um cartão de Natal vitoriano. Obviamente, sob aquela camada branca e limpa havia sujeira e decadência, mas naquele momento a paisagem parecia quase digna de um quadro. Entrar foi mais complexo do que na outra vez. A porta, antes aberta, agora estava trancada, então contornei o prédio à procura de brechas, e foi quando vi que uma tábua que cobria uma janela grande e baixa no pavimento térreo estava só parcialmente presa, tornando possível passar pela abertura.

Lembrei imediatamente de como a primeira ida tinha sido assustadora, mas àquela altura parecia apenas um mero eco. A atmosfera úmida dava a impressão de ser ainda mais densa com o frio do inverno. O ar lá dentro parecia sólido, como algo que você fosse capaz de morder e sentir o gosto. Acendi a lanterna e olhei ao redor, apreensiva, de olhos abertos a qualquer coisa suspeita.

Ao avistar o que imaginei ser uma salinha lateral na extremidade do andar térreo, fui até lá, pisando com cuidado nas tábuas empoeiradas do assoalho, evitando pilares e o maquinário abandonado. Em um determinado ponto, detive o passo abruptamente. Havia uma bolsa esportiva largada em um canto.

Fui andando na ponta dos pés, como se aquela bolsa pudesse me ouvir, e abri o zíper bem devagar. Lá dentro havia panfletos, pilhas deles, além de canos de metal de vários comprimentos e larguras. Enquanto encarava tudo aquilo, uma lembrança me veio à mente. Arthur tinha dito que alguns canos foram roubados do ferro-velho dos Howden na noite em que ele foi atacado.

Fiquei de pé para pensar no que isso poderia significar. Os panfletos e os canos poderiam ter sido deixados ali fazia tempo, mas, em caso contrário, existia a chance de eu acabar me vendo com uma companhia nada bem-vinda. Meu corpo todo estremeceu, e as lágrimas ameaçaram ser mais fortes que a adrenalina pela primeira vez desde que saí da escola naquele dia. Decidi revistar o andar de cima primeiro, na esperança de que, se alguém aparecesse para buscar a bolsa, não iria se dar ao trabalho de subir até lá. Em um gesto automático, estendi o braço para pegar a mão de Sharon, mas encontrei apenas o vazio ar gelado.

Nós não tínhamos conseguido chegar ao andar de cima antes, então eu não sabia que se tratava de uma série de salas, e uma delas com uma quantidade considerável de móveis dentro — prateleiras, cadeiras, mesas —, e fiz uma anotação a respeito. Pelo menos eu tinha lugares onde me esconder caso fosse necessário, e a porta para a laje de cobertura, que dava acesso à escada de incêndio fora do prédio, se precisasse fugir. Com isso mapeado na mente, comecei a vasculhar o restante das salas, todas sujas e abandonadas como a primeira, repletas de uma poeira que me fez tossir.

Não sei quanto tempo se passou antes de eu ouvir as vozes. Saber que havia outras pessoas na tecelagem me deixou em choque, então apaguei a lanterna e fui devagar até a porta da sala em que tinha entrado, só para garantir. Achei que eles estivessem no andar de baixo, mas era difícil ter certeza, por causa da maneira como o som se dissipava naquele prédio antigo. Sem me mover, esperei até que meus olhos e ouvidos se adaptassem à escuridão e que quem quer que estivesse lá voltasse a falar, para tentar descobrir quantas pessoas eram e onde estavam.

Ouvi um grito que soava como: "Por aqui!".

Meu coração foi parar na boca quando percebi que a voz estava se aproximando. Devagar e com cuidado, fui na ponta dos pés até o fundo da sala com a saída para a laje, subindo o curto lance de escada que levava até lá, com a intenção de usar a escada externa de ferro fundido para descer de novo.

O ar frio me atingiu primeiro. Já tinha anoitecido, e o céu escuro estava cheio de estrelas lançando seu brilho gelado sobre a laje do prédio. Seria uma bela visão para contemplar, se eu não estivesse com tanta pressa para ir embora dali.

Iluminei a laje com a lanterna, procurando pelo acesso à escada, mas descobri que estava bloqueado por grandes placas de madeira pregadas na entrada. Eu afundei ao lado delas, ignorando o chão molhado, e abracei meus joelhos bem junto ao corpo, rezando para que quem estivesse lá dentro não viesse lá para cima. Não havia onde se esconder ali, e nenhuma forma de descer a não ser pela porta que eu tinha usado para subir.

Quando eu estava conseguindo respirar de novo, a porta se abriu e apareceu um garoto, com os cabelos escuros e lisos caindo sobre os olhos.

"Ela está aqui!", ele gritou para seus companheiros.

Era Paul.

Levantei devagar, olhando para ele, sem encontrar palavras para dizer. Ele manteve os olhos fixos em mim também, e só quebramos o contato visual quando outras duas pessoas apareceram. Sharon e Ishtiaq. Sharon veio correndo até mim, me apertando com força enquanto eu continuava imóvel, meus braços colados ao corpo de início, mas então derretendo em seu abraço.

"Nós ficamos preocupados", ela contou. "Eu e Ishtiaq encontramos Paul depois da escola, e vimos que você não disse a verdade. Não sabia para onde você podia ter ido, mas então lembrei. Eu sabia que você tinha vindo para cá, sabia." Ela me abraçou ainda mais apertado. "É a última coisa que falta na lista", ela murmurou.

"Ainda bem que encontramos você", Ishtiaq falou.

Paul tinha recuado quando Sharon veio correndo até mim, mas voltou a se aproximar.

"Eu sabia que tinha alguma coisa errada com você quando conversamos mais cedo", ele disse. "Por que você mentiu?"

Eu balancei a cabeça. Tinha muito para dizer e poucas palavras para isso.

"É melhor irmos para casa", falou Sharon. "Está ficando tarde."

"Nós podemos ficar aqui? Só um pouquinho?", eu perguntei. "Para ficar vendo as estrelas?"

Eles trocaram olhares, e a expressão deles parecia dizer *vamos fazer isso por ela*, então deitamos juntos na neve, olhando para o céu, nós quatro. Nossa cabeça se tocava, e os cabelos úmidos se misturavam na neve, e o único som que escutávamos era o da nossa própria respiração. O calor da aceitação era maior que o frio do inverno.

Depois de um tempo, Sharon quebrou o silêncio.

"Melhor a gente voltar a trabalhar na lista", ela falou num tom firme. "Nunca se sabe, nós podemos pegá-lo."

"Eu ajudo", disse Ishtiaq.

"E eu também", acrescentou Paul. Sharon claramente tinha contado para eles o que andávamos fazendo.

Já estávamos sentados a essa altura e, quando eu estava prestes a contar sobre as minhas mais recentes investigações, o som de uma porta batendo ali perto nos silenciou.

"Shhh, vocês ouviram isso?", Paul perguntou.

"O quê?", Sharon e eu dissemos ao mesmo tempo, depois caímos na risada.

"Pega no verde."

Quando a porta da laje se abriu, todos nos viramos para ver mais duas pessoas conhecidas aparecerem. Reece Carlton e Neil Callaghan.

"O que vocês estão fazendo aqui?", perguntou Reece. "É alguma reunião de esquisitões?" Ele veio andando na nossa direção com passos gingados e um braço escondido atrás das costas. Neil estava logo atrás, com um sorrisinho de deboche no rosto. Paul ficou de pé, limpando a neve da calça jeans, e Ishtiaq se levantou também, depois nós duas.

"Ah, vai se foder", Paul falou, para minha surpresa. Eu nunca o imaginei falando um palavrão.

Reece deu uma risada baixinha que fez alguma coisa reverberar dentro de mim. O mesmo instinto que me mandou fugir do sr. Andrews entrou em ação. Naquele momento, eu soube que ele era perigoso, muito mais do que eu imaginava.

"Vamos embora daqui logo", eu disse.

"Ah, sim, podem ir, voltem para as suas vidinhas patéticas", Reece falou. "Menos essa aqui."

Ele apontou para Sharon com o braço que estava escondendo atrás das costas, segurando um cano de metal na mão. Sharon abaixou a cabeça.

"Ela pode ficar aqui com a gente."

Ao ver a arma, nós ficamos paralisados, o vapor da nossa respiração subindo para o céu.

"Pois é. Mas, pensando bem, você não anda se agarrando com ele?", perguntou Neil, e seu sorriso de deboche virou uma cara de nojo. Ele apontou com a cabeça para Ishtiaq. "Eu não quero pegar nenhuma doença."

"Aposto que sim. Essa cadela", disse Reece, estreitando os olhos para ela.

"Isso não é da sua conta", Sharon respondeu, dando um passo na direção da porta. Reece a empurrou com o cano.

"Não encosta nela!", disse uma voz que eu mal reconheci como a de Ishtiaq. Quando me virei, vi que as mãos dele estavam tremendo — se de medo ou de raiva, eu não sabia. Paul entrou na frente dele. Reece jogou a cabeça para trás e deu risada.

"E o que *vocês* acham que vão fazer para me impedir?"

Ele se aproximou e passou os dedos pelos cabelos de Sharon.

"Você tem que ficar com a sua gente", ele praticamente cuspiu as palavras. "Está jogando a sua vida fora com tipos como ele."

Sharon sacudiu a cabeça para se livrar da mão dele e deu um passo atrás. Quando Paul e Ishtiaq avançaram, Reece tirou Paul do caminho e deu um empurrão forte em Ishtiaq. Ele cambaleou e acabou virando o pé, e estendeu o braço para tentar se equilibrar. Paul e eu fomos segurá-lo. Enquanto isso, Reece se aproximou de Sharon de novo. Ela recuou quando ele deu outro passo na sua direção, com o cano em punho em uma postura ameaçadora. Tudo pareceu acontecer em câmera lenta quando Ishtiaq, depois de se reequilibrar, tentou tomar o cano, mas Reece o brandiu na nossa direção, nos fazendo andar para trás e sair do caminho, protegendo nossa cabeça com os braços.

Só percebi como estávamos perto da beirada quando ouvi o grito estrangulado de Ishtiaq, que atravessou meu corpo, me cortando.

"Não!", ele gritou, e percebi que Sharon não estava mais lá. Por um instante, ficamos todos em choque, e então ouvi uma voz gritar "Sharon! Sharon!" sem parar, e demorei alguns segundos para perceber que era a minha.

Ishtiaq estava ao meu lado, agarrado a mim, enquanto eu olhava pela beirada da laje de cobertura do prédio. Com as mãos trêmulas e o coração disparado, apontei o facho da lanterna para a escuridão. Nada.

"Nós precisamos descer lá", Paul falou. Movi a lanterna na direção dele, e seu rosto pálido pareceu refletir a luz de volta. Até mesmo Neil e Reece pareciam paralisados de terror.

Nós voltamos pela escada para dentro da tecelagem, usando a lanterna para iluminar o caminho. Quase tropecei nos meus pés na pressa para descer, e pouco a pouco fui perdendo a sensação tanto das pernas como das mãos, por causa do frio, do choque ou das duas coisas. O único som que ouvíamos era o da nossa própria respiração, e o da minha pulsação ecoando nos ouvidos. Lá embaixo, Reece e Neil fugiram noite adentro enquanto Ishtiaq, Paul e eu paramos por um instante na entrada da tecelagem.

"Espere aqui", disse Paul, enquanto recuperava o fôlego. "Eu e o Ishtiaq vamos até lá."

"Não!", falei. "Não, não, não, não", e saí em disparada para a escuridão, virando o facho da lanterna em todas as direções. Pouco a pouco, demos a volta no prédio, chamando Sharon enquanto andávamos, minha voz enrouquecendo naquele ar congelante. Eu mais senti sua presença do que a vi quando nos aproximamos, diminuindo o passo. Parecia que era ela, e ao mesmo tempo não. Era como um manequim ou uma estátua de cera.

O rosto dela parecia pacífico, a não ser pelo sangue que escorria do nariz e pela coloração cinzenta de sua pele.

"Eu vou chamar ajuda", Paul avisou, e saiu correndo para a rua, o eco de seus passos se tornando mais distante até sumir, nos deixando em um silêncio atordoado.

Agachei ao lado da minha amiga e segurei sua mão pálida. O frio da noite me atravessou até os ossos, e comecei a bater os dentes com tanta força que sentia o meu corpo todo vibrar.

"Ela vai ficar doente", falei. "É melhor cobrir ela com alguma coisa."

Tirei meu casaco e coloquei sobre Sharon.

"Pronto, pronto", eu disse, batendo de leve em seu ombro como se estivesse falando com as bonecas com as quais brincávamos até pouco tempo antes. "Você sabe que a tia Jean diz que é para ficarmos sempre quentinhas."

Levantei de novo, olhando para o rosto dela, traçando cada uma das sardas familiares, com Ishtiaq parado ao meu lado, ombro com ombro, e o único som no ar era o de seus soluços desconsolados. Eu segurei sua mão.

Depois do que pareceu uma eternidade, Paul apareceu com Hazel e o detetive Lister, seguidos de perto pelas sirenes de uma ambulância. Hazel envolveu nós três em um abraço, com lágrimas escorrendo pelo rosto contorcido de choque.

O detetive Lister mandou uma mensagem pelo rádio do carro e nos levou ao hospital logo atrás da ambulância, colocando sua sirene azul no teto — uma coisa que poderia ser mais do que empolgante, se não fosse aquela situação tão horrenda. Momentos depois, eu estava em uma cadeira de plástico dura na sala de espera, vendo as pessoas entrando e saindo. Vi quando Ruby apareceu correndo, seguida de perto por Malcolm. E também vi a chegada do sr. Bashir, que tomou Ish nos braços.

Só percebi que estava tremendo incontrolavelmente quando um cobertor foi colocado sobre meus ombros e o meu cérebro atordoado registrou uma voz inesperada.

"Miv. Minha Miv. Ah, minha pobre Mavis. Disseram que uma menina tinha se machucado, e eu pensei que fosse você. Pensei que fosse você."

Quando ela me abraçou, as lágrimas finalmente começaram a cair.

Era a minha mãe.

## 50

### HELEN

Com a notícia de que havia ocorrido um acidente na tecelagem em que Ishtiaq esteve envolvido, mas sem se machucar, pelo que a polícia sabia, Omar desmoronou, e a raiva dos minutos anteriores se dissipou em um instante. Jim logo adotou uma abordagem mais prática, pensando na melhor maneira de chegar ao hospital no meio da neve, e Helen segurou a mão de Omar por um breve instante, com muitas coisas para dizer, que esperava transmitir com seu toque, principalmente sua torcida para que o menino estivesse bem.

Jim fez questão de levar Omar ao hospital, e os dois saíram quase imediatamente. Depois de passarem alguns minutos de ansiedade e angústia sozinhos, Helen e Arthur decidiram ir também, e ela levantou devagar da cama dobrável e deixou que o pai a vestisse, como nos tempos de criança, enquanto chorava.

"Vai ficar tudo bem", disse Arthur quando entraram no carro, tirando a mão do câmbio para dar tapinhas em seu joelho. Seus pensamentos logo se voltaram para as crianças. Ela queria saber quem havia se ferido, e com que gravidade.

Quando chegaram ao pronto-socorro, Omar e Ishtiaq estavam sentados lado a lado nas cadeiras plásticas cor de laranja, com o menino abraçado ao pai. Não dava para saber onde terminava um e começava o outro. Seu corpo quase desmoronou de alívio por ele. Ele ergueu os olhos, e os dois trocaram um discretíssimo sorriso.

Jim estava de um lado deles, e Miv do outro. O pai dela e Jean também estavam presentes, e Helen os cumprimentou com um aceno de cabeça. Miv estava sentada perto de uma pessoa que ela não reconheceu, uma mulher miudinha e pálida que parecia não ver a luz do sol fazia anos e que dava a impressão de que iria se desfazer no ar se fosse tocada. Estava acariciando os cabelos de Miv. Ele levantou os olhos e encarou Helen.

Aquela era mãe de Miv?

Não havia sinal de Sharon e dos pais dela. Era provável que estivessem todos juntos em algum lugar. Helen estremeceu, sem querer nem pensar em onde poderia ser. Uma enfermeira apareceu brevemente na porta, como se estivesse procurando por alguém, com olhos cansados e o rosto pálido. Miv e Ishtiaq ficaram de pé em um pulo.

"Como ela está?"

"Alguma notícia?"

A enfermeira olhou para os dois com a compaixão estampada na expressão de dor e exaustão.

"Eu sinto muito, queridos."

Foi então que Miv começou a gritar.

## AS CONSEQUÊNCIAS

# 1

## MIV

Eu não lembro daquele Natal.

As semanas seguintes ao funeral passaram em um borrão. Quem me carregou e me fez seguir adiante em meio a tudo isso foi minha mãe. Era como se ela fosse uma lâmpada que tivesse sido acesa de novo; se encarregou de todas as questões práticas da vida como se nunca tivesse se ausentado. Sua luz diminuía um pouco de tempos em tempos, dava para sentir, e meu luto era quebrado pela preocupação, mas isso nunca durava muito tempo. Ela estava de volta, e era para ficar.

A tia Jean foi o ponto de apoio de Ruby.

Uma das poucas vezes em que emergi das sombras foi para ver as três prepararem rodadas e rodadas de sanduíches de patê de carne para depois do funeral, conversando em murmúrios, formando uma equipe improvável, unida pelo luto e o sofrimento. Quando observei a tia Jean, senti que as linhas severas de seu rosto haviam se suavizado.

O sr. Spencer conduziu a cerimônia, e fiquei em choque por um momento ao vê-lo no púlpito. Era como se eu tivesse esquecido totalmente da existência dele, e do fato de ele estar na lista. Ele falou sobre Sharon com amor e carinho, quase como se ela fosse sua melhor amiga, mas isso não me incomodou. Senti que era assim mesmo que precisava ser.

Eu o observei atentamente enquanto falava. Ele manteve uma postura perfeita, com um olhar lúcido e faiscante; quase bonito. Lembrei daquele dia depois da apresentação e cheguei a pensar, ainda que só por um momento, que era possível se recuperar da pior coisa que já aconteceu na sua vida.

Depois do funeral, foi como se meus horizontes tivessem encolhido, e eu só conseguia ver diante de mim um dia de cada vez, às vezes nem isso, apenas a hora seguinte mesmo. Foi assim que atravessei esse momento. Uma das coisas mais difíceis de aceitar era o fato de que, depois de sua morte, eu conseguia enxergar Sharon com mais nitidez do que em vida, e queria poder falar para ela as coisas que passei a admirar e das quais antes nem me dava conta: a forma como ela me acolheu como amiga, por escolha própria; sua força de caráter ao defender os outros, como fez com Stephen e Ish; sua disposição de participar de um esquema que eu inventava, mesmo não querendo, só para me dar apoio.

Mas, acima de tudo, percebi que sempre havia pensado nela como um "tipo" — o da menina bonita, o da menina sortuda —, sendo que era muito mais que isso. Sharon era como o caleidoscópio que uma vez tinha ganhado de aniversário, com o qual brincávamos o tempo todo: ela era cheia de cor, nunca se prendia a um padrão, estava sempre em movimento, mudando, mas sem nunca perder o encanto.

O mais curioso de ter uma melhor amiga é que em algum momento ela acaba se tornando uma parte de você. Como um membro extra no seu corpo. E, se você a perde, precisa reaprender a fazer as coisas sem essa parte sua. Aprender a viver sem Sharon foi como reaprender a andar. Em alguns dias, eu não conseguia nem levantar. Em outros, conseguia dar alguns passos. Às vezes perdia o equilíbrio e caía, e caía, e caía. E, quando percebi, esses dias viraram semanas, que viraram meses.

E a vida continuou.

Na escola, comecei a observar Ish, da mesma forma como havia feito antes. Via como ele se comportava na sala, onde sentava às vezes enquanto lia ou escrevia, lágrimas escorrendo pelo rosto. E ele falava nela o tempo todo, para qualquer um que quisesse escutar.

"Como você sabe como lidar com isso?", perguntei.

"Eu já passei por isso antes", ele respondeu.

"O quê?"

"Ficar com o coração despedaçado e sobreviver."

Foi com ele que aprendi a viver o luto.

Todo fim de semana Ishtiaq e Paul vinham me encontrar, não importava se eu estivesse a fim de sair ou não. Na maioria das vezes, nós nos encapotávamos com casacos, cachecóis e luvas e só andávamos pelas ruas da cidade, como se isso de alguma forma pudesse ajudar a superar a tristeza. Eu mostrei a eles todos os lugares para onde a lista nos levou, e contei histórias sobre as nossas investigações. Isso ajudou.

Comecei a registrar algumas histórias por escrito, junto com minhas lembranças de Sharon, e um dia fui até o novo mercadinho do sr. Bashir e comprei outro caderno. Esse era mais bonito que o anterior, com a capa cheia de padrões coloridos em um caleidoscópio de cores; isso me fez lembrar de Sharon. Com a minha letra mais caprichada, comecei uma lista nova. Uma lista de coisas maravilhosas. Uma lista de todas as coisas que eu amava nela, e de todas as aventuras que vivemos, e de que forma eu poderia me tornar mais parecida com ela. Ao escrever que ela ajudou Stephen Crowther a treinar corrida, minhas palavras ficaram borraram como os padrões estampados na capa do caderno quando as lágrimas pingaram no papel.

Guardei o meu antigo caderno e mantive esse sempre ao meu lado.

Havia dias em que a culpa era insuportável.

Ninguém nunca me disse nada, mas eu sabia que todos pensavam que era culpa minha. E *eu* também achava. Durante todo esse tempo, eu vinha evitando o sofrimento que sentia em casa ao caçar outra pessoa, e no fim acabei só trazendo mais sofrimento para a nossa vida, e da pior maneira possível.

Nesses dias, eu procurava viver um minuto de cada vez e ficava deitada na cama, alternando entre leituras e cochilos. Nesses dias, às vezes eu acordava e via meu pai sentado na cadeira da minha penteadeira, lendo o jornal ou tomando um chá. Ele se mantinha por perto o tempo todo nesses momentos. Tinha deixado de ir ao pub. Um dia, acordei com ele lá, e antes que pudesse me refrear, as palavras foram saindo da minha boca.

"Pai", eu falei. "Nós podemos conversar sobre uma coisa? Uma coisa importante?"

Ele me olhou com uma expressão surpresa. "Claro que podemos. O que foi?"

"Eu vi você. Na noite anterior ao que aconteceu. Com Ruby."

Ele ficou pálido, e logo em seguida todo vermelho.

"Não sei do que você está falando", ele respondeu. "Quando? Que história é essa?"

Percebi um tom de raiva que quase me fez recuar, por medo de irritá-lo ainda mais, mas lembrei da determinação de Sharon quando falávamos da lista. Eu não podia dar para trás.

"Pai. Não adianta tentar fingir que não aconteceu nada. Eu vi você. Vi vocês se beijando. De verdade. Não como amigos." Senti que a minha voz estava se elevando de raiva, e tentei respirar fundo.

Ele me olhou atentamente. Eu quase conseguia ver que ele estava analisando as opções que tinha, e pensando em como rebater minha acusação. Eu o encarei de volta, impassível por fora, trêmula por dentro, imaginando o rosto de Sharon na minha mente. Ele estava começando a murchar como um balão, e seu rosto se contraiu. Em seguida, tentou de novo.

"Não sei o que você pensa que viu, mas foi um mal-entendido", ele insistiu, desviando o olhar para os cantos do quarto.

"Pai. Você sabe que eu não sou mais criança", falei, cansada. "Eu já sei sobre você e Ruby. Sei que você ligava para ela à noite. Sei que você não ia ao pub quando falava que ia." Minha voz estremecia com uma fúria que eu tentava mascarar, e senti meu rosto ficar vermelho.

Meu pai soltou um suspiro profundo, e ficamos em silêncio por um momento até que ele disse: "Já acabou. Juro para você, e sinto muito". Ele me encarou, seus olhos cheios de lágrimas.

Fiquei perplexa. Não sei o que esperava, mas não era isso.

"Por quê?", questionei, minhas próprias lágrimas correndo soltas. "Por que você fez isso?"

"Você é nova demais para entender", ele justificou. "Mas um dia vai entender. A sua mãe. Do jeito como estava. Era difícil. Sei que isso não é desculpa." Ele sacudiu a cabeça. "Eu não deveria nem conversar com você sobre isso. Mas já acabou. Eu juro, querida. Terminei tudo naquela noite."

"Mas terminou... por causa do que aconteceu?" Eu ainda não conseguia dizer as palavras *morte de Sharon* em voz alta. Meu pai me olhou bem nos olhos.

"Não, Miv. Naquela noite, quando você viu nós dois, eu tinha ido me despedir. Não teve nada a ver com o que aconteceu com Sharon."

Ele respirou fundo antes de continuar. "Não sei se você entende, mas a polícia estava indo no meu trabalho, perguntando sobre o Estripador e tudo mais. E eu... bom... menti para eles. Não podia contar onde estava. E depois não consegui lidar com a mentira. Era o tipo de coisa que não me diferenciava muito dele."

Eu queria falar alguma coisa, mas as palavras ficaram entaladas na minha garganta.

"E eu não queria ser uma pessoa assim. Como esse homem", ele falou, com seus olhos marejados refletindo os meus. "Eu queria ser alguém de quem você, sua mãe e a tia Jean pudessem ter orgulho."

E, nesse momento, pensando em tudo o que tinha feito para que as pessoas se orgulhassem de mim, eu compreendi.

Em 20 de agosto de 1980, Marguerite Walls, uma funcionária de quarenta e sete anos do Departamento de Educação de Ciências de Pudsey, em Leeds, fez hora extra no trabalho. A caminho de casa, foi atingida na parte de trás da cabeça com um martelo e estrangulada com uma corda. O corpo foi encontrado por jardineiros no dia seguinte.

Em 17 de novembro de 1980, Jacqueline Hill, de vinte e dois anos, foi assassinada. Era uma universitária que voltava de uma palestra para seu alojamento estudantil em Leeds quando foi atingida na parte de trás da cabeça com um martelo e arrastada para um terreno baldio, onde teve o corpo perfurado por repetidos golpes com uma chave de fenda. Seu corpo foi descoberto na manhã seguinte por um gerente de loja a caminho do trabalho.

Ela foi a décima terceira e última vítima do Estripador.

Eu não sabia. Só conseguia pensar em Sharon. As notícias dos assassinatos não foram capazes de atravessar as impiedosas ondas do meu luto.

# 2

## AUSTIN

A primeira vez que ele viu Ruby sozinho depois do funeral foi a pedido de Marian, o que tornou tudo ainda mais doloroso. Ele vinha resistindo à ideia de ir até lá, mas ela tinha insistido, dizendo: "Vá e conserte a porta quebrada da geladeira. Ruby já está com muita coisa na cabeça para ter que resolver isso também."

"Mas e Malcolm?", ele perguntou, ao que sua esposa deu de ombros e revirou os olhos. "Tudo bem, então", ele respondeu, imitando o gesto dela e abrindo um sorriso, surpreso pela facilidade com que haviam recuperado a intimidade de um casal que estava junto há tempos, quase como se os anos anteriores não tivessem acontecido. Mas não exatamente.

Ele decidiu ir a pé, percorrendo o caminho de sempre com uma sensação avassaladora de nostalgia, apesar de a última vez ter sido apenas meses antes. Sua boca foi ficando seca, e seu coração batia tão forte que ele se perguntava se as pessoas na rua conseguiam ouvir. Quase parecia como da primeira vez, mas por motivos bem diferentes. Tudo parecia ter acontecido muito tempo antes, ou até mesmo em outra vida.

Ruby abriu a porta quando Austin apareceu — Marian devia ter ligado para avisar que ele estava a caminho —, o que lhe permitiu ver seus olhos fundos e seu corpo emagrecido antes que ela virasse e entrasse na casa, deixando a porta aberta para que ele a seguisse. Austin a encontrou sentada à mesa da cozinha, com as mãos em torno de uma caneca de chá quase terminada, olhando para o conteúdo, e então se acomodou ao seu lado.

"Imagino que Malcolm não esteja em casa." Ele sabia que estava afirmando o óbvio, mas como iniciar uma conversa naquelas circunstâncias?

"Não." A voz dela soava seca, sem emoção. "Ele voltou ao trabalho. Acha que devemos seguir com a vida normalmente." Ela riu sem nem um pingo de humor.

"Como você está?", ele perguntou, sua voz embargada, dando uma boa olhada nela pela primeira vez. Parecia que os meses anteriores a haviam pisoteado, e Austin teve vontade de abraçá-la, sabendo que ele, mais que qualquer um, não poderia lhe oferecer qualquer consolo.

Ela suspirou.

"Eu não consigo nem pensar em como responder a essa pergunta." Os olhos dela se cravaram nos dele quando se ergueram do chá frio. "Antes, eu via Marian e a julgava, sabe, achava que deveria pôr a vida nos eixos logo de uma vez. Achava que isso justificava o que nós estávamos fazendo."

Houve uma longa pausa, e ele prendeu a respiração.

"Agora eu percebo que ela não tinha escolha. Que às vezes acontecem coisas que você não tem como superar ou deixar para trás assim tão depressa. Agora só sinto admiração por ela ter seguido vivendo até se sentir pronta para recomeçar."

Austin se sentiu fraquejar por causa do soco no estômago que foram aquelas palavras, e pelo reconhecimento de que Ruby estava certa.

"Eu sinto muito", ele disse, sem saber exatamente pelo quê estava se desculpando. Talvez por tudo.

"Pelo quê, Austin? O que está feito, está feito. E, entre nós dois, foi você que fez a coisa certa no final."

Ele fez menção de balançar a cabeça, mas ela pôs uma mão firme em seu braço.

"Está tudo bem, Austin. De verdade."

Ela preparou um chá enquanto ele consertava a porta da geladeira e, depois de servi-lo, desapareceu no andar de cima. Austin ouvia seus movimentos suaves no quarto de Sharon. Tinha acabado de fazer o reparo quando ela reapareceu, segurando uma bonequinha de pano surrada nas mãos.

"É para Miv", ela falou, estendendo-a para ele. "Eu ainda não consegui..." Ela se interrompeu por um momento, como se estivesse juntando forças para dizer o restante das palavras. "Ainda não consegui separar todas as coisas dela, mas pensei que Miv ia gostar disso." Ele assentiu, incapaz de falar, e estendeu a mão para pegar a boneca, mas Ruby recolheu o braço. "Talvez seja melhor ficar com ela mais um pouco." Austin estendeu os braços, abraçando Ruby e a boneca por um breve momento. Em seguida, foi embora.

Quando voltou, encontrou a casa cheia de vida ao som das mulheres da sua vida. Jean e Marian discutiam levemente sobre alguma coisa na cozinha, enquanto Miv lia no sofá com uma expressão compenetrada. Ele ficou impressionado com o quanto a filha estava começando a ficar parecida com a mãe. Alta, pálida, com feições refinadas, seus movimentos graciosos, e não tanto desengonçados. Enquanto a observava, foi acometido por uma emoção que não conseguiu trazer à tona na casa de Ruby. Miv sentiu sua presença e ergueu os olhos, franzindo o rosto de preocupação.

"Está tudo bem, pai?"

Ele queria beijá-la na testa, como tinha feito durante muitos anos toda noite na hora de dormir, mas, por algum motivo, ela parecia crescida demais para isso agora. Tinha passado por muita coisa. Então, sentou no sofá ao seu lado, e ficou surpreso quando ela fechou o livro e se aninhou a ele, com as pernas encolhidas. Decidiu beijar sua testa mesmo assim.

# 3

## MIV

Foi logo depois do primeiro aniversário do acidente. Era como eu chamava aquele dia na minha cabeça. Dar nome às coisas era doloroso demais. Fizemos uma tentativa de comemorar o Natal, mas a culpa por estar me divertindo e trocando presentes ainda me incomodava de tempos em tempos; me lembrava do que tinha perdido. Nesses momentos, eu passava a conversar com Sharon, contando como andavam meus dias e minha saudade dela.

No fim, acabamos não nos mudando. A tia Jean voltou a morar na nossa casa e, naquele dia do início de janeiro, meu pai estava na sala de visitas convertida em quarto instalando prateleiras para os livros dela. Ouvia um ou outro palavrão quando ele acertava os dedos com o martelo, junto com o falatório baixo da televisão. Minha mãe estava cozinhando e a tia Jean tinha saído para fazer suas "visitas" às várias pessoas de quem cuidava agora, já que não precisava mais cuidar de tudo por nós. Pelo menos havia muita gente precisando de ajuda na cidade — Ruby, Valerie e até mesmo Arthur, agora que Helen e o sr. Bashir estavam saindo juntos. Eles tentavam incluir Arthur em tudo, me disseram, mas ele insistia: "Vocês jovens precisam passar um tempo sozinhos". Do meu quarto, parei um pouco para escutar o movimento, reconfortada pela trivialidade dos sons domésticos. Eu tinha demorado um tempo para começar a reparar nisso de novo, a entender que a vida seguia normalmente, mesmo depois de uma perda inimaginável.

No aniversário, Ruby me deu algumas das coisas de Sharon que pensou que eu fosse gostar, que eu agora estava separando. Achei que ela poderia me culpar pelo que aconteceu, mas ela parecia só querer me ver feliz. Estar cercada pelas coisas de Sharon fez com que me sentisse mais próxima dela e, enquanto segurava sua boneca Holly Hobbie junto ao nariz — a única relíquia da menina que ela era quando a conheci —, imaginei que conseguia sentir seu cheiro, uma mistura de desodorante Impulse e sabonete Imperial Leather, apesar de ser impossível, porque fazia tempo demais. Olhei para minha nova lista também. Era o que me ajudava a mantê-la comigo, e a tentar me tornar mais parecida com ela.

Ouvi um grito triunfante no andar de baixo.

"Pelo fogo do inferno! Pegaram o desgraçado."

Minha mãe e eu fomos nos juntar ao meu pai, que estava diante da tevê, o martelo ainda em mãos. Com a fotografia ao fundo de um homem de cabelo e olhos escuros e bigode, o apresentador do noticiário anunciou: "*No dia 2 de janeiro, policiais de South Yorkshire conduziam verificações de rotina em veículos que circulavam no distrito da luz vermelha de Sheffield quando se depararam com um homem com placas falsas em seu carro. Ele estava acompanhado de uma mulher. O motorista, Peter Sutcliffe, foi detido. Durante o interrogatório, ele confessou e foi indiciado pelo assassinato de treze mulheres*".

À medida que eu ia absorvendo pouco a pouco aquelas palavras, percebi que meu pai ainda estava paralisado, observando a tela bem de perto.

"O que foi, pai?"

"Eu conheço o sujeito", ele respondeu com a voz trêmula. "Eu sei quem é o maldito. Ele trabalhava lá no galpão. Estava lá todo santo dia."

Ele desabou na poltrona.

"Ele viu tudo o que aconteceu com Jim Jameson, e nunca abriu a boca para falar nada."

Comecei a chorar. "Você sabia quem ele era esse tempo todo, e mesmo assim não conseguimos descobrir, e agora Sharon se foi, e a culpa é minha."

Minha mãe me puxou para seus braços enquanto eu chorava incontrolavelmente. "Shhh, Miv. Está tudo bem, está tudo bem."

Meu pai desligou a televisão e ligou o rádio enquanto ela acariciava meu cabelo. As mãos dela tremiam. Ela e eu sentamos no sofá enquanto ela me embalava para me acalmar, cantarolando. Percebi que no rádio Johnny Cash cantava "You Are My Sunshine".

"Desculpa, Sharon", murmurei baixinho. Pensei em Brian e fiz uma prece para ele também.

Observando nós duas, meu pai ficou com os olhos cheios de lágrimas e disse para a minha mãe: "Acho que chegou a hora".

"Sim, chegou mesmo" ela respondeu.

Meu pai desligou o rádio e foi sentar no sofá ao nosso lado. Continuei com a cabeça apoiada no colo da minha mãe, meu coração disparado. Foi ele quem começou a falar.

"Miv, querida, nós temos uma coisa para contar para você."

Minha mãe respirou fundo e soltou um suspiro frágil, colocando a mão livre no braço do meu pai, enquanto continuava acariciando meu cabelo com a outra. "Não, Austin, sou eu que preciso fazer isso." Ela fez uma pausa e se ajeitou no lugar.

"Como você sabe, eu fiquei mal durante um bom tempo", ela disse.

"Sim", sussurrei.

"Bom. Foi porque aconteceu uma coisa comigo. Uma coisa... uma coisa muito dolorosa."

Ela respirou fundo de novo, e meu pai segurou sua mão. Quando as palavras saíram, foi em uma espécie de staccato.

"Ainda parece que foi ontem, mas já faz anos, eu acho. Eu tinha saído para ir ao bingo com umas amigas. Era a primeira vez que eu saía sem você e o seu pai em muito, muito tempo. Bebi uma coisinha ou outra. Nada de mais, só que fiquei um pouco alta. Fazia tempo que não bebia também. Na hora de voltar, resolvi vir andando, para clarear os pensamentos. E... bom... eu fui atacada."

Ficamos em silêncio enquanto eu assimilava aquilo, ouvindo a respiração baixinha da minha mãe, meu coração disparado em sincronia com o dela. Eu conseguia senti-lo em seu colo, em suas mãos.

"Consegui fugir. Mas só depois. E então, quando cheguei em casa... bom, você sabe o que aconteceu no dia seguinte."

"Mas por quê?"

"Porque eu sentia que era culpa minha. Que não devia ter saído. Que não devia ter bebido. Que não devia ter voltado a pé sozinha à noite", minha mãe explicou.

"Então, quando vi o que a polícia estava falando sobre as mulheres que o Estripador atacava, como se fosse culpa delas, decidi não prestar queixa."

De repente, percebi as implicações de tudo aquilo.

"Era... foi ele?", perguntei, ofegante.

"Eu não sei, querida", ela respondeu. "Só sei que coloquei a culpa em mim mesma. E quanto mais eu me culpava, mais me fechava. Quando percebi que não conseguia falar a respeito do que aconteceu, parei de falar completamente." Ela fez uma pausa para me olhar, procurando no meu rosto aquilo que eu não conseguia expressar em voz alta. "Sei que talvez você ainda não entenda, querida", ela disse por fim, "mas eu e seu pai achamos que precisávamos contar para você. E explicar. Você passou por muita coisa."

Eu a agarrei com força, colando meu corpo ao seu, como se estivesse tentando nos fundir numa pessoa só. Assim seríamos mais fortes. E, por dentro, eu entendia mais do que ela era capaz de imaginar.

"Você acha que foi culpa minha?", ela perguntou baixinho.

Eu me desvencilhei de seus braços imediatamente. "*Não!*"

"Então você entende que não foi por sua culpa que Sharon morreu, Miv? Foi culpa do homem que me atacou. E do menino que atacou Sharon."

Eu assenti. A luz da compreensão começou a atravessar a névoa da tristeza. Pensei em Sharon. Sobre sua fidelidade para com as pessoas de quem gostava. Sobre sua fúria contra a injustiça e sua forma direta de expressá-la. Sobre ter me ajudado com a lista porque me amava e queria me ver feliz. Pensei em tudo isso, e em todas as coisas que tinha escrito sobre ela na minha nova lista, e sabia que queria fazer melhor, ser alguém melhor. Talvez a minha mãe estivesse certa. Talvez não fosse culpa minha, mas talvez eu ainda precisasse tentar virar uma pessoa melhor.

Quando o telefone tocou, horas depois, eu estava de novo no meu quarto.

"Miv", ouvi me chamarem lá de baixo, "telefone para você. É o Paul." Desci correndo para atender, ficando toda constrangida no corredor, de repente me sentindo tímida em conversar com ele com a minha mãe e o meu pai ali tão perto. Puxei o fio e o telefone até a escada, para ter um pouco mais de privacidade, e o meu pai sorriu, piscou para mim e fechou a porta da sala de estar.

"E aí?", disse Paul. Ele estava falando cada vez mais como alguém de Yorkshire, deixando de lado as grã-finuras de aluno de liceu.

"E aí", respondi, enquanto ouvia um monte de pancadas ao fundo.

"Desculpa o barulho", ele continuou. Paul e Ishtiaq tinham montado uma banda. Várias das nossas conversas agora giravam em torno das ambições deles de entrar nas paradas de sucesso. A amizade entre os dois me lembrava dos bons tempos entre Sharon e eu.

"Ish está treinando o solo de bateria, mas acho que o sr. Bashir não está gostando muito, e já tinha ficado bravo porque nós não queremos tocar nenhuma música do Elton John."

Eu dei risada, imaginando a cena. O novo mercadinho tinha uma garagem anexa onde os meninos ensaiavam, e o sr. Bashir balançava a cabeça e revirava os olhos o tempo todo, mas nunca os interrompia.

"Manda um oi para ele por mim."

"Pode deixar. Enfim, eu liguei porque precisamos de você para o vocal. Depois que o julgamento terminar."

Em uma repetição macabra do caso dos garotos envolvidos na morte de John Harris, Reece acabou indicado por homicídio culposo. O julgamento começaria em breve, e nós seríamos ouvidos como testemunhas. O detetive-sargento Lister disse que cuidaria de nós. Tudo aconteceria no mesmo tribunal onde o tio Raymond tinha sido condenado, e onde o sr. Andrews seria julgado também. Apesar de não termos desmascarado o Estripador, conseguimos aliviar em alguma medida nossa consciência por termos ajudado levar o sr. Andrews e o tio Raymond a à Justiça. Fiquei me perguntando se seria ali também que o Estripador seria julgado.

"Você vem no sábado? Posso passar aí?", Paul perguntou.

"Claro que pode", respondi, ficando vermelha.

No primeiro sábado de cada mês, íamos tomar chá na casa de Valerie Lockwood. Éramos um grupo de pessoas que haviam perdido alguém, embora nunca nos chamássemos assim, nem por nenhum outro nome, era simplesmente uma coisa que aconteceu. O sr. Bashir e Valerie eram os organizadores e, juntos, montavam uma mesa de comes e bebes. Era engraçado ver samosas e sanduíches de patê de carne lado a lado no aparador de Valeria, além do toca-fitas do sr. Bashir, que ele levava para colocar Elton John enquanto todo mundo comia. Embora as reuniões acontecessem na casa de Valerie, o sr. Bashir era o líder, e nós seguíamos as suas deixas. Levávamos fotos e objetos das pessoas que perdemos, e conversávamos sobre nossas lembranças e nossos sentimentos.

"Um monte de almas perdidas", era como a tia Jean se referia a nós. Ela nunca aparecia.

Naquele sábado, Paul passou na minha casa de manhã, e fomos andando de mãos dadas até a Thorncliffe Road. Arthur sempre me provocava quando nos via juntos. "Ah, um romance adolescente", ele dizia, e Paul e eu ficávamos vermelhos; isso ainda acontecia bastante. A porta da casa de Valerie já estava aberta, e era possível escutar da rua o som das pessoas conversando e o tilintar das xícaras. Além de Valerie e o sr. Bashir, as pessoas de sempre estavam lá: Helen — eu já tinha me acostumado a chamá-la assim —, Ishtiaq, Ruby, o sr. Ware (que nunca dizia nada, mas parecia diferente do professor que conheci, mais triste e menos rígido), Arthur e Jim. Às vezes tinha mais gente do que lugares para sentar, e o sr. Bashir ia buscar as cadeiras de praia de Arthur.

Depois dos cumprimentos de praxe, sentamos na sala de visitas lotada. Todas as superfícies possíveis abrigavam alguém, desde o sofá gasto até as cadeiras da cozinha e um pufe de crochê onde o sr. Bashir se acomodou. Paul, Ishtiaq e eu sentamos no carpete estampado. Ishtiaq segurava duas colheres que tinha pegado da mesa e as batucava no joelho num ritmo de uma ideia para uma música, mas então percebeu que a sala inteira estava em silêncio e recebeu uma encarada do pai para ficar quieto. Ele baixou as colheres, e nós engolimos nossos risos. Então, quando o sr. Bashir estava dando as boas-vindas, um rosto apareceu na porta, e um "oh" escapou da minha boca antes que eu pudesse impedir.

A tia Jean parecia mais formal e hesitante do que nunca, com seu melhor casaco de inverno, de um cor verde-garrafa, e segurando a bolsa marrom, rígida e retangular diante do corpo, como a rainha. Só seus olhos denunciavam sua necessidade de estar ali, pois estavam banhados em lágrimas. A voz do sr. Bashir foi se dissipando dos meus ouvidos quando vi Jim levantar e oferecer a cadeira para ela, que sorriu, com as bochechas coradas, e sentou, baixando a bolsa também; não sem antes pegar uma fotografia granulada em preto e branco, que ficou segurando em vez da bolsa. De onde eu estava sentada, reconheci a imagem imediatamente. Era a foto do meu avô que ficava ao lado da cama dela. Foi só então que me ocorreu que a tia Jean também sabia o que era perder alguém. E era capaz de superar a perda. Assim como eu. Ela ergueu a cabeça, e nossos olhares se encontraram. Sorrimos uma para a outra até ela se distrair com Jim, parado atrás dela, que estendeu a mão e apertou seu ombro. A mão da tia Jean procurou a dele, dando um tapinha de leve e deixando-a ali.

Quando chegou a minha vez, falei sobre Sharon e tudo o que fazíamos juntas, o que levou todo mundo a sorrir e a balançar a cabeça, com uma expressão de tristeza e ternura. Olhei para Ruby e perdi a fala ao ver o amor estampado no rosto dela. De alguma forma, ela havia se tornado ainda mais amorosa e compreensiva, não menos. Eu me sentia muito melhor ao falar a respeito, geralmente. Aquelas palavras mantinham Sharon viva, em certo sentido. Também escrevia tudo o que lembrava no meu caderno novo, e, depois de um tempo, as palavras começaram a tomar a forma desta história, a que estou contando agora, a da lista de coisas suspeitas, mas não só isso. A história de uma amizade.

Na tarde seguinte, eu fui até o mercadinho do sr. Bashir. Era maior que o antigo, assim como a casa nos fundos, o que era útil, e não só por causa dos ensaios da banda, mas porque Helen estava praticamente morando lá — para o horror, ou melhor, o deleite, dos fofoqueiros da cidade. Helen estava atrás do balcão atendendo clientes quando entrei.

"Quer ficar para o jantar?", ela ofereceu, e fiquei tentada a aceitar por um momento. Quando se juntavam, Helen e o sr. Bashir faziam as melhores comidas, e fazia um tempo que eu não conversava com Ishtiaq — ele estava sempre na bateria, ou com Paul —, mas fiz que não com a cabeça. Tinha uma missão a completar. Eu ia comprar exemplares de todos os jornais recentes, para poder recortar as matérias sobre a captura de Peter Sutcliffe para o caderno antigo. Parecia certo finalmente concluir aquilo.

Quando cheguei em casa logo depois, ouvi o som de risadas. Segui o barulho até a cozinha. Meu pai estava sentado sobre a mesa amarela de fórmica, rindo e balançando as mãos diante do rosto. "Não me envolvam nisso!", ele disse, enquanto minha mãe e a tia Jean, diante de uma tigela grande, discutiam quanto conhaque colocar no pavê que fariam para o aniversário de Arthur, que seria em breve. Os ingredientes estavam espalhados por toda a parte, inclusive pelo rosto da minha mãe. Ela era uma cozinheira "criativa" — ou seja, bagunceira —, mas todos sabiam que a tia Jean deixaria tudo limpo e impecável depois que estivesse pronto, sem que houvesse qualquer resquício de que algo havia sido feito ali. "Nós formamos uma ótima equipe, Jean", minha mãe dizia com frequência.

Para a minha surpresa, era a tia Jean que estava querendo pôr mais conhaque. "Se aprendemos alguma coisa nos últimos anos, foi encontrar alegria onde quer que seja possível", ela argumentou. Nós paramos por um instante, prolongando o momento, então minha mãe passou os braços ao meu redor, uma colher de pau cheia de creme inglês na mão, espalhando pelotas amarelas para todos os lados, e obrigando meu pai a se esquivar. Ela me deu um beijo no rosto e, enquanto isso, a tia Jean acrescentava às escondidas uma colher de sopa de conhaque na tigela, me lançando uma piscadinha.

Sentindo meu coração preenchido, deixei que continuassem e subi para o meu quarto. Demorei algum tempo para encontrar, mas enfim tirei o caderno antigo da caixa de sapatos do guarda-roupa. Nisso, uma fotografia caiu do meio das páginas. Era uma das que eu tinha tirado no parque com a câmera de Ishtiaq. Era de Sharon e ele, sentados na toalha xadrez. Ela estava rindo de alguma coisa, com a cabeça jogada para trás, seus cachos loiros emoldurando o rosto, e Ishtiaq também ria, seus olhos voltados para ela e só ela. Sharon estava tão linda e feliz que senti um aperto no coração, mas, ao mesmo tempo, fiquei contente por ela ter sido tão amada, e sabia que a minha vida havia sido melhor por tê-la conhecido. Pendurei a foto na parede e fechei o caderno pela última vez.

Todos os itens da lista tinham sido riscados.

# Agradecimentos

Meu coração está repleto de gratidão. Esta é uma lista das MELHORES PESSOAS da minha vida, e todas elas contribuíram para que este livro chegasse onde está. Agradeço muito a todos vocês.

Eu me sinto na obrigação de começar pela mulher que mudou a minha vida com um e-mail. Nelle Andrew, você é a agente dos meus sonhos. Obrigada por apostar em mim e pelo seu incansável trabalho e incentivo — principalmente durante o nosso ano de "escrita intensiva". Meu muito obrigada também a Charlotte Bowerman e Alexandra Cliff, da RML, por tudo o que fizeram.

Então chegou a vez da lenda literária Venetia Butterfield ("você me fisgou quando citou o Swarfega"), que transformou esse sonho em realidade, e cuja perspicácia editorial, junto com os talentos da maravilhosa Ailah Ahmed, elevou o nível deste livro. As duas foram incríveis, e aprendi demais com vocês.

Charlotte Bush, com quem tive meu primeiro almoço para tratar de negócios no mercado editorial, acalmou os meus nervos com sua simpatia e seu apoio. Você foi uma presença constante ao meu lado, além de uma especialista incrível no seu ramo de trabalho. Obrigada.

Agradeço à equipe da Hutchinson Heinemann como um todo, em especial Isabelle Ralphs, Claire Bush e Rebecca Ikin, que mostraram toda a sua generosidade ao longo de seu brilhante trabalho neste livro, e a Joanna Taylor por sua paciência infinita com minhas versões "finais". Senti que estava nas mãos de um grupo fantástico de profissionais desde o início. Faço um agradecimento especial a Ceara Elliot, pela incrível ilustração da capa.

Preciso falar também das pessoas que me incentivaram enquanto eu escrevia. Vocês nunca vão saber o quanto seu apoio e sua confiança significaram para mim.

Minha maravilhosa e generosa amiga Maddy Howlett, que leu as primeiras frases e me disse que havia algo de bom ali. Agradeço demais.

Cathi Unsworth, minha tutora na Curtis Brown Creative, que me fez acreditar de verdade: "Eu consigo fazer isso".

Simon Ings, que escreveu meu primeiro feedback e cujas palavras me deram coragem para seguir em frente.

Toda a equipe da CBC (em especial Anna Davis), que fazem um trabalho maravilhoso de assessoria para escritores, e que tanto me ajudaram.

Hannah Luckett e Laina West, que conheci em um dos cursos da CBC e que fizeram parte do meu primeiro grupo de escrita — duas mulheres talentosas cujas opiniões me ajudaram a dar forma a este livro, e cuja amizade é tão especial.

Minhas leitoras-beta Maddy Howlett, Jo Tomlinson, Sarah Lawson, Neerja Muncaster e Tiffany Sharp, que foram todas fantásticas em seus elogios e criteriosas em seus comentários.

Phil Daoust, do *Guardian*, que me encomendou meu primeiro texto e me disse que eu podia seguir carreira na escrita, em uma época em que eu não fazia ideia do que o futuro me reservava — isso foi importante demais para mim —, e a talentosíssima escritora Joanna Cannon, que leu esse primeiro texto e me disse o mesmo. Vocês mudaram a minha vida, mesmo sem saber.

Também sou muito grata à fantástica editora Phoebe Morgan, que generosamente criou um desafio no Twitter — com o grande prêmio sendo a avaliação dos três primeiros capítulos de um livro —, do qual eu saí vencedora! Suas impressões foram de um valor inestimável.

Preciso mencionar também a incrível Marian Keyes, cuja obra me inspira desde que *Férias!* mudou a minha vida, mas que também me encorajou a escrever dizendo algo do tipo "Acho que leitores vorazes conseguem aprender a escrever por osmose" no lançamento de *Adultos*. Isso me tocou profundamente, e comecei este livro no dia seguinte.

Agradeço a Will Dean (não só pelas obras da Tuva Moodyson, de que eu sou muito fã!), cujos vídeos no YouTube sobre o processo de pesquisa e escrita são tão informativos e generosos.

Existem também algumas pessoas talentosíssimas cujo trabalho serviu como uma fonte inestimável de pesquisa para este livro:

Liza Williams, cuja série documental *The Yorkshire Ripper Files*, ganhadora do BAFTA, eu assisti diversas vezes, e que me fez lembrar dessa época da minha vida de uma forma tão visceral que não tive escolha a não ser escrever a respeito.

M.Y. Alam, cujo livro *Made in Bradford* traz transcrições de entrevistas com homens paquistaneses de Bradforf após os confrontos nas ruas da cidade em 2001, que me proporcionou vislumbres profundos, assim como *Muslim, Actually*, de Tawseef Khan.

Jane Roberts, cujo site "Past to Present Genealogy" traz informações de valor inestimável sobre as tecelagens de West Yorkshire, inclusive a história de John Harris (que teve sua localização e alguns detalhes alterados para se adaptar às minhas necessidades narrativas).

Devo citar também as pessoas que conheci através da escrita e que me apoiaram durante todo o processo, cientes disso ou não:

Sophie Hannah, cujo programa Dream Author manteve a minha sanidade, e cuja mentoria de primeiríssima linha me ajudou tremendamente em momentos cruciais, e Johanna Spiers, que conheci no meu primeiro retiro no programa e se transformou em uma amiga querida de escrita.

Todos os escritores, leitores e blogueiros do Twitter que compartilham da minha obsessão por livros e acompanharam minha jornada e me permitiram acompanhar as deles. Nesse caso, cabem menções especiais a Chloe Timms (e seu grupo de escrita das quintas à noite) e Julie Owen Moylan que me apoiaram e me ofereceram seus conselhos e sua amizade.

À dra. Jo Nadin, minha orientadora no doutorado, amiga e autora de talento, agradeço pelos sábios conselhos.

À equipe da Waterstones de Tauton (principalmente "DAVE!") por me ouvir falar sem parar sobre o "meu livro" (e outros também).

Georgia e Karen, do podcast *My Favourite Murder*, cujo conceito de "crimes locais" me deu o estalo inicial para tudo isso.

Elizabeth Day, você não imagina o quanto seu podcast *How to Fail* foi importante para me manter seguindo em frente (e ainda é). Eu sempre vou ser uma superfã sua.

Hattie Crissell, cujo podcast *In Writing* me acompanhou durante a escrita da primeira versão deste livro.

Também preciso agradecer a John El-Mokadem, cuja pergunta "Você quer mesmo continuar fazendo isso?" me levou a abandonar o ambiente corporativo. Você mudou o rumo da minha vida. E também a Michael Neill, que me salvou quando tive uma recaída.

Agradeço à minha família, que tanta inspiração deu para este livro (inclusive os nomes!), principalmente meu pai, cuja experiência o motivou, e Susan, minha irmã mais velha, que é quem me ensina a viver no momento presente.

Obrigada também à minha família de coração:

Os Barker (principalmente Adele e Herbie), cujo amor sempre "prático" e pé no chão (e cuja ajuda com o aluguel) possibilitou que este livro fosse escrito. Podem mandar encomendar a placa azul para pôr na fachada!

A glamourosa Helen Smith, cuja amizade e apoio desde o início significaram MUITO para mim, e com quem passei os melhores fins de semana!

Maddy Howlett (de novo!), Faye Andrews e Olivia Sharp, com quem aprendi que era capaz de escalar montanhas e correr maratonas. Uma menção especial aqui à família de Faye, que é o oposto dos Andrews do livro, principalmente a Veronica. Você sempre foi um exemplo do que é o amor.

Minhas amigas Sophi Bruce, Emma Canter, Sharpie, "prima" Chloe Haines, Amanda Gee e Peggy "Pegmina" Shaw, cujo amor e aceitação são um esteio para mim desde BEM antes desta obra surgir no horizonte.

E, para finalizar, este livro é para Rachel, Guy, Eva e Hugo Farley, que com seu amor e apoio tornaram possível a escrita deste texto, e para Sam, minha amiga de mais longa data, que tem sempre, sempre, sempre um espacinho prontinho para mim.

# As vítimas fatais do Estripador de Yorkshire

Wilma McCann, 28, morta em 30 de outubro de 1975
Emily Jackson, 42, morta em 20 de janeiro de 1976
Irene Richardson, 28, morta em 5 de fevereiro de 1977
Patricia Atkinson, 32, morta em 23 de abril de 1977
Jayne MacDonald, 16, morta em 26 de junho de 1977
Jean Jordan, 20, morta em 1º de outubro de 1977
Yvonne Pearson, 21, morta em 21 de janeiro de 1978
Helen Rytka, 18, morta em 31 de janeiro de 1978
Vera Millward, 40, morta em 16 de maio de 1978
Josephine Whitaker, 19, morta em 4 de abril de 1979
Barbara Leach, 20, morta em 2 setembro de 1979
Marguerite Walls, 47, morta em 20 de agosto de 1980
Jacqueline Hill, 20, morta em 17 de novembro de 1980